POCKETBOOK

CIinical Manual of PLASTIC SURGERY

주머니에 쏘옥~

포켓성형외과 임상 매뉴얼

2nd Edition

박대환 · 한동길 · 심정수 · 이용직 · 김찬우 · 김성은 지음

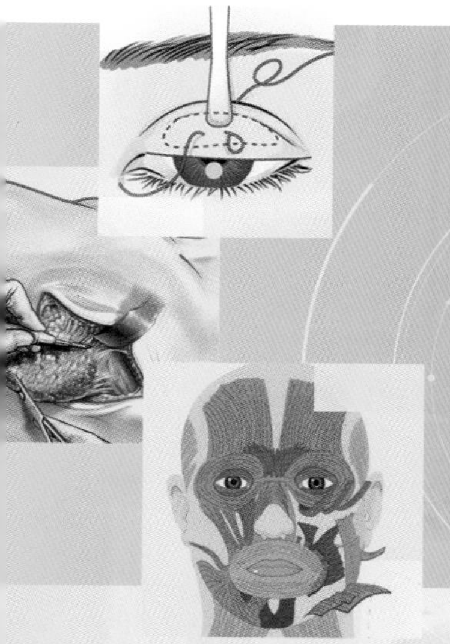

군자출판사

주머니에 쏘옥~
포켓성형외과 임상 매뉴얼

첫째판 1쇄 인쇄 | 2010년 02월 16일
첫째판 1쇄 발행 | 2010년 02월 22일
둘째판 1쇄 인쇄 | 2021년 01월 04일
둘째판 1쇄 발행 | 2021년 01월 15일

지 은 이 박대환, 한동길, 심정수, 이용직, 김찬우, 김성은
발 행 인 장주연
출 판 기 획 최준호
표지디자인 김재욱
편집디자인 유현숙
일 러 스 트 김경열, 유학영
발 행 처 군자출판사(주)
등록 제 4-139호(1991. 6. 24)
(10881) 파주출판단지 경기도 파주시 회동길 338(서패동 474-1)
전화 (031) 943-1888 팩스 (031) 943-0209
www.koonja.co.kr

ISBN 979-11-5955-627-2

정가 40,000원

머리말

성형외과가 한국에 도입된 지 근 반세기가 된 현재, 우리말로 된 성형외과 전문 서적들이 출판되어 성형외과 의사들이나 전공의 및 의과 대학생들에게 좋은 참고서로써의 구실을 하고 있다. 그러나 전공의나 학생 임상실습 때 볼 간단하고 일목요연한 임상 매뉴얼이나 포켓북은 없었다.

이에 지금까지 본교 학생 강의에 사용한 syllabus와 hand-out을 바탕으로 우리 과의 여러 교수들이 힘을 모아 2010년 성형외과 임상 매뉴얼 포켓북을 발간하였다.

세월이 10년이 지나 1판이 절판되고 10년 동안 바뀐 내용도 많아 2판을 출간하게 되었다. 2판은 글의 형식을 서술형보다는 도표나 메모 형태로 학생들이나 전공의들이 보기 쉽게 만들었다. 또 천연색 그림과 사진을 조금 더 많이 삽입하여 이해를 쉽게 하였고 임상에서 실제로 쓰일 수 있는 술기에 중점을 두어 만들었다.

2판의 발간으로 성형외과 전문의 및 전공의뿐 아니라 눈 성형에 관심을 갖고 있는 의사들에게 참고서로써의 역할을 할 수 있기를 바라는 마음이 간절하다.

바쁜 중에도 좋은 책이 되게 하기 위하여 원고를 잘 써 주신 박대환 교수 한동길 교수, 심정수 교수 및 이용직 교수 및 김성은 교수와 바쁜 개업 와중에서도 자기 분야를 잘 정리해주신 김찬우 원장에게 감사드린다.

2020년 12월

저자 일동

〈A〉	artery
AbDM	abductor digit minimi
ABGA	arterial blood gas analysis
ABI	ankle-brachial index
AbPB	abductor pollicis brevis
AbPL	abductor pollicis longus
AdPB	adductor pollicis
Ant	anterior
ASIS	anterior superior iliac spine
Ass	associated
BCC	basal cell carcinoma
BMI	body mass index
Br	branch
BR	brachioradialis
c̄	with
CBC	complete blood count
CCD	change-coupled device
CMCJ	carpometacarpal joint
CN I-XII	cranial nerve I to XII
Contra Ix	contraindication
COX	cyclooxygenase
CR	closed reduction
CRIF	closed reduction and interanl fixation
CT	chemotherapy
Cx	complication
DIEA	deep inferior epigastric artery
DIPJ	distal interphalangeal joint
Dx	diagnosis
ECRB	extensor carpi radialis brevis
ECRL	extensor carpi radialis longus
EDC	extensor digitorum communis
EDM	extensor digit minimi
EGF	epidermal growth factor
EIP	extensor indicis propius
EPB	extensor pollicis brevis
EPL	extensor pollicis longus
ext	external
〈Fx〉	function
Fx	fracture
FCR	flexor carpi radialis
FCU	flexor carpi ulnaris
FDM	flexor digit minimi
FDP	flexor digitorum profundus
FDS	flexor digitorum superficialis
FFP	fresh frozen plasma
FGF	fibroblast growth factor
FPB	flexor pollicis brevis
FPL	flexor pollicis longus
FSH	follicle-stimulating hormone
FTSG	full thickness skin graft
Gl	gland
gpp	gingivoperiosteoplasty
HDPE	high density poly ethylen
HTS	hypertrophic scar
〈I〉	insertion of muscles or tendons
IC	intercartilagious ex) 6thIC space for rib carilage
IGF	insulin like growth factor
IL	interleukin
IMF	inframammary fold
Inf	inferior
int	internal
IV	intravenous
Ix	indication
J	joint
KGF	keratinocyte growth factor
LAO	levator anguli oris
Lat	lateral
LD	latisimus dorsi
LH	luteining hormone
Lig.	ligament

LLC	lower lateral cartilage of nose
LLS	levator labii superioris
Lt	left
m/i	most important
m/c	most common
Med	medial
MMF	maxillomandibular fixation
MPJ, MCPJ	metacarpophalangeal joint
MRI	magnetic resonance angiograhy
ms.	muscles
〈N〉	nerve
NAC	nipple-areola complex
NPO	non per oral
〈O〉	origin of muscles or tendons
obx	obstruction
ODM	opponens digit minimi
OOM	orbicularis oculi or orbicularis oris
OP	opponens pollicis
OR	open reduction or operation room
OREF	open reduction and external fixation
ORIF	open reduction and internal fixation
ORL	oblique retinacular ligament
PB	palmaris brevis
PDGF	platelet-derived growth factor
PIPJ	proximal interphalangeal joint
PL	palmaris longus
Pm	pectoralis minor
PM	pectoralis Major
Post	posterior
PQ	pronator quadratus
PT	pronator teres
Px	prevention
RA	rectus abdominis/rheumatoid arthritis
ROM	range of motion
Rt	right
RT	radiotherapy
$\bar{s}$	without
SA	serratus anterior
SA nerve	spinal accessory nerve
SAL	suction-assisted liposuction
SCC	squamous cell carcinoma
Sd	syndrome
SG	skin graft
SLR	single lens reflex
SMAS	superficial musculoaponeurotic system
SN	sternal notch
SS nerve	suprascapular nerve
STSG	split thickness skin graft
Sup	superior
Supf	superficial (ex. supf. temporal a.)
Sx	symptom
TBSA	total body surface area
TGF	transforming growth factor
TIFF	tagged image file format
TMJ	temporomandibular joint
TNF	tumor necrosis factor
Tx	treatment
UAL	ultrasound-assisted liposuction
ULC	upper cartilage of nose
URI	upper respiratory infection
US	ultrasonography
UV	ultraviolet
V/S	vital sign
VEGF	vascular endothelial growth factor
ZM	zygomaticus major
Zm	zygomaticus minor

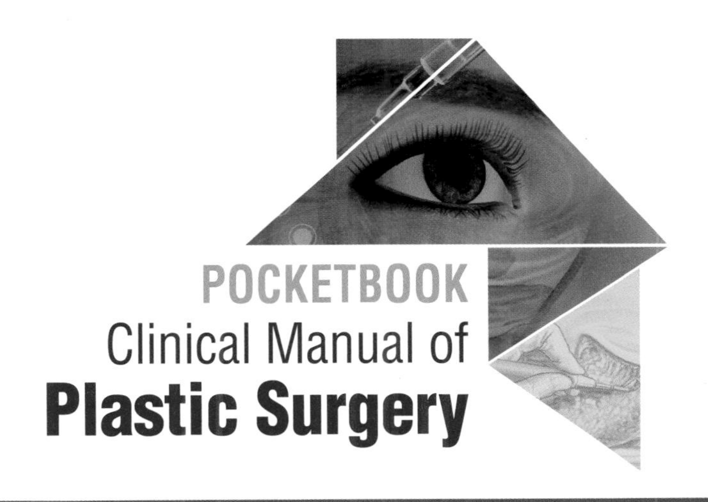

POCKETBOOK
Clinical Manual of
Plastic Surgery

Medical and Surgical Emergency

Written by J. S. Shim MD PhD
Y. J. Lee MD PhD
Peter C. W. Kim MD PhD MBA

A Introduction

1) Type of burn

- Flame & flash burn : most common
- Scalding burn : 소아에서 주로
- Contact burn
- Electrical burn
- Chemical burn
- Steam burn : 압력밥솥

2) Important variables for predicting mortality

- Age
- % full - thickness burn
- % total body burn
- Incidence & severity of inhalation injury
- Etiology

B Classification

1) Burn wound depth

a. First degree

- Epidermis만 involve
- Erythema
- No blistering
- Blanches with pressure

b. Second degree

- Superficial
  Papillary dermis sparing skin appendages
  blistering
- Deep
  Reticular dermis with skin appendages
  Blistering
  White, no capillary refill

c. Third degree

- Dermis와 adnexal structure 전층을 involve
- Pain 등의 감각이 없음
- Charred with gradation in color, eschar formation

2) According to their severity

a. Minor burn

1도 화상, 성인 15%, 소아 10% 이하의 2도 화상, 2% 이하의 3도 화상

b. Moderate burn

성인 15~30%, 소아 10~15%의 2도 화상, 2~10%의 3도 화상

c. Critical or major burn

성인 30% 이상, 소아 15% 이상의 2도 화상, 10% 이상의 3도 화상, 호흡기나 기타 다른 중요 연부조직 손상이나 골절을 동반한 화상, 전기화상, 손이나 얼굴 등의 2도 화상, 흡입화상

→ Major burn은 반드시 입원 치료가 필요

C Management according to cause of burn

1) Facial burn

- Fluorescent staining
- Ophthalmology consult

2) Inhalation burn

- ABGA (arterial blood gas analysis)
- Chest X-ray 검사
- Carboxyhemoglobin
- Bronchoscopy

3) Electrical burn

- 심전도
- Cardiac monitoring
- Urine myoglobin으로 renal function testing
- Urine output : 30~50 mL/hr로 유지

4) Chemical burn

- Hydrofluoric acid : calcium gel을 topically 사용 또는 intradermal calcium gluconate

- Alkaline : copious irrigation, 약산으로 neutralization 시키지 않아야 함
- Acid : copious irrigation
- Phenol : irrigation, polyethylene glycol
- Phosphorous : 0.5% copper sulfate로 particle을 stain, surgically remove

5) Compartment syndrome

- Pain on passive stretch
- Paresthesia
- Pallor
- Palpation 시 tense compartment
- Poikilothermia

D Treatment

1) Resuscitation (Parkland formula)

a. 4 mL × Weight (kg) × % TBSA
b. Crystalloid (lactated Ringer's solution)
c. 수액 총량의 반을 첫 8시간에 공급, 남은 반은 16시간에 걸쳐 공급
d. Urine output으로 mornitoring (50~70 mL/hr 성인, >1 mL/kg/hr 소아)
e. Fluid therapy indication
   - 성인 > 15% of TBSA
   - 소아 > 10% of TBSA
   - Electrical burn with urinary hemochromogens
   - Old age or preexisting disease

f. Type of replacement fluid
   - Electrolyte : isotonic crystalloid
   - Colloid : plasmanate, albumin, FFP
   - Hypertonic saline (3~5%)
   - Non-protein colloids : dextran, rheomacrodex

g. Fluid selection

■ 첫 24시간 : isotonic crystalloid

Not colloid nor free water

2) Estimation of burn area

a. The rule of nines

Head and neck : 9%

Each upper extremity : 9%

Each lower extremity : 18%

Ant. Thorax and abdomen : 9%

Back and buttock : 9%

Genitalia : 1%

(4세까지의 소아 : head and neck-19%, one leg -13%)

● 연령에 따른 부위별(%)

	연 령					
	0	1	5	10	15	성인
A:머리의 1/2	9 1/2	8 1/2	6 1/2	5 1/2	4 1/2	3 1/2
B:한쪽다리의 1/2	2 3/4	3 1/4	4	4 1/2	4 1/2	4 3/4
C:한쪽 종아리의 1/2	2 1/2	2 1/2	2 3/4	3	3 1/4	3 1/2

Lunt - Browder chart

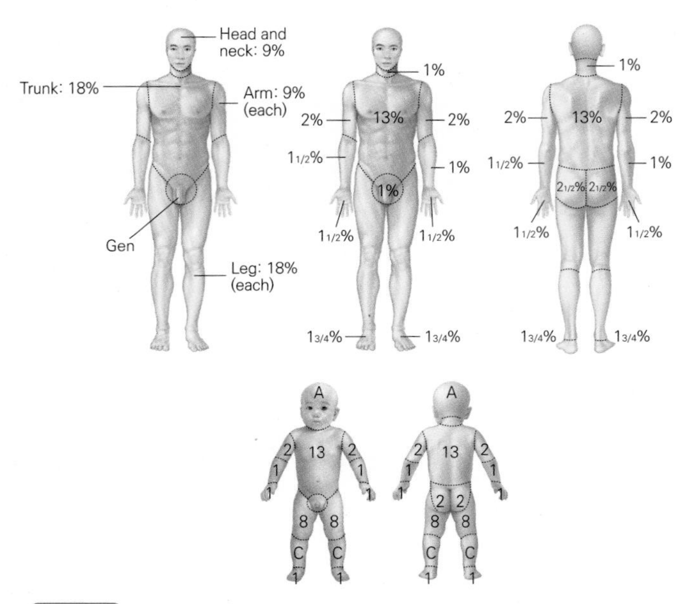

그림 1-1 Calculation of total body surface area.

3) Keep airway

a. 가능하면 tracheostomy는 피해야 함

b. Head elevation, 산소 공급, 가습

c. Diagnosis of inhalation burn

- Burn of head & neck
- Soot in the mouth
- Burned nasal hairs
- Intraoral burn
- Auscultation : dyspnea, stridor, subjective breathing difficulty
- Direct laryngoscopy
- Fiberoptic bronchoscopy
- ABGA, chest X-ray

d. Indication of intubation
- Parenchymal lung failure
- Infiltrate on chest x-ray
- Tachypnea > 35/min
- (A-a) DO_2 > 300 torr
- Compliance < 30 mL/cm H_2O
- Shunt fraction > 15%

4) Medication

- Analgesics, sedatives
- Tetanus immunization
- Antibiotics
- Antacid of H receptor antagonist
- Diuretics of digitalis

5) Nutritional support

- 1st day : NPO → absence of peristalsis
- 2nd day : oral intake with liquid diet
- 3rd day : soft diet
- end of 1st week : high protein, high calorie diet
  (alb > 3.0 gm%, Hb > 12 gm)

6) Local wound management

a. Topical chemo - therapeutic agents

b. Biologic dressing

c. Surgical treatment

: escharectomy, escharotomy, fasciotomy, tangential exicision
- eschar를 가능하면 빨리 제거
- total body burn의 크기를 줄여 사망률을 낮춤

표 1-1 Topical chemo – therapeutic agent

	Silvadene (silver-sulfadiazine)	Sulfamylon (mafenide acetate)	Silver nitrate
장점	painless	Penetrates eschar, no resistance	No hypersensitivity Painless No resistance
	Wound visible, easy to use, motion maintained		
단점	Neutropenia PMNL chemotaxis 저하	Pain, carbonic anhydrase inhibitor, resp alkalosis hypokalemia, PMNL chemotaxia 저하	Poor penetration, hyponatremia, hypokalemia, discolors burn wound, difficult dressing
적응증	Radiation wound	Electrical burn	
금기증		Inhalation injury	소아, bacterial control이 안된 환자

E Complication

1) Burn wound sepsis

a. Clinical sign of burn wound sepsis

- Sudden color change in the wound to black, darkish
- Hemorrhage of subeschar fat
- Wound conversion of 2nd to 3rd or new eschar
- Premature eschar separation
- Purple of black eruption in unburned area
- Sudden hypotension, ileus, hypothermia

b. Treatment

- Excision of burn wound
- Change topical agents
- Powerful IV antibiotics

2) Pulmonary complication

a. Mechanical airway obstruction
b. Burn - lung syndrome
c. Hematogenous pneumonia

3) Curling ulcer

4) Bone and joint abnormality

Flexion contracture and stiffness

5) Hypertrophic scar formation

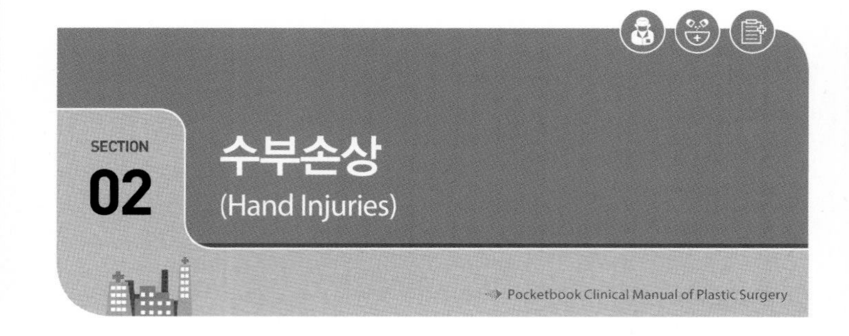

** 수부손상이 항상 응급이라고 생각하고 반드시 바로 내려가서 보도록 한다. 피가 잘 통하는지 골절은 없는지 신경손상은 없는지 인대 손상은 없는지에 대해 자세히 살펴 본다. Irrigation을 하고 bleeding이 많은 경우는 tourniquet를 200 mmHg이상으로 팔에 고정시켜서 피를 통하지 않게 하고 wound를 본다.

A Compartment syndrome

1) Hand center에서 가장 초응급적인 상황

- 치료하지 않은 경우 : 조직괴사, 기능의 영구적 손실, 콩팥 부전, 사망할 수도 있음.

a. 발생 기전

- Interstitial volume이 증가하는 경우
- Compartment size의 감소

b. Interstitial volume이 증가하는 경우

- 출혈(특히 큰 혈관 손상 시)
- Serum osmolarity의 감소(ex 신증후군)

- Intensive muscle use (ex Tetany, vigorous exercise, seizur)
- 유독동물 외상 envenomation
- Intra - arterial injection
- Everyday exercise activity (ex horseback riding, stationary bicycle use)
- 화상
- Infiltration injury

c. Compartment size의 감소

- 화상
- 통기브스(casts)
- Lying on a limb (head / forearm, ribcage / forearm, one leg/ the other leg)
- Military antishock trousers

d. 확인해야 하는 상황 병력들

- High - velocity injuries / high-energy trauma
- Crushing injuries
- Long bone fracture
- Penetrating injuries such as gunshot or stabbings, etc.
- Anticoagulation therapy
- Intense physical activity
- Venous injuries

e. High suspicion from result of P/E
(severe pain at rest or with any movement)

2) 관련 관절의 passive stretching시 유발되는 통증 : 가장 초기 증상으로 진단에 유효함(most sensitive).

- 다치지 않은 반대편과 반드시 증상 비교할 것.
- 5P 증상(pain, paresthesia, pallor, poikiothermia, pulselessness) : 진단적X
그러나 이런 증상을 호소하는 환자의 경우, 의심리스트에 넣고 workup해야 함(진통제를 투여하여 경과 관찰하는 것이 우선이 아님!!)
Pulselessness : 후기 증상

신경증상이 나타나는 순서 : 감각신경이 운동신경보다 먼저 나타남

- 구획 내 압력〉 30 mmHg : 치료 필요(근막절개술, fasciotomy)

3) 수상 후 6시간 이내에 근막절개술(fasciotomy)
: 기능에 대한 예후 제일 양호

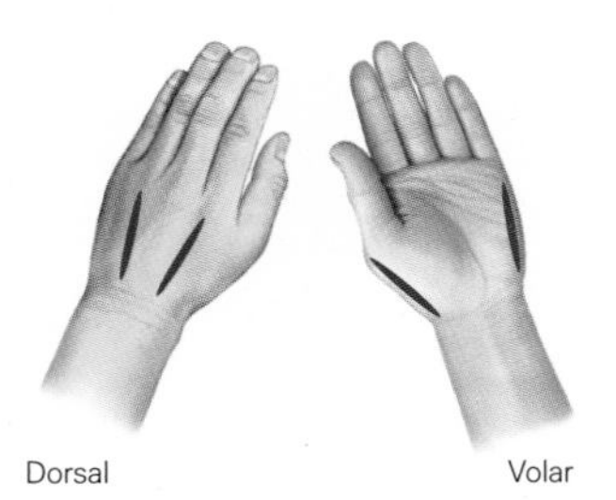

그림 1-2 Hand fasciotomy: volar and dorsal incisions for hand compartment.

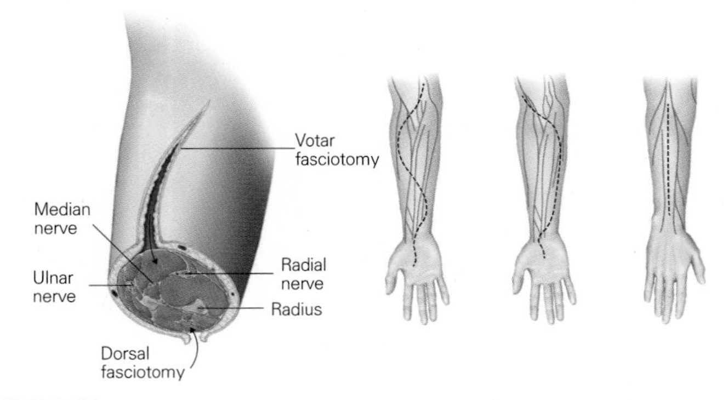

그림 1-3 전완부의 근막절개디자인.
위에 별표해 둔 중간 그림의 절개를 통해 정중신경과 척골신경의 감압 효과를 얻을 수 있으며, 차후에 생기게 되는 피부연조직결손의 피복용으로 요골동맥피판을 이용할 수도 있어 좀더 유용(From Velmahos GC, Toutouzas KG. Vascular trauma and compartment syndormes. Surg Clin North Am 82:125, 2002).

- 가장 흔히 영향을 받는 근육 : FDP(팔), FHL(다리) - 뼈에 가장 가까이 접해 있음
- 근막절개술 : definite therapy
- IV hydration (urine output ≧ 1~2 mL/kg/hour) : myoglobin 축적을 막아 신부전으로의 진행을 억제하기 위해 필수적임.
- 고압산소요법(hyperbaric oxygen therapy)(only adjunctive but beneficial)
- Mannitol may be useful

4) 자세 : 수상받은 팔다리의 평균동맥압에 영향 +, 구획내압력에 큰 영향 미치지 ×

5) 조직관류의 정도 = 모세혈관관류압 − 조직내액압력
Tissue perfusion Capillary perfusion pressure Interstitial fluid pressure

a. 구획증후군의 합병증

- 영구적인 신경 손상
- 감염증
- 조직괴사 후 절단, 기능 장애 등으로 인한 장애
- 근막절개 후 남게 되는 반흔 문제
- 사망

b. 근막절개술 후 장기간에 걸친 병적 상태(morbidity)(Fitzerald et al)

- 상처반흔 경계 안의 감각 변화
- 피부 건조증상
- 소양증(가렴증)
- 상처반흔의 색상 변화
- 피부아래에 유착된 반흔
- 수상받은 사지의 부종
- 재발되는 궤양
- 통증
- 힘줄(건)의 유착

B Amputation and replantation

1) General definitions

- amputation : 동맥과 정맥이 파열되어 혈액순환이 안되는 상태
- Complete amputation : 절단편이 근위부와 붙어 있는 조직이 전혀 없는 경우
- Incomplete amputation : 절단편이 근위부와 약간의 조직에라도 붙어 있는 경우

  cf 간혹 nearly amputation이라는 진단명을 쓰는 경우의 손상이더라도 동맥과 정맥파열은 없는 즉, 혈액순환은 이상이 없는 경우일 수도 있으므로, 용어 사용에 혼동을 줄이기 위해서라도 주의가 필요함.

2) Revision amputation(절단봉합술, amputation)

- 생명을 위협하는 동반 손상 유무 확인이 선행되어야 함
- Neurotization : 자르고 남은 신경끝을 절개부위에서 떨어진 연부조직이나 근육 속으로 위치시킴(신경종 예방을 위해)
- Quadrigia effect 안 생기도록 : 절단봉합부위 끝에서 신전건과 굴곡건을 같이 봉합 X
- Rongeuring하기 : 관절연골의 제거, 절단후 남은 부위의 모양을 좋게 하고, 절단봉합 한 피부의 괴사와 감염을 예방하기 위함
- Ray amputation : 기능적, 미용적 목적으로 시행, but 손상 초기에 시행하는 경우는 rare
- 사지의 길이는 최대한 길게 할 수 있도록 함(긴장도로 인한 괴사가 오지않게 주의)

a. Indications

- Multiple - level injury(여러 부위의 절단상의 경우, 특히 수술하여 생존한 경우에도 기능회복의 기대가 어려운 경우)
- Complex, nonsalvageable, traumatic injuries
- Poor candidate for replantation

  (ex Other life-threatening trauma, significant smoker)

- Medical comorbidities
- Significant vascular disorders
- Necrosis
- Infection
- Tumors

b. Contradindications

절단봉합술에 대한 절대금기증은 없음

c. Goals

- Preserve length & useful sensibility
- Durable coverage
- Prevent symptomatic neuromas & adjacent joint contracture
- Minimize morbidity
- Early prosthetic fitting & early return to work and recreation

3) Replantation

a. Tamai's fingertip classification

- Zone 1
  - 조반월(lunula)의 원위부, 손바닥쪽의 정맥얼기(venous plexus)이 있어 문합에 이용 가능
  - 정맥끼리의 문합이 어려운 경우, 동맥-정맥간 문합, 조갑상 출혈이나거머리를 이용한 구제요법 이용
- Zone 2
  - 조반월과 원위지관절 사이
  - 문합에 수지동맥들과 수배부정맥 이용

b. Indications for replantation

- Thumb
- Single digit distal to FDS insertion (distal to zone II)
- Multiple digits

- Hand amputation through palm
- Hand amputation (distal wrist)
- Any part in a child
- More proximal arm (sharp, clean injury pattern)

c. Contraindications for replantation

- Single digit proximal to FDS insertion
- Severely crushed or mangled parts
- Multiple-level amputations
- Multiple traumas or severe medical problems(relative contraindication)

TIP

소아에서의 재접합
- 모든 아이들에게는 재접합술에 대한 시도는 항상 하도록 함
- 신경봉합술이 항상 요구되는 것은 아님
- Direct neurotization으로도 정상적인 2점인식(two-point discrimination)이 가능할 수 있음
- 6세 미만의 아이들의 경우, microanastomosis 없이 composite graft의 형식으로 생존하는 경우도 있음
- 재접합된 손가락은 다른 정상손가락들보다 성장이 느림
- 혈관봉합시 running suture는 아이가 자람에 따라 혈관 협착을 일으킬 수도 있으므로 피하기

d. 접합센터로의 신속한 도착과 two-team approach가 허혈기간의 단축과 성공률의 향상을 위해 필수적이다.

- 절단된 부위에 근육양이 많을수록 warm ischemia 손상에 대한 감수성이 증가
  - Forearm amputation < maximum 4~6 hours
  - Digital amputation < 6 hours
    - 12시간이 초과할 경우 재접합을 일반적으로 저해하는 경향을 보이지만, 그렇다고 재접합술을 시도하는 것조차 필요없다는 뜻은 아님
    - Optimal cooling : 4도로 유지 = [{(절단편) + moist gauze에 싸} + ziplock bag혹은 specimen container에 담고] + 얼음에 놓아둠.

- Cold ischemia under optimal cooling
  Up to 24 hours possible
  Some reports : up to 30~40 hours / up to 90 hours

e. 환자가 응급실에 도착하면

- 확인사항 : 절단을 일으킨 손상의 유형, 정확한 손상 시간 체크하기
- 환자의 나이, 직업, 정신적 안정정도, 다른 전신 질환의 동반 여부에 대한 정보 : 치료방향 결정에 중요 잣대
- 혈역동학적 안정 상태 확보 혹은 유지하기
- 절단편과 절단된 부위의 방사선학적 결과를 확인
- Broad - spectrum의 항생제 정맥주사
- 파상풍에 대한 예방 조치하기
- Informed consent 얻기 : 재접합실패의 가능성 추가적 이차수술(건박리술, 관절막절개술 등)의 필요 가능성 감각회복, 운동, 기능에 대한 긴 재활치료 기간 등
- Multiple-digit amputation의 경우 고려점 : 생존확률이 높은 손가락, 생존한 경우 더 기능적인 손가락을 선택(예, 둘째수지와 셋째수지의 절단이 같이 있는 경우이면서, 셋째수지의 절단편이 압궤가 심하여 접합술을 하기에 부적합한 상태라고 한다면, 둘째수지 절단편을 셋째수지에 재접합을 시도해 주는 것이 손의 모양을 위해서라도, 그리고 물건을 쥐는 기능적인 면에서도 더 좋음을 설명하여 동의를 구하는 것이 필요)
- Major limb or proximal amputation
  - High-volume blood transfusion이 필요
  - 괴사된 근육은 절제해 내게 되므로, 차후에 free functional muscle transfer 수술이 필요할 수도 있음
- Hand amputation
  - 골고정을 하기 전에 힘줄을 가능한 한 모두 찾아 표시하기
    골고정 후 힘줄포함은 최대한 많이 해 주도록 하기.
  - 손목부위 절단상의 경우라면 proximal row carpectomy를 통한 shortening이 필요할 수도 있음
- Two-team approach

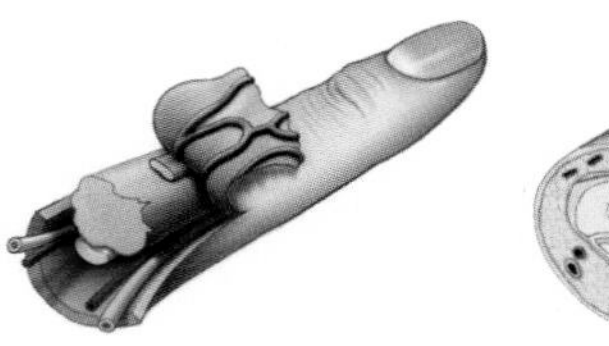
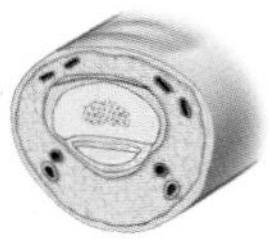

그림 1-4 Longitudinal midaxial incision.
수지신경과 동맥혈관다발, 수배부정맥, 굴곡건과 신전건, 고정하려고 하는 뼈를 적절하게 노출시킬 수 있다.

- One team : 절단편을 OR로 가능한 한 빨리 가지고 가서
  - 적절한 노출 : longitudinal midaxial incision (그림 1-4) 혹은 volar zigzag & dorsal longitudinal incision
  - 표지하기 : 신경은 6-0 Nylon으로, 혈관은 6-0 prolene으로
  - 뼈 고정준비 : 2개의 K wire를 retrograde로 삽입해 두기
- Second team : one team과 동시에.
  - 환자의 혈역동학 상태 안정화
  - 수혈 준비
  - 씻어서 절단부위 탐색 & 괴사조직 제거하면서 신경, 동맥, 정맥 표지 하기
  - 골 단축이 필요시 : 관절 희생하여 관절 고정할 수 있음(환자동의를 구할 것)
  - 손가락의 경우 : 0.5~1 cm 단축은 피하는 것이 좋음(힘줄운동 부조화가 생길 수 있으므로)

f. 혈관손상의 표지는 손상된 혈관을 잘라봄으로써 확인해야 함

- 혈관손상 여부에 대한 진찰: Ribbon & red-line sign은 나쁜 예후를 시사
  - Normal vessel : pearly gray with no petechiae
  - Corkscrew (ribbon sign) : avulsion or traction injury 후에 생기는 tortuousappearing vessel
  - Red-line sign : distal vessel injury를 시사하는 neurovascular bundle을 따라 있는 붉은 줄 모양

- Telescope sign : 손상된 혈관벽에서 절단부위를 벗어나 현미경의 통처럼 lumen이 빠져 나와 있는 모양

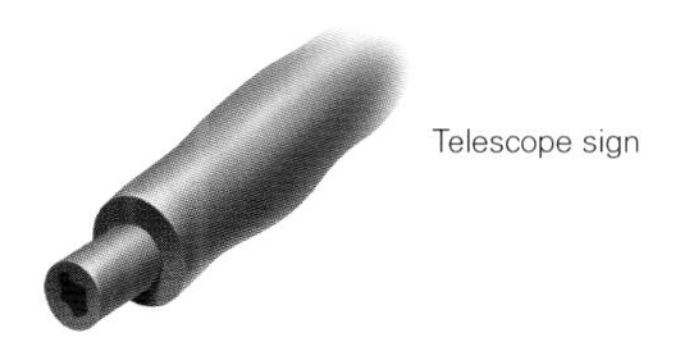

- Terminal thrombus : 혈관벽의 파열 혹은 손상이 있음을 시사

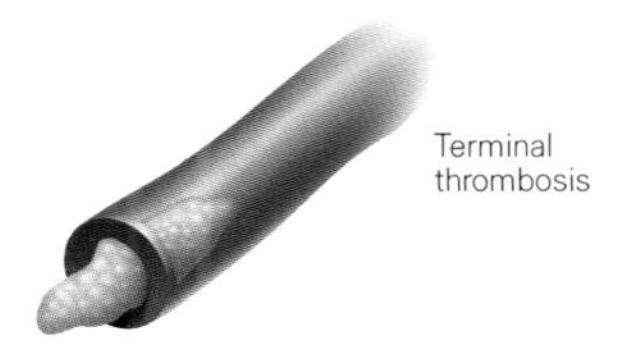

- Cobweb sign : 혈관벽 내에 보이는 거미줄 모양의 소견으로 혈관 손상을 시사

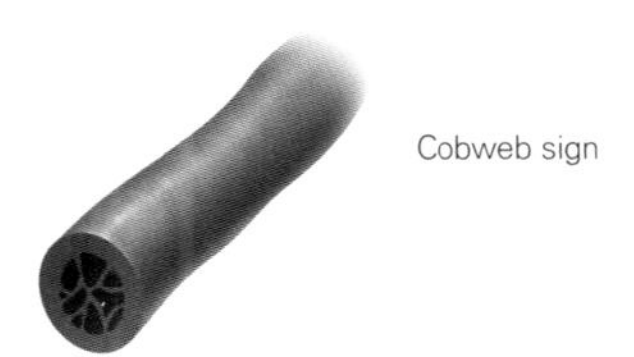

- Measles sign : 대개 혈관문합술이 완료되고 난 후에 혈전에 의해 생긴 높은 압력의 영향으로 혈관벽을 따라 pinpoint (petechial) bruising이 되는 소견을 말함
- Sausage sign : 혈전에 의해 혈관이 풍선처럼 부풀어 있는 상태
- 혈관손상이 의심된다면 잘라내는 것에 대해 머뭇거리기보다 오히려 vessel graft를 해 주는 것이 성공률을 더 높일 수 있음

g. 모든 신경혈관 구조물과 힘줄들은 한 tourniquet time 동안 찾아서 표시해 두도록 함

- Tourniquet을 내린 후 확인해야 할 검사 2가지
  - Spurt test :혈관문합을 하기 전
    - 절단부의 근위에 있는 혈관으로부터 높은 압력의 혈액이 분출되듯이 나와야 함
    - 압력이 적절하지 않다면 vessel resection이 더 필요함을 의미함
  - Patency test : 혈관문합을 한 후 milking of vessel을 함
    - Back - bleeding이 있는지 확인
    - Inflow patency를 파악

h. 가능하다면 골고정이 plate, screw, 90-90 intraosseous wiring 등의 방법을 사용하여 안정적으로 해 줌으로써 조기 재활 치료가 가능하게 함

I. 골고정 - 신전건봉합 - 굴곡건봉합 - 신경봉합 - 동맥(정맥)문합 - 정맥(동맥)문합의 순

j. 굴곡건 zone II의 FDS의 경우에는 절제해 내는 것이 더 나은 재활치료의 결과

k. 혈관문합 전 적어도 10분 정도 시간을 기다리는 것도 혈관연축이 풀리기는 데에 도움

l. Papaverin solution이나 4% topical lidocaine
: 혈관문합 후 혈관연축의 예방용

m. 적어도 정맥은 2개 문합

n. 피부봉합은 필요하다면 피부이식이나 피판술을 시행하기도 하며, 긴장도가 없도록 해야 함

o. 항생제연고를 도포하고 절단부위를 둘러싸도록 드레싱하지 않아야 하며, 수술 후 모니터링이 가능하도록 window를 내어두고, protective splint을 착용

p. 수술 중 쓰이는 약제

- 동맥문합 후 Clamp를 푸는 동안에 heparin 1,500~2,500 unit를 쓸 수 있음
- 수술을 마치고 수술실에서 나오기 전에 per rectum으로 325 mg aspirin을 투여함으로써 platelet aggregation을 억제하는 효과를 얻을 수도 있음

q. 아스피린, 혈관확장제, 진통제, 항불안제 등의 다양한 약제 복용과 술 후 모니터링을 시행

r. Postoperative management

- ICU monitoring
  - 이틀정도 Frequent monitoring
  - Capillary refilling, color, turgor, temperature를 통해 clinical assessment를 시행
  - Transcutaneous Doppler every hour, laser - Doppler flowmetry, transcutaneous oxygen monitoring, temperature probe 등을 이용
  - 실내온도를 따뜻하게 유지해 주고, 손가락이 따뜻할 수 있도록 따뜻한 담요나 수건으로 덮어두는 것도 도움이 됨
  - 적절한 수액 요법을 해 줌
- Pharmacologic therapy
  - 항생제 : 1세대 cephalosporin
  - 아스피린 : 수술 후 3주간 매일 경구로 325 mg (or 81 mg)
  - Chloropromazine : 수술 후 3~5일간, 하루 3회 경구 복용(효과-항불안& 혈관확장)
  - 칼슘길항제와 Persantine (dipyridamole) : 혈관확장용 혹은 혈관연축예방용
  - Systemic heparinization : 심한 압궤손상으로 혈전 우려 시, 정맥문합이 없거나 신통치 않아 구제요법을 하는 경우 시행
  - 거머리를 이용한 구제요법(Hirudin, thrombin inhibitor)
    - Aeromonas hydrophilia균에 대해 예방적 항생제의 사용이 필요
    - 3세대 cepha, Quinolone(소아에는 금기), trimethoprim + sulfamethoxazole (TMP/Sulfa)

- 금연, 수술 후 최소 1달간 유지
- 수술 후 해주는 위의 방법들이 효과를 잃으면 바로 수술실로 들어가서 재탐색을 가능한 한 빨리 해 주도록 함

s. OR에서 문제가 있다면, 문제가 교정될 때까지 OR에서 나와서는 안됨

t. 수술후에 생기는 문제는 대증적인 방법으로 해결될 수 없으며, 가능한 재탐색술을 위해 OR로 돌아와야 함

- 동맥순환부전의 신호(징후)
  - Pale color
  - Poor turgor
  - Cool finger with slow capillary refill
  - Little to no bleeding from needle prick test
- 정맥순환부전의 신호(징후)
  - Purple color
  - Increased tissue turgor
  - Rapid capillary refill
  - Congested, with dark bleeding from needle prick

u. 이차적 수술이 대개 요구되지 않지만, 기능적 회복을 위해 필요하다면 하는 경우도 있음

- FDS부착부보다 근위 손상 : 대개 이차수술이 필요
  - Flexor or extensor tenolysis
  - Neurolysis with/without nerve grafting
  - Nonunion, malunion
  - Amputations

v. Other complications

- Cold intolerance : 2년 이상 지나면 대개 호전을 보임
- CRPS(chronic pain, chronic regional pain syndrome)

C Infection

Flexor tenosynovitis : 굴곡건 활액막 내의 농양

- S. aureus가 가장 흔한 균
- Kanavel's four cardinal signs
  - Pain on passive extension of finger
  - fusiform swelling of digit
  - tenderness over flexor tendon sheat
  - partially flexed posture of digit
- aggressive hand therapy를 ASAP 해 줌
- 즉시 절개 배농이 필요하며, 항생제주사요법 시행
- 관절과 주위의 골이 파괴된 경우 : 항생제를 섞은 뼈시멘트로 감염치료에 이용
- 절단이 필요할 수도 있음

D Nailbed injuries

1) 조갑(nail)은 주로(90%) germinal matrix에서 생김

Nail growth에 관여하는 3군데 부위

- Germinal matrix : nail을 만들어는 부위
- Dorsal roof of nail fold : nail plate를 윤기나게 함
- Sterile matrix : nail 강도와 두께에 기여를 함

2) 손톱이 자라는 데에 100일이 걸림

Nail growth rate : 3~4 mm/month

3) 손톱에 구멍을 내주는 것(nail trephination)은 digital nerve block을 하여 단순조갑하혈종(simple subungal hematoma)의 가장 좋은 치료법. 처치 후 1주일간 protective finger splint를 해 줌

Indication for nail trephination = a + b + c의 경우

a. Nail margin과 nailplate는 intact
b. 관련 원위지골 골절의 전위가 없으면서(no associated displaced distal phalanx fx)
c. Pain을 호소하는 경우

4) 조갑상(nailbed)을 봉합할 때에는 확대경을 착용해서 가는 흡수사(6-0 or 7-0 chromic gut suture)로 하는 것이 좋음

5) Nailplate를 재삽입해 주는 것이 nailbed 치료를 위해 제일 좋은 드레싱법. AE nailplate의 제거 시기는 첫 방문부터 수술 후 3주째 까지로 다양하게 적용가능

6) Sterile matrix (lunula distal nailbed)의 avulsion injuries에는 split - thickness nailbed graft가, germinal matrix (ventral floor of nail fold)의 avulsion injuries에는 full-thickness nailbed graft가 가장 좋음

7) Complete hand examination이 필요

- Extensor tendon function : mallet deformity 유발할 수 있음
- Flexor tendon function
- Tip sensation

8) Postoperative care

- Distal phalangeal fracture가 동반되어 있다면, 항생제의 사용이 필요
- 연부조직이 다 나은 후에는 desensitization protocol과 occupational therapy를 시작해 주어야 함
- 최종의 nail형태를 얻으려면 약 1년 정도(three nail cycles) 소요

E Finger tip injuries

1) History and physical examination

a. 나이

나이가 많은 환자에게는 치료의 방법이 제한적. 왜냐하면 오히려 수술 후 운동 범위 감소를 일으켜 득보다 실이 많을 수 있으므로

b. 성별

c. Hand dominance

우세한 쪽 손의 치료는 more aggressive하게 하여야 함

d. 직업

근로자의 손과 음악가의 손은 다른 관점에서 봐야 함

e. 손상기전에 대해 파악

f. 흡연여부

g. 동반된 다른 내과 질환의 여부

구축의 위험성이 있는 thenar flap이나 cross finger flap은 rheumatoid arthritis나 Dupuytren병을 가진 환자에게는 피하는 것이 유리. 당뇨가 있는 환자는 감염이나 지연 치유의 경향이 많음

h. 개방창상이 없는 손부위의 동반손상을 놓치지 않도록 손 전체의 진찰을 함

i. 개방창상이 있는 손가락의 extensor와 flexor tendon에 대한 진찰도 해 줌 (대부분 통증이 동반되므로, 감각에 대한 진찰을 마친 후 digital nerve block을 시행한 후 힘줄 손상에 대한 진찰을 시행하면 환자의 협조를 얻기가 조금 더 용이)

j. 결손의 크기를 측정하고, 결손을 보이는 조직의 구성요소들(nailplate, nailbed, skin, pulp, bone etc)을 파악

k. AP and Lateral radiograph를 확인하고, 절단된 경우, amputated piece가 있다면, 그것의 방사선결과도 같이 얻도록 함

l. 수지첨부 손상의 재건을 통해 얻으려는 목표

- Durable coverage
- Preserve length & sensation
- Minimize pain & donor site morbidity
- Maintain joint function
- Provide an aesthetically acceptable result

2) 1.5 cm^2 보다 작은 bone노출이 없는 손상의 경우, 국소마취 한 다음, 적절한 debridement of nonviable tissues and cauterization을 시행하고, secondary intention으로 상처치유를 기대

3) 피부이식이 사용되는 경우는 매우 드묾

Donor site로 hypothenar skin이 이용되나, intolerance의 증가와 술 후 압통의 증가가 동반되는 단점으로 다지 수지 첨부 손상에서는 그다지 권유되지 않는 방법

4) 손상된 형상에 따라 재건의 방법이 결정

a. Dorsal oblique and some transverse injuries

Atasoy volar V-Y advancement flap

b. Volar oblique injuries up to 2 cm in size

Oblique triangular neurovascular island flap

c. Larger volar oblique injuries

cross - finger flap

d. Larger volar oblique injuries of index and long fingers

Thenar flap

e. Ulnar thumb pulp defect

Heterodigital neurovascular pedicle flaps

f. Additional option for volar thumb injuries

1st dorsal metacarpal artery flap

5) 엄지손가락이나 둘째손가락에 있어서는 손상된 손가락 내의 피판을 이용한 경우가, 다른 손가락의 피판전이술보다 수술 후 더 좋은 감각을 보임

6) 셋째손가락의 첨부손상을 치료하는 데에 있어 shortening은 피하는 것이 좋음

7) Composite graft는 6세 미만의 아이에게만 적용할 만함

8) Revision amputation(절단봉합술)

- 많은 환자에게 있어 더 적절한 치료법일 수 있으며, 수지첨부재건술을 시행하기에 앞서 모든 환자와 함께 상의를 해 봄직 함
- Lunula의 근위부 즉, extensor or flexor tendon의 insertion의 근위부, 수지첨부 손상의 경우에 가장 좋은 치료법

9) 모든 children, young women, musiciain의 fingertip의 replantation은 항상 시도해야 하는 것임을 염두에 두어야 함

Phanlangeal and metacarpal fracture

- Salter-Harris classification은 소아골절에서만 사용
  - Salter-Harris I : through growth plate only
  - Salter-Harris II : through metaphysic and growth plate
  - Salter-Harris III : through epiphysis and growth plate
  - Salter-Harris IV : through epiphysis, growth plate, and metaphysic
  - Salter-Harris V : Crushed growth plate
- 일반적으로 제거되거나, 회전 혹은 짧아진 경우에는 metacarpal fx와 phalangeal fx는 수술적인 치료가 필요
- 약간의 회전변형이라도 손가락에 상당량의 중첩을 일으킬 수 있음
- Lag screw는 large oblique fracture에 이상적이며, 골절선과 장축에 수직으로 쓰여짐
- Comminuted (=more than two bone fragments) fracture의 경우, 개방성 정복술은 가능한 한 피하는 것이 좋음
- Complications
  - Infection
    - 개방성 골절의 2.04~11%의 빈도로 발생
    - Tx : sepsis를 제거하고, 골유합을 다시 얻어, 기능을 회복시키는 데에 있음
  - Malunion
  - Malrotation : 손가락 굴곡 시 중첩으로 인한 기능 장애
  - Angulation : Lateral or volar angle deformity
  - Shortening : extensor or flexor 주행의 균형을 방해
    - Tx : Corrective osteotomy with/without bone graft
  - Nonunion
    - 골정복의 불안정, 오염에 의해 골절치유가 안됨으로써 발생
    - Tx : Corrective osteotomy and possible bone graft
  - Loss of motion

- Tendon adhesions
- Capsular contracture
- Immobilization for more than 4 weeks
- Associated joint injury
- Multiple fractures per finger
- Crush injury

1) Distal phalangeal fracture

- m/c fracture of hand (thumb & long finger : M/C)
- Mallet finger : avulsion intraarticular fracture of insertion of extensor tendon
- Comminuted tuft fracture : 대개 골유합을 얻기가 어렵지만, fibrous union을 통해 안정성을 얻게 됨
- 증상을 동반한 불유합의 경우 치료는 volar midline approach를 통해 bone graft & crossed K wire pinning으로 치료할 수 있음

2) Middle and proximal phalangeal fracture

3) Metacarpal head fracture

- 주로 관절내 골절 상태
- Indications for treatment

a. 비수술적 치료의 경우

- 관절면은 잘 맞는 상태의 폐쇄성 골절
- Metacarpo-phalangeal joint이 stress test에도 안정성을 유지할 때
- 관절면의 20% 미만이 관여할 때

b. 수술적 치료가 필요한 경우

- 관절면이 1 mm 이상 크게 어긋난 경우
- 고정방법은 골절편의 크기와 수에 따라 결정

4) Metacarpal neck fracture

- Clenched fist에 axial load가 가해질 때 발생
- Intrinsic muscle의 영향으로 apex dorsal angulation이 발생
- Rare nonunion, but common malunion
- Boxer's fracture = small finger의 metacarpal neck fracture.

a. Indications for treatment

- Angulation deformity
  : RF, SF의 경우 CMC joint에서 sagittal plane에서 20~30° 정도 mobility가 있어 보상을 보임.
  - Index finger ≧ 10~15°
  - Long finger ≧ 10~15°
  - Ring finger ≧ 30~40°
  - Small finger ≧ 50~60°
- Rotational deformity or scissoring : 손가락 굴곡 시 중첩이 있는 경우
- Shortening > 3 mm

b. Treatment :

- Closed reduction (Jahss maneuver)
  - Stable reduction : splint with wrist neutral, MPJ flexed 90 degrees, PIPJ extension for 12~14 days
  - Unstable reduction : 인접한 정상 중수골과 함께 transverse K wires or crossed K wires 삽입
  - 7일이 지난 골절의 경우, closed reduction이 어려움
- Open reduction
  - Dorsal approach
  - K wire or minicondylar plate use
  - Immobilization with splint for 10 days then protect active range of motion

5) Metacarpal shaft fracture

a. Indications for treatment

- Dorsal angulation
  - Index finger ≧ 10°
  - Long finger ≧ 10°
  - Ring finger ≧ 20°
  - Small finger ≧ 30°
- Rotational deformity : 굴곡 시 손가락 중첩이 있는 경우(10° 회전변형-1.5 cm의 손가락 중첩 야기)
  - Shortening > 3 mm
  - Segmental loss of metacarpal shaft 경우 거의 항상 연부조직의 결손을 동반한 개방성 창상이므로, 제일 우선적으로 해야 하는 처치는 debridement
- Metacarpal length의 유지와 안정을 위해 external fixator, transfixion pinning or spacer wires를 해 줌
- Bone graft를 일차적으로 같이 할 수도 있고, 이차적으로 감염을 조절한 후에 시도하기도 함
- Timing은 연부조직피복의 안정성에 달려 있음

6) Metacarpal base fracture

대개 관절내 골절

a. Bennett fracture

- Unstable intra-articular fracture
- Anterior oblique ligament에 의해 골절편이 radially and dorsally 전위를 보임
- Subluxation of thumb at volar ulnar aspect of MC base

b. Reverse bennett fracture

- Unstable intra-articular fracture

- FCU, ECU, AbDM에 의해 많은 전위가 이뤄짐
- Dislocation of 5th metacarpal base causing proximal and dorsal subluxation of metacarpal bone

c. Rolando fracture : any comminuted intra-articular fracture of thumb metacarpal base

G Carpal bone fracture

1) Scaphoid

Scaphoid 골절이 손목뼈 골절 중 가장 흔함

a. Two predominant vascular pedicles from radial artery

- Proximal 80% : dorsal ridge vessels
- Distal 20% : branches into scaphoid tubercle
- No perforators found proximal to waist of scaphoid increased risk of avascular necrosis, delayed union, nonunion

b. DISI (Dorsal Intercalated Segment Instability)

- Scaphoid골절이 불안정함으로 인해, distal scaphoid는 지속적으로 굴곡되려 하는 반면, proximal scaphoid와 lunate는 신전됨으로써 생기는 현상
- Carpal loading의 분포에 변화가 와서 degenerative disease와 progressive arthritic change가 생기게 됨
- Two mechanisms - Forced hyperextension to 95~100 degrees Axial load (punch) in neutral wrist position

c. Specific tenderness signs of scaphoid fracture in physical examination

- In dorsal wrist between 1st and 3rd dorsal compartments (anatominal snuffbox)

그림 1-5 Tenderness sign of scaphoid fracture.

- Over the volar scaphoid tubercle
- With axial compression through 1st metacarpal bone

d. Five radiographic views of wrist

- Posterior-anterior (PA)
- Lateral
- Oblique
- Fisted PA
- Navicular view (fisted, semipronated, ulnar deviation)

e. Treatment

- 진찰소견상 골절이 강력히 의심되지만, 방사선소견상 음성인 경우
  : thumb - spica splint 착용시키고 10~14일 후 에 P/E & R adiographic images을 다시 시행

f. Nondisplaced scaphoid fracture

- Nearly all heals well with immobilization in long-arm thumb-spica cast for first 6 weeks followed by 6 weeks in short-arm thumb-spica cast
- Operative treatment가 필요한 경우
- 12주간의 고정을 환자가 못 견뎌 하는 경우
  (nonunion과 avascular necrosis의 위험도가 상대적으로 높은) Proximal pole fracture의 경우

g. Displaced scaphoid fracture

- 모든 displaced scaphoid 골절은 수술이 필요
- K-wires can be placed and used as joysticks to aid in reduction
- Percutaneous screw fixation
- Open reduction with screw (Herbert or cannulated) fixation Dorsal approach for proximal pole
  Volar approach, mostly, for preservation of vascular supply

h. Complications

- Malunion
  Humpback deformity : most common malunion
  - Angulated scaphoid (flexed distal pole & extended proximal pole)
  - Chronic pain, poor morbility, reduced grip power, degenerative arthritis를 유발할 수 있으며 발견 즉시 조기치료를 할지, 경과관찰을 할지에 대해서는 논란 중임
- Delayed union
  4개월간의 적절한 고정에도 방사선소견상 골유합의 소견이 없이 증상이 지속되는 경우 치료에 대해 논란 중이나 대부분 고정기간을 더 늘리면서 추적관찰하는 방향을 택함.
- Nonunion
  - Degenerative arthritis로 진행되다가 SNAC (scaphoid nonunionadvanced collapse) 초래됨.
  - 수술 : 논란의 소지가 있으나, 대부분의 경우
    - Proximal pole nonunion : vascularized bone grafting
    - Distal pole nonunion & waist nonunion : bone grafting and screw fixation

H Flexor tendon injuries

1) FDS tendon

- 각각의 FDS힘줄은 metacarpal head 정도 위치에서 똑같은 2개로 나뉘어짐
- 각 반조각은 FDP힘줄주위로 해서 laterally & dorsally 돌아가며
- FDP힘줄보다 깊은 부위에 Camper's chiasma라고 해서 합쳐짐
- 그런 다음, FDS는 middle phalanx의 volar aspect에 2개의 분리된 slip으로서 부착된다.

2) Flexor tendon nutrition

- Direct vascular supply
- Synovial diffusion : 대부분의 힘줄에 영양을 공급하는 방식

3) primary repair 24 hours of flexor tendon

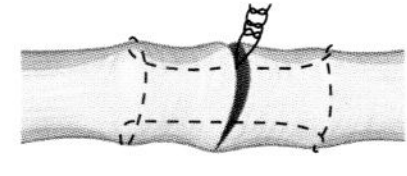

Modified kessler

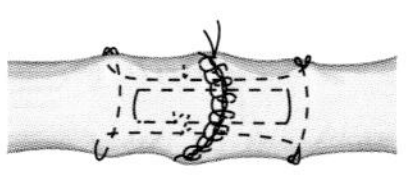

Indiana technique

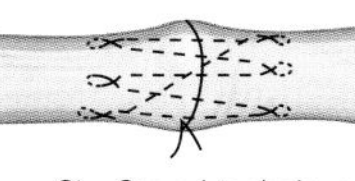

Six-Strand technique

그림 1-6 건보합 방법들.

a. 손가락에 혈액순환이 없는 게 아니라면, 응급으로 굴곡건봉합을 할 필요는 없음

b. 가능하다면 elective로 시행

c. 금기

- Gross contamination or human bite
- Cellulitis, purulence와 같은 active infection의 증거가 있을 경우
- 안정적인 연부조직 피복이 부족할 경우

4) Delayed primary repair (24 hours < but < 2 weeks) of flexor tendon

- Heavily contaminated wound의 경우
- 기능적 결과가 일차봉합 시와 비교할 만하다.

5) Early secondary repair (2~5 weeks) of flexor tendon

- 근육수축이 오기 전에 시행
- 기능적인 결과는 delayed primary closure와 비슷
- 봉합을 지연할수록 감염의 위험성과 부종이 생길 가능성이 증가

6) Late secondary repair (> 5 weeks) of flexor tendon

a. 힘줄의 shortening과 swelling이 있게 됨

b. 가장 좋은 치료방법은 tendon graft or transfer

c. Tendon grafting

- Segmental tendon loss 혹은 muscular contracture가 있는 경우에 필요
- Single - stage tendon graft
- Common donor : Palmaris longus, plantaris, long - toe extensor

d. 적절한 활액막과 활차, 연부조직의 피복상태와 유연한 관절의 경우

- Two-stage tendon grafting
  - 1st stage : native tendon은 절제해 내고, Hunter rod(silicone rod)를 distal tendon stump에 봉합해서 8주간 유지해 둠으로써 pseudo sheath가 형성되는 것을 유도할 수 있음
  - 2nd stage : proximal 봉합은 Pulvertaft weave로, distal 봉합은 pull-out suture 혹은 suture anchoring to bone을 해 줌

7) DIPJ의 능동적 운동이 필수적인 환자가 아닌 경우에는 arthrodesis, capsulodesis, tenodesis 등의 방법을 고려해 볼 수도 있음

8) Tendon diameter의 50%가 넘는 열상의 경우, epitendinous

Repair와 core suture를 둘 다 해 준 후 조기 운동치료를 시작해 주어야 함

9) Zone에 따른 봉합법

a. Zone I 손상 : pull-out suture 혹은 suture anchor를 사용

b. Zone II 손상

- 4~6개의 core stands of 3-0 or 4-0 braided or monofilament nonabsorbable suture
- Epitendinous suture of running 5-0 or 6-0 monofilament polypropylene

c. Zone III/IV : zone II와 같은 방법으로 봉합

d. Zone V : core suture는 해 주지만, epitendinous suture는 필요하지 않음

10) 말려들어 간 힘줄 찾는 방법

- Everse Esmarch's tourniquet을 사용하거나 근위부에서 원위부로 milking하기
- Skin hook을 tendon sheath 내로 넣어 건져내기
- Proximal volar incision을 하여 proximal tendon end를 찾을 수 있음

11) postoperative care

a. Extension block-spint

b. Early controlled mobilization protocols

- Duran - Houser : Early passive ROM
- Kleinert : active extension, passive flexion using dynamic splint

12) Complications

a. Ruptures

- 즉시 탐색술을 시행하여 재봉합술을 해 줌
- 반복적으로 파열이 생기는 경우에는 관절고정술이나 힘줄전이술 등을 고려

b. Adhesions

Tenolysis를 고려해야 하는 경우

- 힘줄봉합을 한 후 3개월이 지난 경우
- 힘줄봉합은 잘 유지되나 active ROM과 passive ROM의 차이가 큰 경우
- 연부조직이 유연하고 수동관절운동범위가 정상이거나 정상에 가까운 경우
- 공격적인 손 치료를 4~6주 했음에도 개선이 없을 경우

13) Avulsion flexor tendon zone I injury

a. Jersey finger

FDP가 최대로 수축한 상태에서 신전이 강제적으로 되는 경우에 발생

b. Types

- Type I - vincula가 모두 파열되어 FDP 힘줄이 손바닥 안으로 들어간 경우, 1주일 이내 힘줄봉합을 해 주어야 함
- Type II - distal phalanx의 작은 조각과 함께 FDP 견열된 경우 long vinculum은 intact하다. FDP힘줄이 PIPJ수준까지 들어 경우 6주까지 봉합을 미뤄도 괜찮음. Pull-out suture 혹은 suture anchor이 필요
- Type III - FDP힘줄이 큰 골편과 같이 떨어진 경우 A4 pulley에 의해 중위지골 넘어서 들어가지는 않음. 골편이 충분히 크다면 ORIF를 할 수 있음.

I Extensor tendon injuries

신전건은 피부 바로 밑에 존재하기에 손상 받기 쉬움. 즉 얕은 손상에도 신전건이 부분적으로마나 손상 받기 쉬우므로 간과해서는 안됨

a. 모든 extrinsic 신전건은 radial nerve의 지배를 받음
b. Interossei는 ulnar nerve의 지배를 받음
c. Index finger와 long finger의 lumbrical은 median nerve의 지배를, ring finger와 small finger의 lumbrical은 ulnar nerve의 지배를 받음
d. 신전건은 6개의 손목 수배부 구획으로 나뉘어짐
   - 1 (AbPL / E PB), 2 (E CRL / E CRB), 3 (E PL), 4 (E DC/ E IP), 5 (E DM), 6 (E CU)
   - 손목관절의 신전건은 ECRL, ECRB, ECU, AbPL
e. 신전건의 열상은 이음힘줄(juncturae tendinum)의 작용으로 감춰지는 경향을 보임

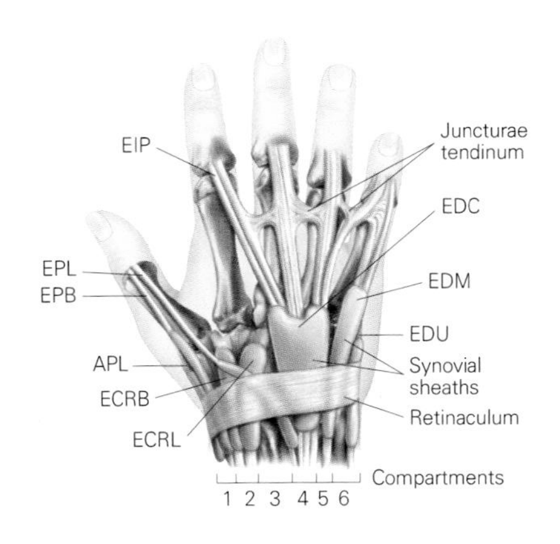

그림 1-7 신전건 해부.

f. 굴곡건은 5개로, 신전건은 9개의 zone으로 분류하며, 신전건의 경우 홀수 zone은 관절위에, 짝수 zone은 뼈 위에 해당
g. Boutonniere & swan neck deformity는 미 발견된 손상으로 인한 신전건의 불균형에 의해 생길 수 있음
   ■ 부토니에변형(Boutonniere deformity)의 경우는 PIPJ의 수배부쪽에 생긴 폐쇄성 혹은 개방성 손상으로 central extensor tendon rupture로 인해 common extensor digitorum tendon의 힘은 약해지고, PIPJ의 굴곡된 상태로 lateral band가 손바닥 쪽으로 이동되면서 짧아진 채로 유착됨으로써 DIPJ는 과신전되어 굴곡도, 수동적으로 신전하는 것도 안되는 변형이 생기게 됨
h. 망치손가락손상(mallet finger deformity) - bone fracture에 의한 것을 bony mallet, tendon rupture에 의한 것을 tendinous mallet으로 분류하기도 한다. 이를 위해서는 방사선적 확인을 요함
   ■ 알루미늄 부목을 이용하여 관절을 과신전시킨 상태로 8주간 고정
   ■ 고정기간에 대해서는 저자에 따라 논란의 소지가 있으며, 교정 후에도 100% 복원을 기대할 수는 없음(extensor lag이 있음)을 환자에게 주지 시켜야 함

SECTION
03 얼굴외상 (Facial Trauma)

A Facial soft tissue trauma

1) General principle

a. 수상환자의 초기관리

- 기도확보(Airway)
  - Aspiration of obstructor
  - Nasal bleeding control
  - Criocothyrodotomy
  - Tracheostomy
    - Indication

      Acute airway obstruction, expected prolonged mechanical ventilation, multible facial fractures with basal skull fx, destruction of nasal anatomy ass. with facial fx.
- 출혈방지(Bleeding Control) - packing, compression, suction, irrigation
  - Internal maxillary artery가 얼굴뼈 골절에서 가장 위험한 출혈원인 중 하나임.
  - 방법 : post. nasal packing, immediate reduction of fx, consideration of angiography

TIP

잘못된 압박은 의인성 손상을 일으킬 수 있으므로 주의

- 혈액순환보존(Circulation control) - Fluid Therapy, CVP

b. Principle

- Cleansing of wound- irrigation
- Complete debridement
- Closure of wound
  - Golden time : 외상 후 8시간 내(8시간 이후 균이 2배로 급증)
  - 상처는 moist하게 유지(Saline soaked gauze dressing)
- Clean Dressing

c. Type of wound

- Contusion(타박상)
- Abrasion(찰과상)
- Laceration(열상)
- Avulsion flap(결출열상)
- Avulsion injury(결출손상)
- Traumatic tattoo(외상성문신)
- Animal/Human bite(교상)

2) Treatment of specific area

a. Eyelid & eyebrow

- 안검전층열상인 경우 gray line을 잘 맞추어 주어야 함
- 수직열상인 경우 근육과 피하조직 봉합을 먼저 해야 함
- 눈썹외측 위의 2 cm 부위에 안면신경의 측두분지 지나가므로 눈썹을 위로 올리는 기능(frontalis m. fx) 확인 필요

b. Lacrimal apparatus

- Canthal ligament가 잘 보전되어 있나 확인
- 상안검 누관손상은 그냥 보존 치료
- 하안검 누관손상은 응급 수술 요함
  - Polyethylene tube insertion and microsuture for lower canaliculi
  - Dacryocystorhinostomy

c. Nose

- 뼈대가 바로 자리잡고 있으면 연부조직만 정확히 맞추어 주면 됨
- 뼈가 노출되어 골절이 되어있는 경우는 응급 수술 요함
- 비중격혈종이 있는 경우 비폐색을 일으킬 수 있으므로 절개가 필요

d. Lip

- Vermilion border를 맞추어서 봉합(국소마취 전 gentian violet으로 표시 필요)

e. Tongue

- 심부근육층 봉합 : long-lasting resorbable suture 사용
- 천층점막층 봉합 : 3-0 chromic suture 사용

f. Cheek and parotid duct injury

- Parotid gland, Buccal br. of facial nerve 동시 손상 확인
- Facial expression test로 확인
- 위치: tragus - upper lip 중간점을 연결한 선 중간 1/3에 위치
  Facial nerve 의 buccal branch 와 평행하게 주행
- Parotid duct opening-maxillary 1st molar tooth 맞은 편 buccal -mucosa에 위치하며 손상이 의심될 때 polyethylene tube를 삽입하여 손상여부를 확인
- 치료: Polyethylene tube를 삽입하여 stent로 유지하면서 절단부위를 microsurgical suture 하여 고정한 후 2주일 후 제거

g. Facial nerve injury

- Frontal branch : 눈썹 가쪽 부위 2 cm 정도 위를 지나감 - 열상 시 전두근 기능 확인 필요

- Marginal branch 손상
  손상 시 회복 어려움
- Single branch injury로 가장 현저한 기능장애를 초래
- Parotid duct 전방의 신경손상
  - Superficial facial muscle의 반대측으로도 innervation
  - Nerve 직경이 너무 가늘기 때문에 repair 어려움
    Repair 하지 않아도 muscle 기능이 영구적으로 소실되지 않음

Key point

* Consideration for Emergency Operation
  - ✓ Lower canaliculi injury
  - ✓ Parotid gland injury
  - ✓ Facial nerve injury
  - ✓ Severe facial soft tissue trauma
  - ✓ Open facial bone fractures

B Facial bone fractures

1) General principles

a. Patient evaluation

- Detailed history - 언제(시간), 어디서(장소), 어떻게(손상경위), 어디를(부위) 손상 입은 지 기록
- Loss of consciousness
- Symptoms - 비출혈, 비폐색, 시력저하, 복시, 사시, 안구운동장애, 안구함몰, 개구장애, 부정교합, 청력저하, 귀속출혈
- Associated injury
  - Suspicious neurologic injury, cervical spine injury
    – consult to "Neurosurgeon"

- Suspicious eyeball injury - consult to "Ophthalmologist"

b. Physical examination

- Inspection - 열상, 혈종, 비대칭 등을 시진
- Palpation

A

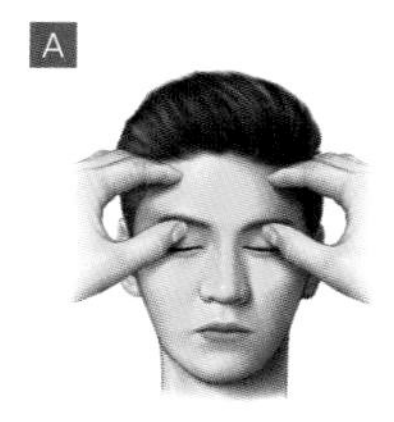

안와상연의 불규칙성을 촉진

B

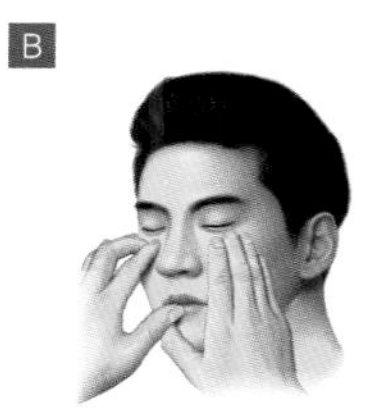

안와하연과 관골의 불규칙성을 촉진

C

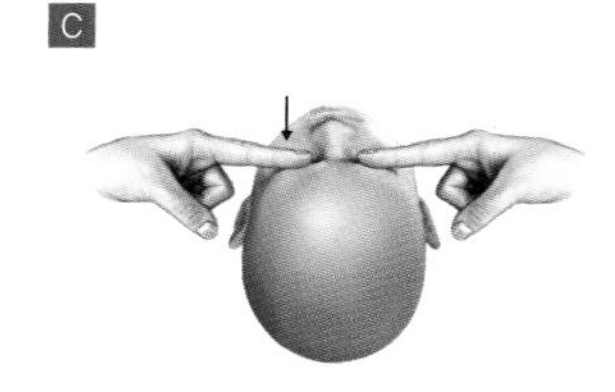

안와하연과 관골의 불규칙성을 촉진

D

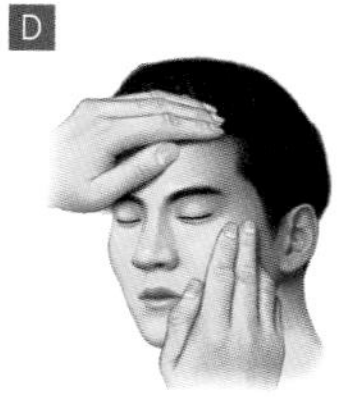

관골궁 함몰을 촉진

E

교합상태를 관찰

F

상악골의 가동성 여부를 확인

그림 1-8 안면골 골절의 진단을 위한 촉진방법.

- Evaluate cranial nerves II-XII

c. Imaging studies

- Simple x-ray
- 3 Dimenional CT - gold standard for facial fractures

d. Operation timing

- Immediate - 부종이 많이 심하지 않고 NPO 준비가 되어 있을 때
- Subacute(< 2 wks) - 부종이 많이 가라앉고 뼈 유합이 되지 않을 때

■ Chronic(< 4 wks)
- 신경외과적, 안과적 문제가 동반되었을 때,
- 정확한 evaluation이 필요할 때
- 아스피린 등을 복용중이어서 출혈이 예상될 때

2) Frontal sinus fractures

a. Symptoms

이마의 부종 및 혈종, 열상, 전두뼈의 함몰, 이마와 두부의 감각소실, CSF rhinorrhea, 안구의 위치 변화

b. Diagnosis – CT

■ Ant. /post. table의 골절 유 · 무
■ Nasofrontal canal의 골절 유 · 무
■ Pneumocephalus의 유 · 무

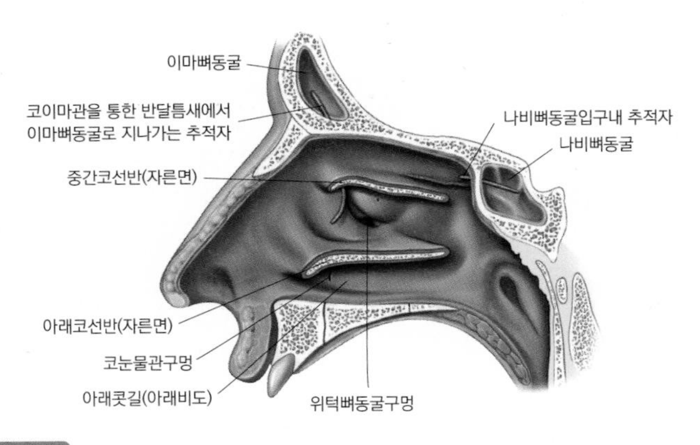

그림 1-9

c. Management

- ORIF of ant. Table
  CSF leakage 없을 때
- Nasofrontal duct obliteration
  - CSF leakage 없고 posterior table displacement minimal 할 때
  - Obliteration with fat graft, bone graft, pericranial flap
- Cranialization
  - CSF leakge 있고
  - Significant displacement
  - Communition of posterior table 있을 때

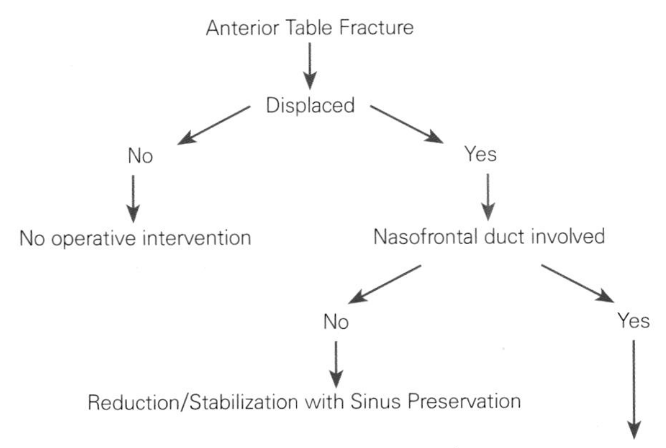

그림 1-10 Anterior table fracfure 처치를 위한 알고리즘.
(Rorich RJ. Managemet of frontal sinus fractures: Changing concepts. Clin Plast Surg 19: 219, 1992).

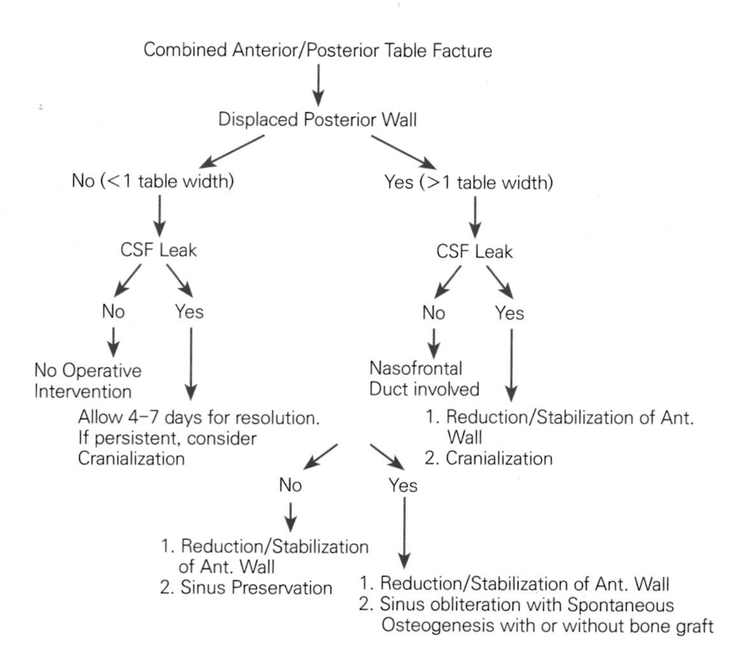

그림 1-11 Combined anterior/posterior table fracture 처치를 위한 알고리즘.
(Rorich RJ. Managemet of frontal sinus fractures: Changing concepts. Clin Plast Surg 19: 219, 1992).

3) Nasoorbital ethmoid (NEO, NOE) fractures

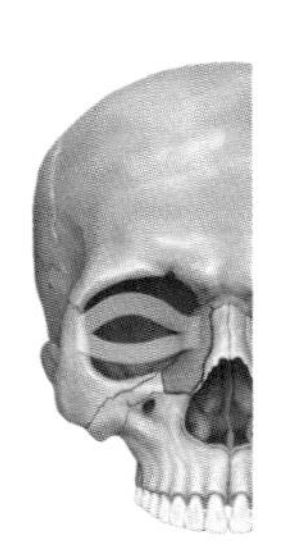

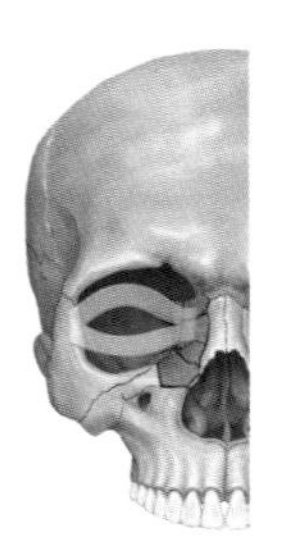

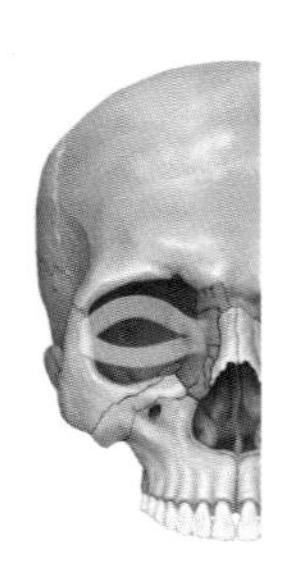

그림 1-12 NOE 골절의 분류.
(A: Type I, B: Type II, C: Type III. See text for description. Free Markowitz BL, Manson PN, Sargent L, et al. Management of the medial canthal tendon in nasoethmoidal orbital fractures: The importance of the central fragment in classification and treatment. Plast Recons Surg 87:843-853.1991).

a. Classification (Markowitz Classification)

- Type I : A single, noncommunited, central fragment without medial canthal tendon disruption
- Type II : Communited central fragment without medical canthal tendon disruption
- Type III (m/c) : Severely communited central fragment with disruption of the medial canthal tendon

b. Symptoms

- Telecanthus
- Loss of dorsal nasal projection
- Periorbital edema / ecchymosis
- Subconjunctival hemorrhage

c. Diagnosis

CT상 진단 : 최소한 4곳의 fracture가 필요

- The frontal process of the maxilla

- The nose
- The medial and inferior orbital rims extending to involved the piriform aperture
- The medial orbital wall and orbital floor

d. Treatment

Reconstituting intercanthal relationship, nasal projection / internal orbital structures

4) Nasal bone fractures

Most common fractures of facial bones

TIP

NOE가 있는 지 검사 시 확인이 중요

Septal f ractures 가 있는지 반드시 확인해야 함 -놓치면 d eformity가 올 수 있음

a. Symptoms

- Nasal depression, asymmetry
- Septal deviation / hematoma
- Epistaxis / crepitus / tenderness

b. Classification

* Stranc classification of displacement *

: displacement is analyzed in terms of

- Lateral deviation (displacement 정도에 따른 분류)
  - Plane 1 : unilat. displacement of nasal bone into the nasal cavity
  - Plane 2 : ipsilateral, moderate medial displacement contralateral, some outward displacement
  - Plane 3 : involving one frontal process of maxilla at the piriform aperture & NEO fracture

- AP displacement (frontal impact nasal bone fracture)
  - Plane 1 : end of nasal bone & septum are injured
  - Plane 2 : more extensive injury - involving proximal portion of nasal bone & frontal process of maxilla at the pyriform aperture
  - Plane 3 : involving one or both frontal process of maxilla extending up to the frontal bone(실질적인 NEO fracture)
    → medial orbital rim의 lower 2/3 involve

A

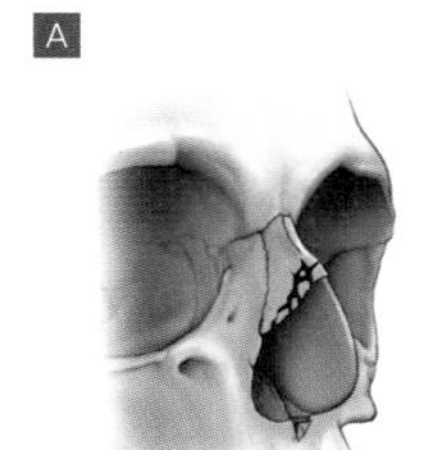

B

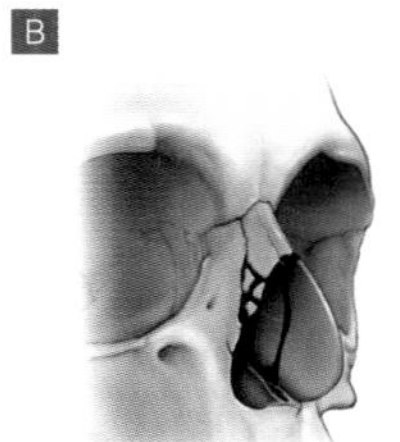

C

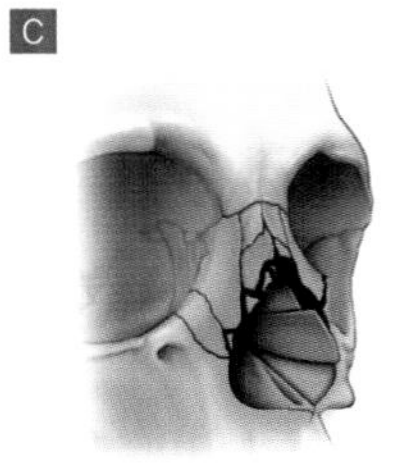

그림 1-13

c. Imaging

- Nasal Both lateral X-ray
- CT

d. Treatment

- Closed Reduction (by manual)
- Open Reduction (if lacerated)

5) Blow out fractures

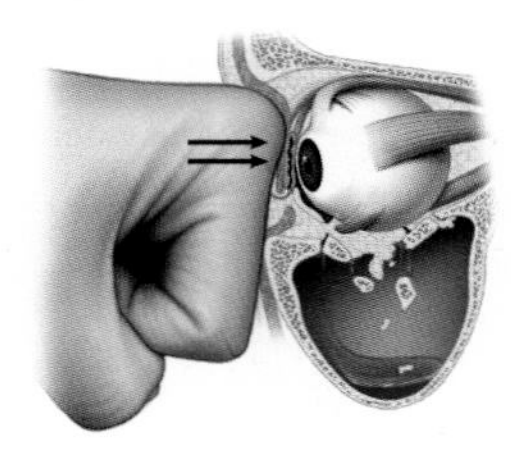

B

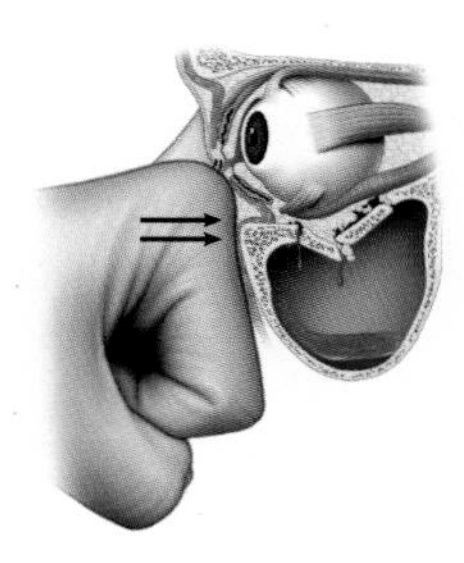

그림 1-14 안와파열골절의 외상기전.
A: hydraulic theory, B: bone conduction.

- 골절이 단독으로 일어나기도 하고 복합적으로 일어나기도 함
- Medial wall : lamina papyracea(가장 얇은 부위)
- Pure blow out fracture : 안와 내측이나 안와바닥만 골절이 일어나는 경우
- 수술을 하지 않을 경우 생길 수 있는 합병증
  - Dystopia
  - E nophthalmos
    - 골절로 인해 안와내 용적이 증가하고 periorbital ligament가 끊어져 생김

a. Symptom

- Step - offs at orbital rims, periorbital edema, enophthalmos, exophthalmos, diplopia, infraorbital nerve paresthesia

- Diplopia (1st major Cx.)
- Enophthalmos 2nd Major Cx. of blow out Fx.
  - Major cause : orbital zenlargement c̄ herniation of soft tissue
    associated fx. : zygomatic, Le Fort II, III fx., blow out fx.
  - 3 causes of enophthalmos
- Extrusion of fat into maxillary sinus
- Backward traction on globe by entrapped muscle

- Enlargement of cavity(major cause)
  - cf Fat atrophy(only 10%)도 가능하나 3 major mechanism은 아님.
  - cf Neurogenic theories
- EOM (extraocular muscle) Limitation
  (fat atrophy secondary to sympathetic nerve disruption)

b. Imaging

3D CT

c. surgical timing

- Isolated blow out Fx. 시에 immediate OP. 필요 없음
- 수술을 연기해야 하는 경우
  - Significant edema
  - Retinal detachment
  - Significant globe injury such as hyphema
- Major significant orbital fracture는 가능하면 빨리 시행
- In children : early operation
  → 수술을 연기할 경우 rapid bone regeneration이 있어 osteotomy가 필요할 수 있으며 incarcerated orbital soft tissue content의 freeing이 어려워짐

d. Treatment

- 목적: 안와모양과 볼륨을 재건하는 것
- 1 cm^2 내의 작은 결손부위는 안구함몰이 생기지 않는 한 보존적 치료
- 1 cm^2 이상의 큰 결손부위는 증상과 관계없이 안구함몰의 발생이 우려되므로 수술적 치료
- Indication for surgical treatment
  - Double vision caused by incarceration
  - Radiographic evidence of extensive fracture
  - Enophthalmos or exophthalmos or significant globe positional change
  - Optic canal compression
  - Increased intraorbital pressure 상황

- 안와뼈를 재건하는 데 사용되는 재료
  - Titanium mesh
  - Autologous bone
  - Porous polyethylene(Medpor)

6) Zygomaticomaxillary (ZMC) fractures

a. 6 points of alignment for ZMC fracture

- ZF suture
- Infraorbital rim
- Zygomaticomaxillary buttress
- Zygomaticosphenoid suture: most important - (m/i)
- Orbital floor
- Zygomatic arch
  - cf Not lesser wing
  - Zygoma는 frontal, maxillary, sphenoid, temporal의 4개의 결합을 가지고 있음
  - 수술 중 이 골절을 정복하기 위해서 적어도 4개의 결합 중 3개의 결합 부분은 확인이 되어야 함

b. Symptoms

- 안와테두리의 step-offs, 안구함몰, 복시
- 안와하신경손상 증상
- 광대쪽이 낮아짐
- 눈가쪽이 내려감
- Trismus

c. Imaging

- 3D facial CT (Axial, Coronal, Sagittal)

d. Treatment

- ORIF at ZM (Zygomaticomaxillary), ZF (zygomaticofrontal)

- ZS (zygomaticosphenoidal) articulation이 정복 시 가장 중요함
- Gillies or keen's approach (for zygomatic arch fracture) Algorhithm for management

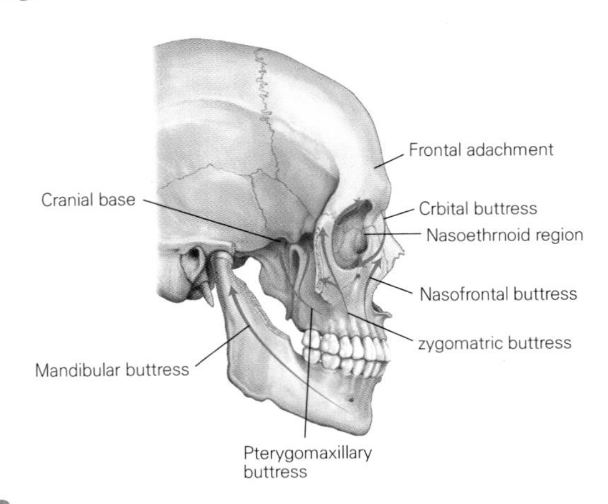

그림 1-15

7) Maxillary fractures

Maxilla는 midface skeleton의 대부분을 차지

a. Classification

- Le Fort I (Transverse Fx)
  - Tooth-bearing maxilla가 분리되는 것
  - 대부분 교합이 맞지 않음(위턱이 움직임)
- Le Fort II (Pyramidal Fx)
  위턱과 코뼈가 같이 움직임
- Le Fort III (craniofacial dysjunction)
  위턱과 광대뼈가 같이 움직임

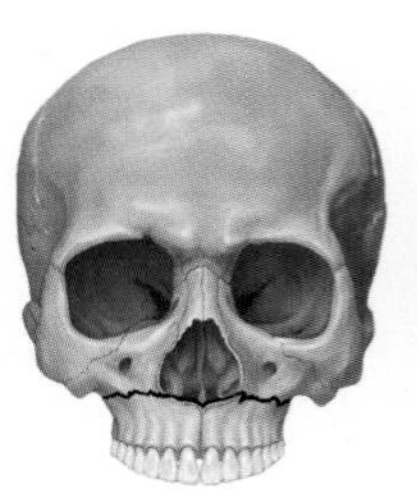
Le fort I Fx

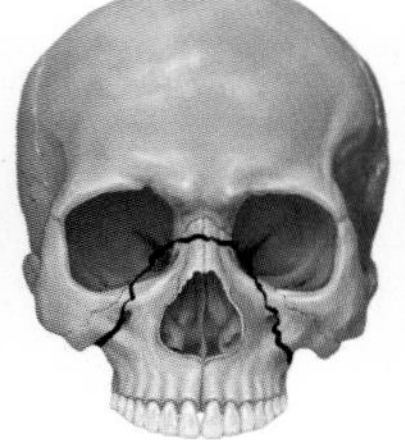
Le fort II Fx

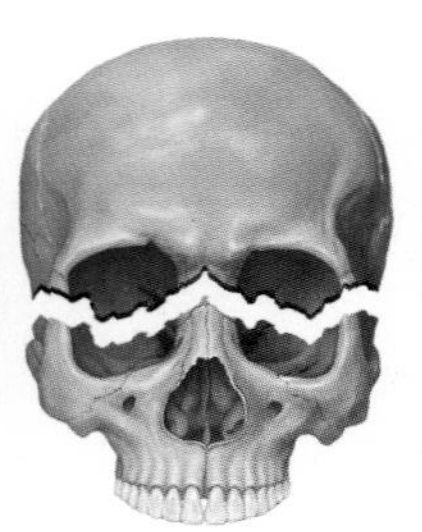
Le fort III Fx

그림 1-16 Le fort Fx의 종류.

b. Symptoms

- 안면부종, 비출혈, 안와주위 혈종
- 부정교합
- 위턱움직임

c. Imaging

3D facial CT (Axial, Coronal, Sagittal)

d. Treatment

- 교합을 회복하는 것과 안면윤곽의 회복이 목적
- MMF (maxillomandibular fixation)를 하여 교합의 안정화를 취함
- ORIF

8) Panfacial fractures

- Stable reference가 없다는 것이 어려운 점임
- Top to bottom approach : 두개골부터 단단히 맞춘 후 아래턱으로 내려감
- Bottom to Top approach : 아래턱뼈를 먼저 맞추고 위턱과 두개골을 맞춤
- Lateral to Medial approach : 광대뼈 폭이 같아야 하므로 바깥쪽을 맞추고 안쪽으로 들어감

a. Contraindication to immediate treatment

- Uncontrolled IICP > 20 mmHg
- Hemorrhage (eg. occurs with massive pelvic fracture)
- Coagulopathy
- ARDS (pulmonary pressure 급상승, decreasing PO_2)

b. Preferred order of reconstruction

- If the palate is split, or if mandible fracture occurs
  → aligment before the arch bar is applied
- Arch bars application & MMF
- In alveolar fracture, palatal fracture, or mandible fracture
  → if needed, splint can be provided
- Intraoral incision: mandible angle, body, symphysis, parasymphysis
- Exraoral incision: for comminuted fractures of the body or angle
- The anteriorly reconstructed maxillary arch should serve as a guide for mandible.
- The coronal incision
- The orbital floor should be reconstructed anatomically
- The nasoethmoid area reduction
- The medial & lateral orbit is preferably bone grafted through a coronal approach
- Reconstruction of the mandibular ramus before fixation of the Le Fort I level
- Soft tissue closure

c. CSF rhinorrhea의 처치 – double ring sign(+) 예방적항생제(×), Pneumocephalus 있거나 orbital emphysema 있으면 사용

- Nasal fossa에 packing 금지, 금연
- Head - elevation 60°
- Lumbar drainage of CSF for decrease ICP
- Warning about blowing
- 상기 방법으로도 지속시 fx.의 early reduction 고려

C Mandible fractures

1) Assessment

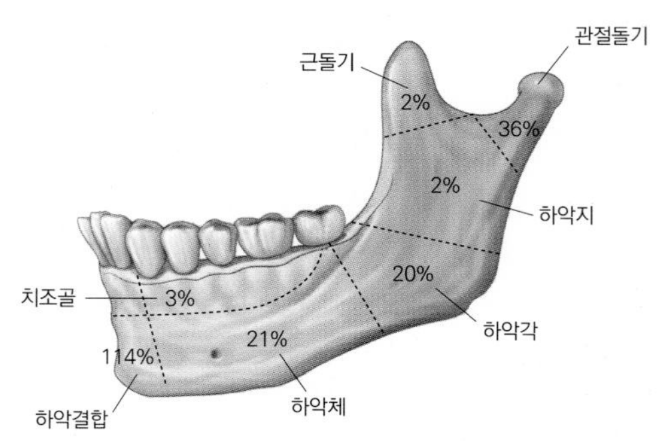

그림 1-17 하악골절의 손상분포도.

a. Incidence

Angle > symphysis > body > condyle > coronoid > ramus

b. Patient evaluation

- P/E
  - Inspection - open bite, cross bite
  - Bimanual exam - check mobility and tenderness
    기본 준비물: 설압자, dental mirror, pen light, 면봉
- Imaging
  - Mandible 3 view
  - Panorama view
  - 3d Facial CT
    경추골절이 동반된 환자는 X-ray 촬영이 어려우므로 CT를 권유

2) Methods of fixation

a. AO / ASIF (Association for the study of the internal fixation)

주로 큰 plate를 이용하여 고정

- 고정을 위한 4가지 조건
  - Anatomic reduction of fragments
  - Functionally stable fixation of the fragments
  - Atraumatic operating technique
  - Early, active, pain-free mobility
- 고정방법
  - Tension band and stabilization plate - 작은 plate는 상연에 고정을 하고 더 큰 plate를 하연에 고정하여 compression과 torsion을 중성화 시킴
  - Reconstruction plate

b. Champy system

- Monocortical miniplates를 사용
- tensile force stress만이 골유합에 나쁜 영향을 준다는 개념을 이용
- 제1소구치의 뒤쪽 부위는 plate를 골절 중간부위에 한 개만 고정하더라도 효과가 있음
- 제1소구치의 앞쪽은 2개의 plate가 사용

TIP

안정성의 중요성

- 1차 골유합은 뼈가 안정 되었을 때만 일어남
- 움직임이 생기면 뼈 흡수가 생기고 섬유화 조직이 자라남
- 움직임이 있을 때 내부 고정장치에 감염유발이 촉진

6) 골절패턴에 따른 치료방법

a. Condyle fractures

TMJ의 재활을 위해 early active ROM이 필요

- Malocclusion이 없는 경우 - soft diet와 close observation
- Malocclusion이 있는 경우 - CR/ ORIF
  - CR-MMF 후 elastics로 유지가 잘되는 경우
  - ORIF의 Ix
    - Condylar segment가 변위되어 있고 translation이 잘 안되는 경우
    - Condyle이 middle cranial fossa로 변위되어 있는 경우
    - 양쪽 condyle 골절과 안면골절이 같이 있는 경우

TIP

MMF가 반드시 필요한 것은 아님. 오히려 stiffness와 fibrosis를 조장하여 rehabilitation에 방해

b. Angle fractures

- Complication이 가장 높은 부위

  Tx : ORIF

  Favorable/ Unfavorable fracture

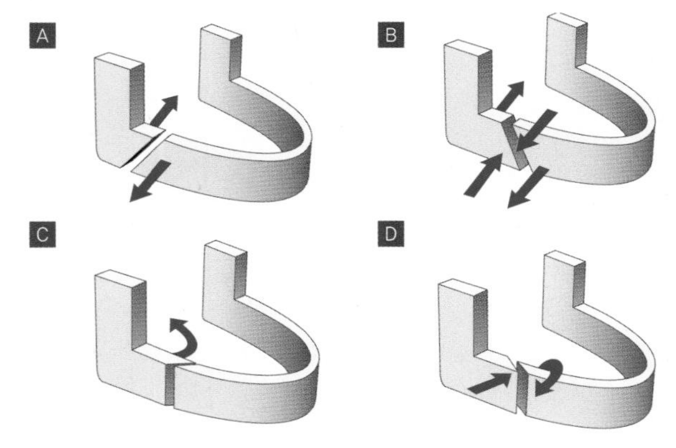

그림 1-18 하악골골절의 골절양상.

c. Body fractures

Tx : ORIF with miniplate (noncomminuted fx) or reconstruction plates (comminuted fx)

d. Symphysis fractures

Tx : ORIF with miniplate or reconstruction plates or lag screws

7) Special consideration

a. Multiple fractures

다발성골절인 경우 교정이 잘 안되어 facial widening이나 심한 기형을 낳을 수 있음. 더 강한 고정이 필요

b. Edentulous fractures

무치악인 경우 정확한 정복이 어렵고 치유속도 늦음

Tx : Reconstruction plates through transfacial approach bone graft for severely atrophic mandible

c. Pediatric patients

Developing tooth buds를 확인하여 screw 고정에 주의

소아에서 Condyle fracture는 ankylosis와 하악 저성장을 유발할 수 있으므로 유의해야 함

소아에서는 3~4주간의 MMF을 유지(cf 어른 4~6주, 그러나 최근 티타늄 수술 기술의 발달로 1~2주 안에 치간고정을 풀기도 함)

Key point

* Op sequence : 골절부분을 모두 노출 → 골절부분을 모두 정복시킴, MMF시행 → 골절부분 고정의 과정으로 함
* MMF는 고정판으로 고정을 한 후 제거를 함
* 술중 교합이 맞지 않는 경우 술후에 좋아질지는 예측할 수 없음
  - 반드시 교합을 맞추어야 함
* Condylalr fx가 있는 경우는 PT (physical therapy)가 중요함

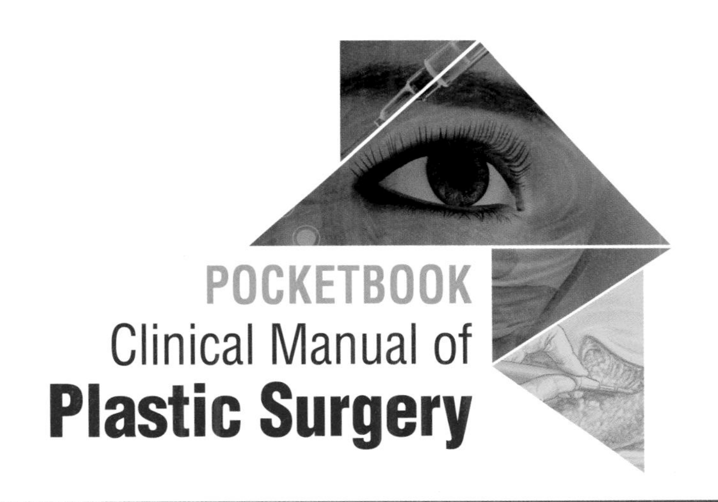

POCKETBOOK

Clinical Manual of Plastic Surgery

Basic Fundamentals in Plastic Surgery

Written by Dr D. H. Park MD PhD FACS

SECTION 01

성형외과의 정의 및 역사
(Definition and History of Plastic Surgery)

A Definition and history of plastic surgery

1) Definition of plastic surgery

- 구조적 변형 또는 기형의 수정과 기능적 결함의 교정을 주로 하는 외과의 한 특수분야 : 신체 외부에 나타나는 선천선 기형 또는 후천성 변형이나 결손을 그 기능과 모양에 있어서 정상에 근사하게 교정해주는 외과적인 학문
- Plastic : 고대희랍의 plastikos - 조형에 맞춤(fit for molding)
- Plastic surgery : 1838년 독일의 Zeis가 출판한 책에 사용하면서 대중화 됨. 일반적으로 광범위한 일반 성형외과(general plastic surgery)라 하고 그중에는 재건성형(reconstructive plastic surgery)과 교정성형(corrective plastic surgery)이 있음

2) Scope & woks in plastic surgery

a. Artificial division

- Reconstructive : restore to normal (재건성형외과)
- Esthetic (cosmetic) : surpass the normal (미용성형외과)

b. 선천성 기형(Congenital anomalies)

c. 후천성 변형(Post-traumatic deformities) : 외상(Injuries), 화상(Burns)

d. 종양(Neoplasm)

e. 교정 수술(Corrective procedures) : 결손은 없으나 위치가 벗어난 것을 정상으로 하는 것

f. 미용 수술(Aesthetic procedures)

3) History of plastic surgery

a. 고대기(Ancient times)

■ 고대 인도
힌두 의서 Rig Veda (1,500 B.C.) : 코의 재건을 위해 협부와 이마의 피부를 이용했음이 기술

- Origin of Rhinoplasty
- Indian method
- Hippocrates (460~370 B.C.) - 성형수술 기록 없음

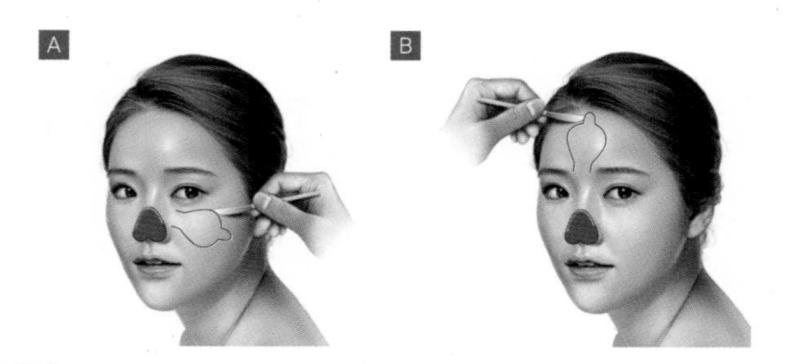

그림 2-1 A: Cheek-Flap rhinoplasty of Sushruta.
B: Forehead Flap. Traditional Indian rhinoplasty. 제4차 국제성형외과학술대회(1967, Rome)에서 발표된 기원전 비성형술의 양상(S.C. Almast).

b. 중세기(Renaissance)

■ 16세기 중후반 : Gaspare Gagliacozzi(Bologna 대학의 외과 교수)

그림 2-2 A: Taglicacozzi의 책(1597)중 코성형을 위한 상박 피부관 작성도,
B: Taglicacozzi의 책(1597)중 lacoezi 방법으로 성형하는 부분 비성형술.

■ 처음으로 체계화된 성형외과책(DE CURTORUM CHIRURGIA)을 저술
■ 이 책에는 코와 귀 재건시 상완내 측의 피부(Arm flap)를 이용하여, 지연술식을 통한 재건을 시도하는 Rhinoplasty 방법이 상세히 과학적으로 기록
■ Italian method Rhinoplasty

c. 근대기(17~19 centuries)

■ 19세기 초부터 본격적인 성형수술의 부흥
■ 1838년 : Zeis
Hand book of Plastic surgery 저술하였으며, 처음으로 Plastic surgery란 말이 소개되었음. Plastic이란 말은 라틴어 "Plasticus", 그리스어 "Plastikos"에서 유래된 것으로 형성, 구성한다는 뜻을 가지고 있음.

d. 현대기

■ 제1차 세계대전(1914~1918) : 전상자의 급증으로 현대적 성형외과는 발전의 전환점을 맞게 됨
■ "Esthetic" 또는"Cosmetic"이란 미용외과의 새 분야가 발생
전쟁 후 평화와 경제적 풍요가 시작됨에 따라 성형외과 분야에서 중요한

역할을 차지

- 1931 : 미국성형외과학회 창설
- 1937 : American Board of Plastic Surgery 창설
- 제2차 세계대전(1939~1945)
  화상, 사지의 복합골절, 동상, 말초신경의 손상과 두개골 복합골절의 환자가 많아 여러 분야에서의 발전

4) 한국성형외과의 발전사

- 1945년 : Weiss(미국 외과의사)
  선교의사로서 당시 세브란스 병원에서 일할 때 고질적인 피부궤양(legulcer, decubitus ulcer), 피부 결손 또는 수족과 안면의 반흔변형(traumatic skin defect, post burn deformites of hand and face) 등으로 고심하는 환자들에게 피부 이식 또는 피부판의 이동, 이식 등으로 환부의 재생을 시도하는 재건 성형술을 시행한 기록
- 1950년 한국전쟁(6.25) : Millard(미국 군의관으로 참전)
  구순열(cleft lip)의 성형 수술을 시술

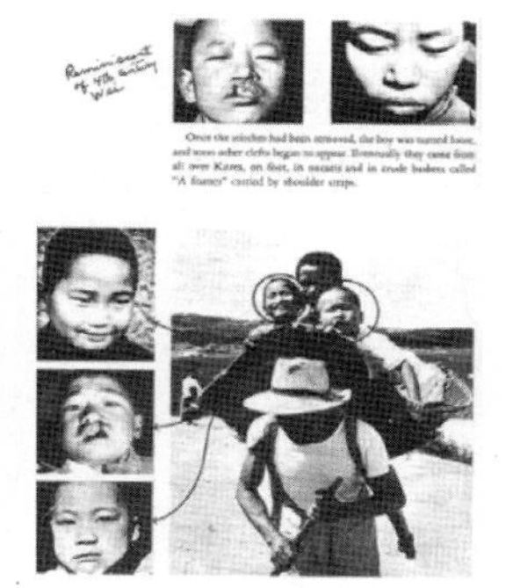

그림 2-3 Millard (미국 군의관으로 한국전쟁 참전) : 구순열의 성형수술을 시술.

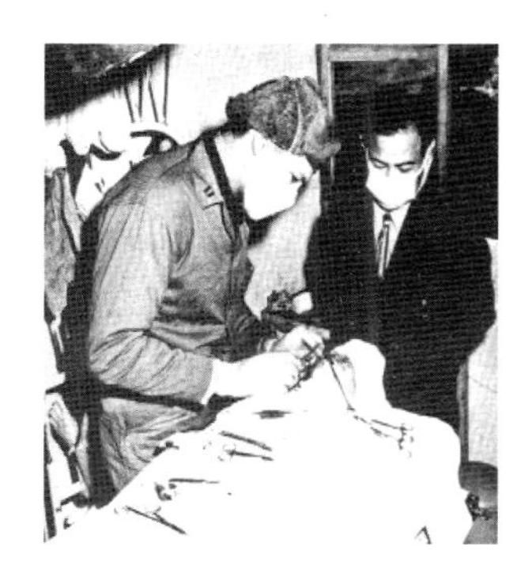

그림 2-4 우리나라 성형외과의 시작: 1950년 6.25전쟁으로 인해 UN군 의료진이 많은 환자를 진료하는데 적극 참여하여 기능복원 차원의 재건수술을 시행.

- 1966년 5월 14일
  : 대한성형외과학회 창립총회개최(연세의대 교수회의실) 학회 창립
  이후 매년 집담회 및 학술대회를 개최 및 활동
- 1967년 : 대한의학협회 신설 학회 가입을 신청

그림 2-5 대한성형외과학회의 Logogram (1966 제정).

- 1968년에는 국제 성형외과학회 연맹(IPRS)에 회원국 가입을 신청

그림 2-6 성형외과 국제학회의 변천해 온 Logogram.
A: 국제성형외과학회(1959. London)
B: 국제성형재건외과학회(1967, Rome)
C: 국제성형재건미용학회연맹(1992, Madrid).

- 1969년 9월 : 의학협회 분과학회로 인정
- 1970년 3월 : 국제성형외과학회 연맹에 정식회원국으로 가맹
- 1973년 10월 17일 : 보사부는 개정 의료법 시행규칙에 성형외과를 전문 진료과목으로 새로 추가 인정 공포
- 1974년 : 학회지(Journal of Korean Society of Plastic and Reconstructive Surgery) 제1호 발간

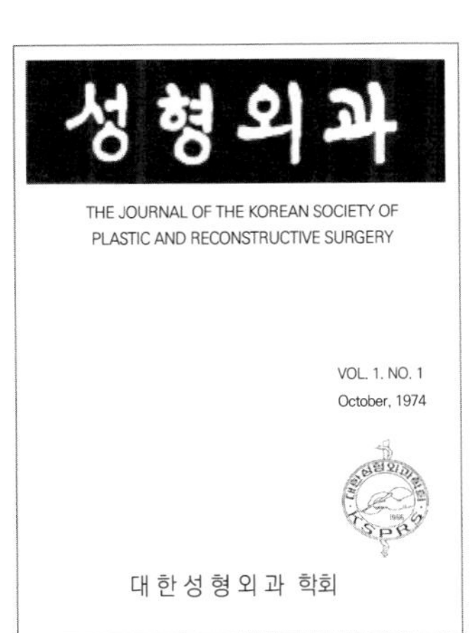
성형외과

THE JOURNAL OF THE KOREAN SOCIETY OF
PLASTIC AND RECONSTRUCTIVE SURGERY

VOL. 1. NO. 1
October, 1974

대한성형외과 학회

대한성형외과가 발간한 학회지 제1회(1974).

그림 2-7 대한성형외과가 발간한 학회지 제1회(1974).

A Introduction

1) Terminology

a. 카메라와 렌즈

- 단안 리플렉스 카메라와 교환가능한 렌즈
  : 50 mm 렌즈가 35 mm 필름 카메라에 표준
- 디지탈 카메라 : 낮은 CCD - 필름 렌즈보다 적은 초점 거리가 필요
- 줌렌즈 : 표준화 된 사진을 찍기 힘듦

b. 플래쉬

강한 플래쉬는 깊은 필드까지의 촬영도 가능. 카메라와 동선의 그림자가 지므로, 다방면의 플래쉬는 그림자를 없애 줌. Through the lens는 실제 사진 촬영에 쓰이는 렌즈를 통해 들어오는 빛으로 측광, 자동 초점, 자동 화이트 밸런스 등을 수행하는 방식

c. 디지털 이미지

디지털 카메라 압축저장 방식 : RAW, TIFF, JPEG로 저장, 백업된 파일을 서버에 저장하고, 출력하여 환자 차트에 비치

2) 사진의 표준화

- 신체 각 부위에 대한 표준화된 측정 기술을 사용 : 수술 전 · 후 f/u 사진
- 임상적 사진에 있어서 카메라, 렌즈, 위치, 밝기, 조리개, 배경 등의 구성요소가 모두 표준화
- 동체에는 50 mm 렌즈, 얼굴과 손, 클로즈 업 사진에는 90~110 mm 렌즈를 사용
- 조명 : 2개의 빛과 1 또는 2개의 배경 조명
- 배경 : 배경 종이 또는 그려진 벽
- 얼굴 사진 : 귀와 목, 얼굴 전체를 포함해야 하며, 사면과 측면, 헤어핀을 한 후면 사진은 귀의 촬영에 중요
- 머리의 각도 : 'Frankfort' 수평면은 바닥과 나란해야 함. 거울을 이용하여 환자의 자연스런 머리각도를 유도

3) Setup

배경	하늘색 계통의 색이 피부의 색조를 잘 나타냄
조명	Strobo - flash, 동조기를 이용하여 자연광에 가까운 색온도 재현
환자의 자세	1. Frankfort plane : tragus에서 infraorbital rim을 잇는 선이 수평선이 되도록 head positioning 시킴 2. Natural horizontal facial line : 앞에 거울을 두고 얼굴이 똑바로 보이도록 한 자세 3. 측면사진의 경우 반대측 눈썹이 보이지 않도록 조정 4. 촬영전 화장을 지우고 액세서리 제거 5. 이마를 검은 헤어밴드로 올려 머리가 이마를 가리지 않도록 함

4) Standardized face photography

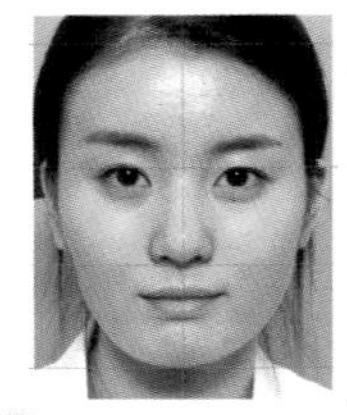
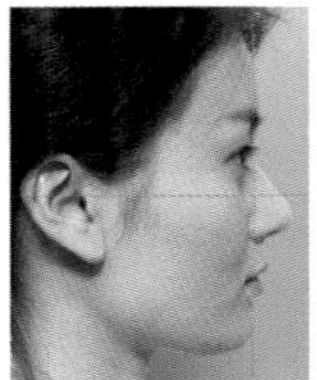
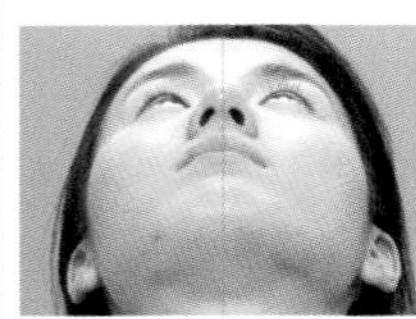

그림 2-8 머리위치를 표준화 하기 위해 파인드의그리드에 있는 선에 Fraukfort 수평면과 정중시상면을 맞춤.

Standardized 15 face photography

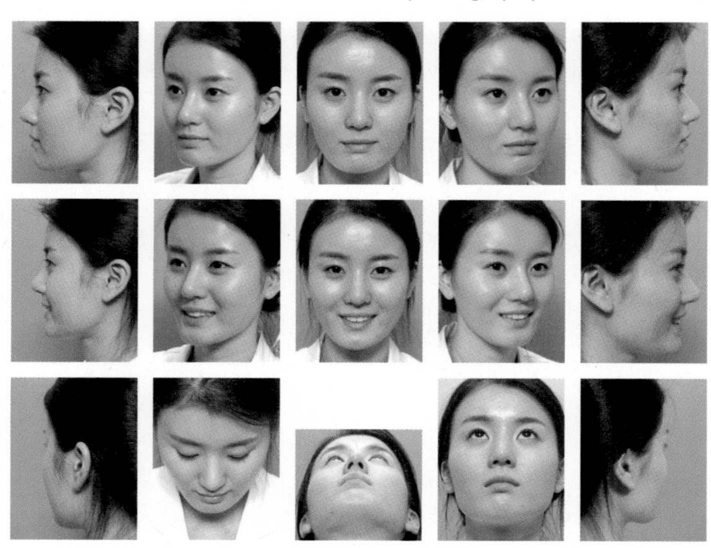

5) Standardized body photography

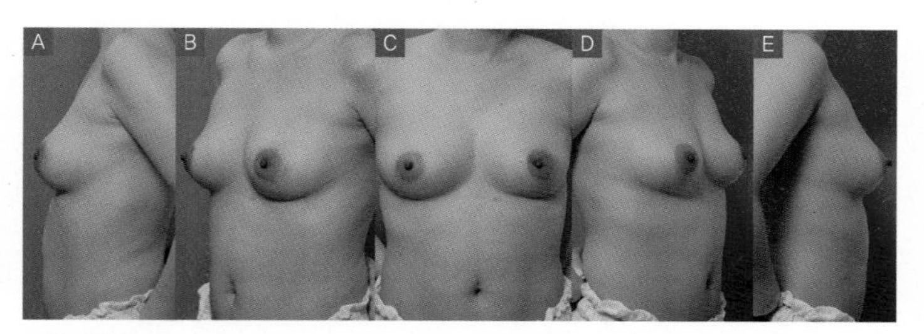

그림 2-9 A: 좌측 측면사진, B: 좌측3/4 비스듬사진, C: 정면, D: 우측3/4 비스듬사진, E: 우측 측면사진.

유방사진 촬영 카메라를 수직으로 세워서, 빗장뼈와 아랫배가 포함되게 한다.

6) Standardized hand photography

장식구를 제거하고, 손톱의 광택제를 지워버린 후 촬영하며, 손이 사진의 중심에 있도록 촬영

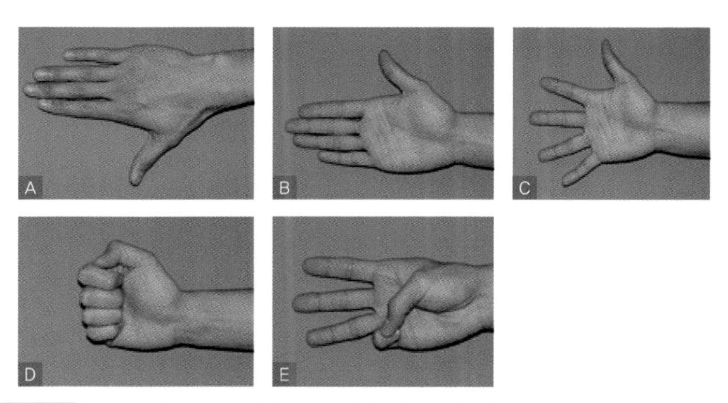

그림 2-10 A. 손등 사진, B. 손바닥 사진, C. 손가락을 편 손바닥사진, D. 주먹을 쥔 손바닥 사진, E. 손가락을 편 손바닥에서 엄지손가락 끝과 새끼손가락 끝이 닿게 한 사진.

7) 의학법적문제

각각의 임상적 사진에 있어서 표준화 된 방법의 적용 : 의무기록과 개인의 프라이버시에 있어서 환자는 사진촬영에 대한 권리가 있으며, 사진 촬영전에는 항상 환자 개인에게 동의를 구해야 함

SECTION 03

창상치유
(Wound Healing)

A Wound care

1) 정의

- 창상은 세포학적 혹은 해부학적 연속성이 파괴된 상태
- 창상치유란 세포가 증식, 분화, 재생되어 그 연속성을 다시 유지

2) 창상치유의 형태

a. 일차유합(Primary)

수상 후 수 시간 내에 봉합

b. 이차유합(Secondary)

수축과 상피 세포화로 상처가 스스로 치료됨

c. Delayed primary

만성적인 상처를 괴사 조직 제거 등 상처 처치를 한 후 급성적인 상처로 만들어 치료하는 것

3) 창상의 치유과정

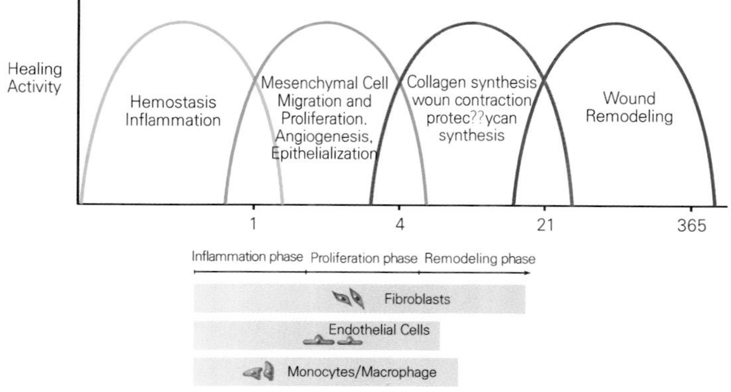

그림 2-11 창상치유의 단계와 창상치유과정에서 나타나는 세포들의 순서.

a. 염증단계(1일~6일)

- 혈관수축(vasocontriction) : 손상 후 5~10분 후 손상된 혈관의 수축
- 응고 : 혈소판과 피브린에 의한 혈전형성(응고 연속과정의 생산물)
- 혈관확장(vasodilatation) 및 투과도 증가 : 히스타민, 세로토닌(혈소판에서 나온), bradykinin, prostaglandin, leukotriene, 산화질소(내피세포로부터)에 의해 매개됨
- 화학주성(Chemotaxis) : 혈소판 생산물(알파 과립으로부터), 응고 연속단계, 보체활성(C5a), 조직 생산물, 세균 산물에 의해 일어남.
- 세포 이동 구르기(혈관벽에 부착이 증가), diapedesis (혈관벽을 통한 이동), fibrin(세포이동의 최초 기질을 형성)
- 세포반응

- 호중구(24~48시간) : 염증 물질을 생산하고 탐식한다. 창상치유에 중요하지는 않음
- 대식구(48~96시간) : 가장 많은 세포집단을 이룬다(섬유모세포 증식까지). 창상치유에 가장 중요, 성장인자를 조정
- 림프구(5~7일) : 역할이 잘 밝혀지지 않음. 콜라겐 분해효소와 세포외바탕질 재모형화를 조절하는 것일 수 있음

b. 섬유질증식단계(4일~3주)

- Matrix(바탕질) 형성
  - 섬유모세포 : 2~3일에 창상부위로 이동, 7일째에 가장 많은 세포, 5일에서 3주 사이에 콜라겐 합성속도가 빠름
  - Tensile strength(인장력)은 4~5일에 증가하기 시작
- 혈관생성 : 혈관이 증가, 혈관내피세포성장인자(VEGF)/nitrous oxide가 관여

● 다음의 3stage로 분류된다.

염증기(~48시간)

- 섬유출혈·응고
- Provisional matrix의 형성
- 염증세포의 침윤
- 각종 증식인자의 방출(PDGF, TGF-β, IL-1, EGF, FGFs, IGF 등)

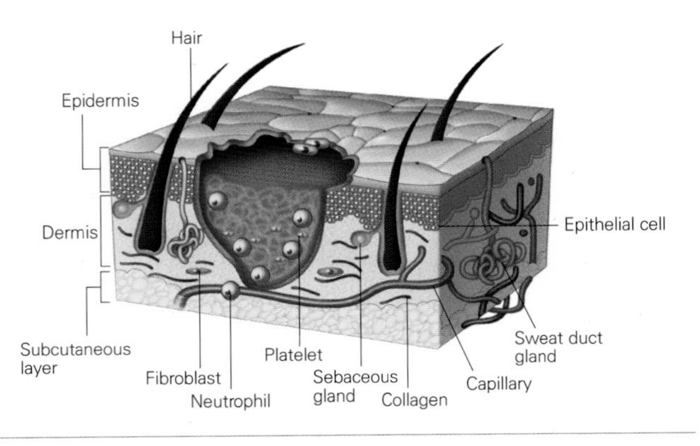

증식기(2~10일)

- 섬유아세포의 증식
- 콜라겐섬유 생산
- 글리코사미노글리칸(Glycosaminoglycans, GAGs)의 증가
- 혈관신생(혈관내피증식인자 : VEGF ↑)
- 상피화

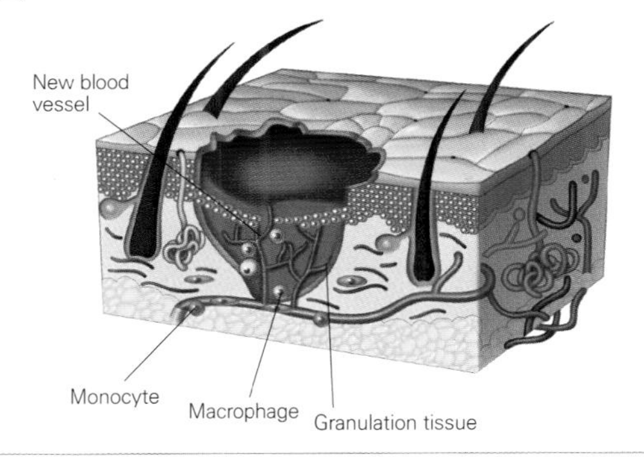

성숙기(~1년)

- 창상의 수축(근섬유아세포)
- 콜라겐섬유의 정렬
- 콜라겐 Type Ⅲ에서 콜라겐 Type Ⅰ으로의 치환(Type Ⅰ : Ⅲ =4 : 1)
- 글리코사미노글리칸(Glycosaminoglycans, GAGs)의 감소

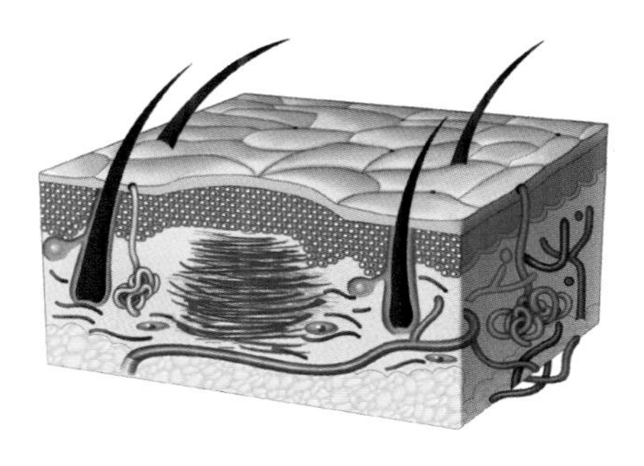

c. 성숙/재모형화단계(3주~1년)

- 3~5주 후 콜라겐 분해와 생성이 평형에 이르고, 양에서의 변화가 없어짐
- 콜라겐 유기화가 증가하고 교차결합이 강해짐
- 제1형 콜라겐이 제3형 콜라겐을 대체하고 4:1의 정상 비율을 유지
- 글라이코사미노글리칸, 수분, 혈관, 세포수가 감소
- 콜라겐 합성
  - 제1형 : 가장 풍부(인체 콜라겐의 90%) - 피부, 인대, 뼈에 많이 분포
  - 제2형 : 공막, 유리연골
  - 제3형 : 혈관, 장벽, 자궁, 피부(피부에서 제1형/제3형의 비율은 4 : 1)
  - 제4형 : 기저막에만 분포

4) 창상수축

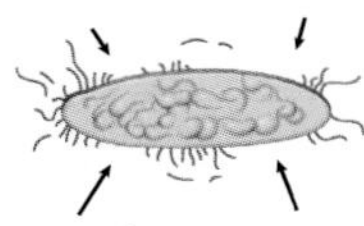

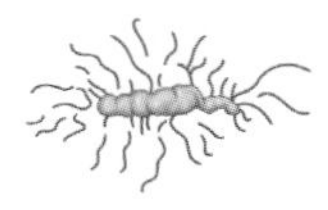

그림 2-12 창상수축.
수축(contraction)이란 줄어든 생물학적 진행성 과정을 말하고, 창상수축은 창상을 좁혀 주므로 임상적으로 유익함. 그러나 창상 수축이 주름살이나 관절부에 직각방향으로 일어나면 구축변형을 해야 함

a. 근섬유세포(Myofibroblast)

- 특수화 된 섬유모세포로 수축성이 있는 세포질의 미세원섬유
- Engine of contraction

b. 수축이란 생물학적 진행과정을 의미

- 근섬유세포가 육아 조직을 통해 분산되어, 전체 상처 부위에 수축을 일으킴
- 3일경부터 시작되어 10~21일 경에 최대가 됨
- 수축이 완료되면서 과정은 끝이 남
- 상처에 더 많은 진피가 포함될수록 수축은 적어짐

5) 창상 치유에 영향을 주는 요소

a. 유전학적 요소

b. 비후성 반흔 및 keloid 흉터의 유전적 요소 고려

c. 창상치유를 느리게 할 수 있는 유전적 질환

- Pseudoxanthoma elasticum (콜라겐 파괴 증가)
- Cutis hyperelastica (i.e. Ehlers-Danlos syndrome, 비정상적인 콜라겐 교차)
- Progeria (선천적 조로증)
- Werner's syndrome
- Epidermolysis bullosa

d. 피부 종류(type)

Pigmentation (Fizpatrick type), 탄력, 두께, 피지의 질, 위치

e. 나이

창상 치유에 영향을 미침

f. 전신 건강 상태

당뇨병, 동맥경화, 신장쇠퇴, 면역결여증, 영양 결핍 등이 창상치유에 영향을 미침

g. 상처의 국소적 상태

감염, 만성창상. 탈신경화, 방사선 치료, 건조한 환경, 온도, 자유라디칼(free radical)의 정도가 영향을 미침.

창상치유의 촉진 및 지연 요인

		작 용
촉진	비타민 A	스테로이드의 작용을 제거한다.
	비타민 C	콜라겐합성에 기여
	비타민 E	항산화작용과 세포막의 안정
	아연	창상치유에 관한 여러 가지 효소의 보조인자
지연	흡연	국소에서의 혈류 저해와 산소공급장애
	스테로이드	창상치유과정의 전체적인 저해
	항암제	섬유아세포 · 근섬유아세포의 유주 저해
	항염증제	콜라겐생산저해 (50% 이하)

TIP

창상치유 촉진제의 투여가 효과적인 것은 각각 부족한 상태일 때이며, 본래 충분할 때에는 큰 효과를 얻지 못한다.

6) 비후성 반흔 & 켈로이드

a. Etiology

- 인종 : 동양인에서 백인보다 흔함
- 부위 : deltoid, presternal, upper back에 흔히 생김
- 연령 : younger age에서 잘 생김
  - Skin의 elasticity 커서 tension을 많이 받음
  - Collagen synthesis 속도가 빨라 overhealing 잘 됨
- 장력, 절개선의 방향 : tension이 미치는 상태에서 fibroblast는 collagen을 많이 생성
- 기타 : 감염, 이물질, 호르몬 등

b. Differential diagnosis between hypertropic scar and keloid

- 비후성 반흔(Hypertropic scar, HTS)

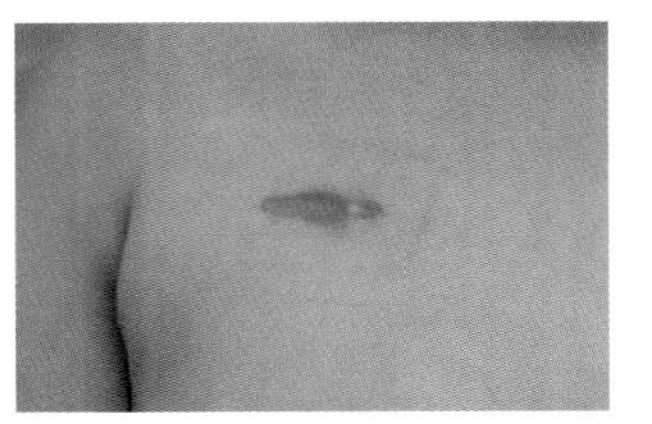

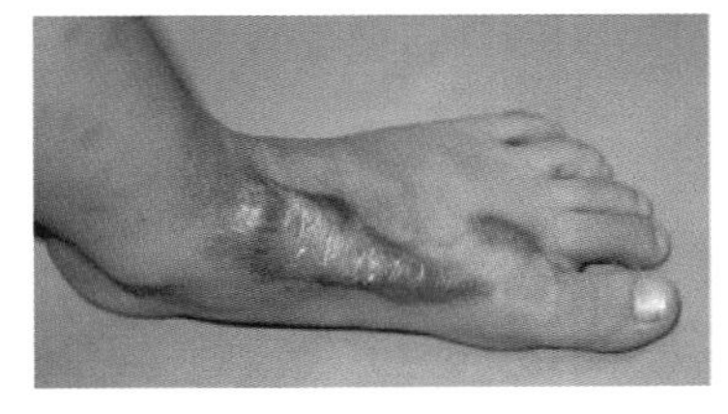

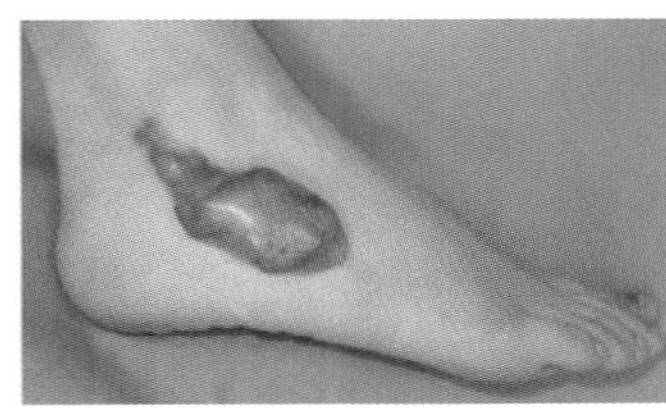

그림 2-13 비후성 반흔(Hypertrophic Scar).

- 원래 흉터 경계 안에서의 융기된 흉터 : keloids보다 더 흔함(상처 중 5~15%)
- 긴장이 있는 곳이나 flexor surface에 잘 생김
- 치료 후에 재발이 적음

■ Keloid

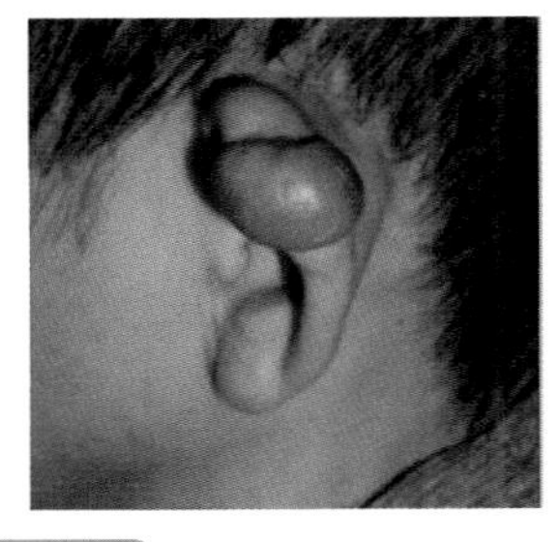

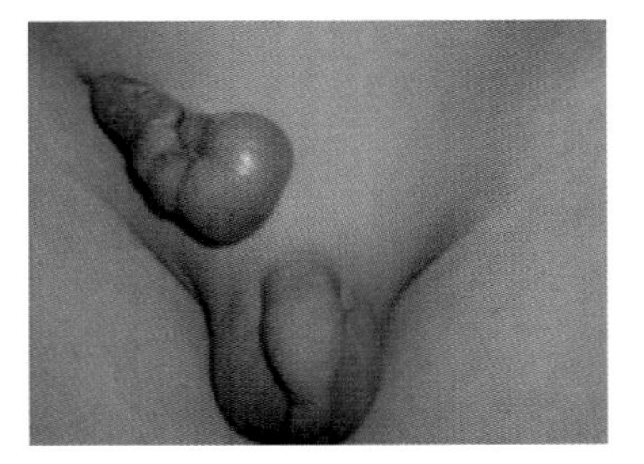

그림 2-14 켈로이드(Keloid).

- 원래상처 경계의 바깥에서 자람
- HTS보다 덜 흔함
- 유전적 내분비적 영향(사춘기와 임신 시 증가)
- 저절로 낫지 않고, 절개와 치료에 더 저항적

■ Treatment
- 약물요법 : enhance collagenase activity, decreasing protein production
- 압박요법(mechanical pressure)
  - 창상이 치유된 후 즉시 해야 효과가 좋음. 튀어오르고 난 후에는 효과 별로 없음
  - 적어도 6개월 내지 12개월 정도
- Radiation : 병행요법
- 수술적요법
  - Intralesional excision

SECTION

04

피부 절제 및 봉합
(Excision of Skin Lesion and Suture of Skin Wounds)

A 흉터형성에 영향을 주는 요소

1) 5 Cardinal principles (5A)

a. 무균수술(aseptic surgery)하여 술후 감염예방
b. 조직 손상을 최소화하여(atraumatic technique)
c. 각 조직층을 정확하게 맞추어 봉합(accurate approximation)
d. 봉합된 조직에 긴장이 없게 하며(absence of tension)
e. 창상조직이 노출되지 않도록 봉합(avoidance of raw surface)

2) 피부선(Skin lines)

a. 주름선(Wrinkle lines)

피부 밑에 위치하는 근육의 반복적인 수축과 이완에 의하여 만들어지며 근육의 장축에 수직방향

- Line of expression(표정선)

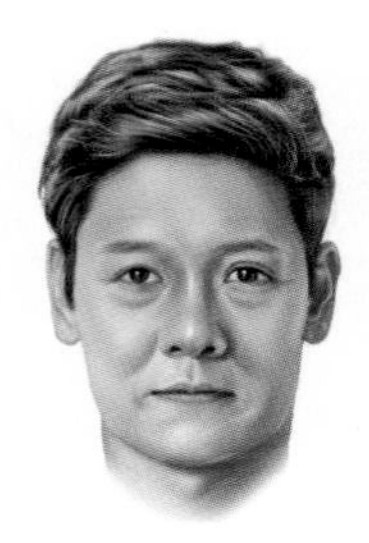
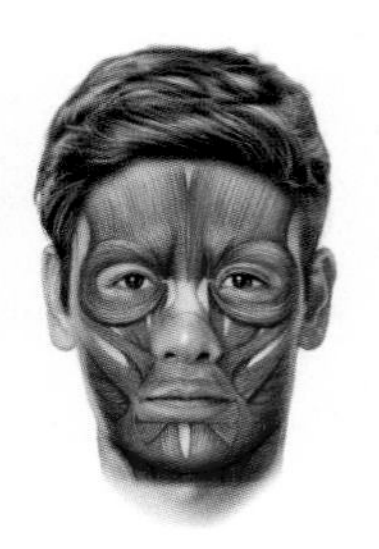

그림 2-15 안면의 피부선과 피하근육의 방향.

- RSTL : relaxed skin tension line(이완된 피부 긴장선)

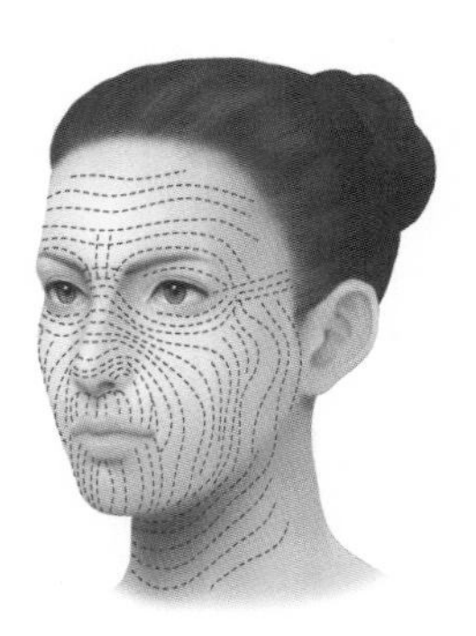
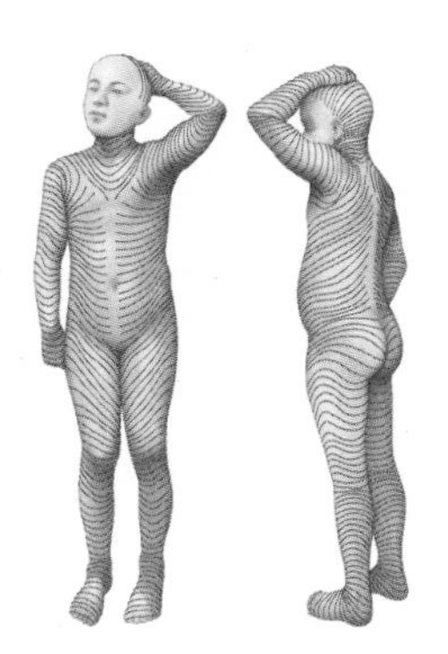

그림 2-16 소아나 주름이 거의 없는 성인에서는 이완된 피부긴장선(relaxed skin tension line: RSTL) 이란 용어를 사용하고 있으며 이선은 그 부분을 굽히거나 폄으로써 찾아내기도 하고, 무지와 인지로 피부를 잡아서 쉽게 주름이 생기는 방향을 찾고 다시 이에 직각방향으로 피부를 잡아서 생기는 얕은 주름을 비교하여 최종 확인.

- Line of minimal tension(최소 긴장선)

b. 윤곽선(Contour lines)

- 신체의 면과 면이 경계를 이루는 선

c. 중력선(Lines of dependency)

- 나이가 들면서 중력에 의해 피부가 늘어진 것
- 턱밑에 칠면조 목처럼 늘어진 피부가 특징

3) 비외상성 수기(Atraumatic technique)

수술 시 세심한 조작은 반흔을 줄이는데 필수적인 요소

4) 환자의 나이(Age of patient)

- 3개월 미만의 유아 : 반흔이 뚜렷하게 남지 않을 수 있음
- 소아들의 반흔 : 상당기간 붉고 비후성으로 남아 수술결과가 만족스럽지 못함

5) 신체의 부위(Region of body)

- 얼굴, 목, 손 : 흉이 덜 생김
- 하지 : 비교적 흉이 잘 생김

6) 반흔의 길이(Length of scar)

- 길이가 긴 반흔은 Z- 성형술을 이용하여 여러 토막으로 나누어 줌으로써 장력을 분산

7) U자 모양의 흉터(U-shaped scar)

- 곡선이 그리는 원의 중심으로 구축이 일어남
- 조직액의 배출이 늦어지고 반흔의 성숙이 지연, 곡선 안쪽 조직이 융기
- 교정 : Z -성형술을 이용하여 반흔을 분절하고 모양을 바꿈

8) 피부 표면에 대한 상처의 각도(Angle of wound to skin surface)

- 피부 표면에 수직으로 절개해야 함
- 잘린 상처를 그대로 봉합하면 진피내 반흔의 폭이 넓어져 구축이 일어남

9) 피부의 유형(Type of skin)

- 피지선이 과다 증식된 두꺼운 피부: 함몰반흔이 남는 경향
- 예 : 코의 아랫쪽 절반, 뺨의 가운데, 이마 등

10) 피부 질환(Skin disorder)

- Ehlers - Danlos syndrome : 피부 창상의 치유가 지연되고 반흔의 폭이 넓어짐

B 수술기구

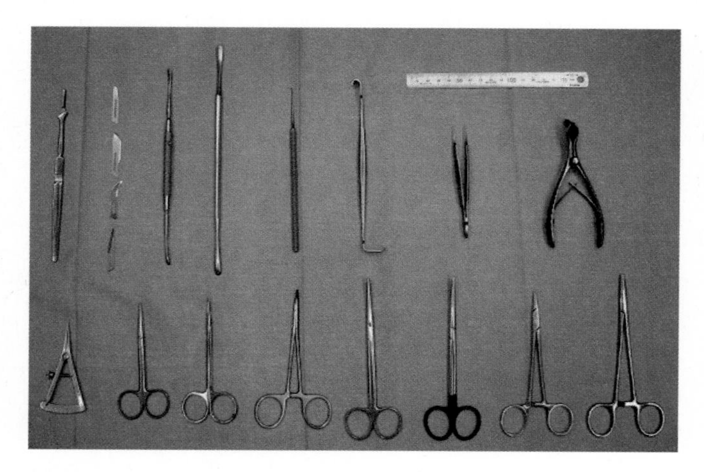

그림 2-17 피부절제 및 봉합에 사용되는 기구.

수술에 따라 알맞은 크기와 모양의 기구를 사용함으로써 조직을 더욱 정확하고 부드럽게 다루어 조직을 보존하고 창상치유를 촉진시킬 수 있음. 작은 해부학적 구조를 정확하게 수술하기 위해서는 1.5X 내지 4X의 확대경이 도움됨.

1) Gillies combined scissors and needle holder
2) Mclndoe forcep (non-toothed)
3) Gillies forcep (toothed)
4) Adson forcep (non-toothed)
5) Adson forcep (toothed)
6) Gillies skin hook

C 국소마취(Local anesthesia)

1) 국소침윤마취(Local infiltration anesthesia)

- 리도카인 : 용량 5~7 mg/kg, 독성이 거의 없고 4시간 동안의 마취효과
- 농도는 보통 1~2%로 사용. 광범위 마취시는 0.5% 용액 사용
- 에피네프린 혼합된 리도카인: 전신적 중독증이 적게 일어나고 마취 효과 더 오래 지속

2) 신경차단 마취(Nerve block anesthesia)

전두부, 하안와신경, 치조신경, 하치조신경의 말단지인 하절치신경, 턱신경, 하악신경, 상악신경들의 지배영역

D 지혈(Hemostsis)

1) 혈관수축제

1 : 200,000 - 1 : 400,000 에피네프린, 주사 후 7~10분간 기다린 후 수술

2) 전기소작법

작은 혈관의 출혈에 대한 신속한 지혈

3) 결찰

가장 확실한 지혈방법

4) 압박

작은 혈관의 출혈에 가능

E 절제(Excision)

1) 타원형 절제

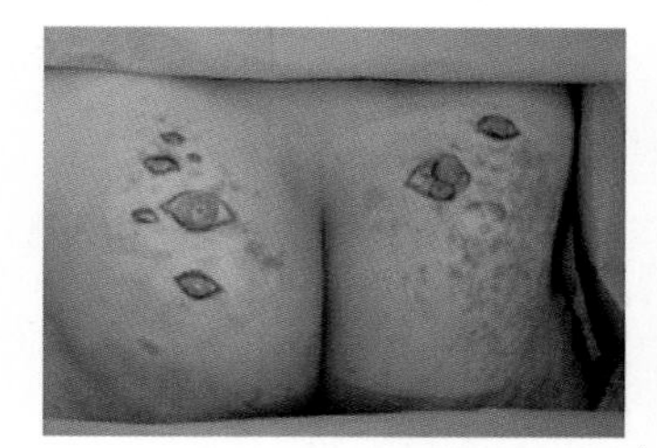
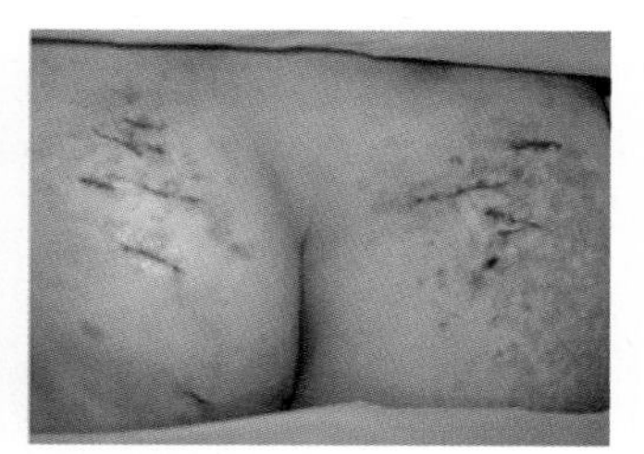
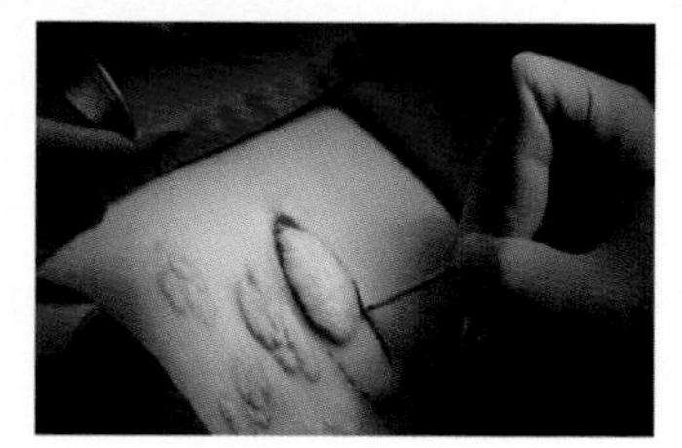

그림 2-18 타원형 절제(Elliptical excision).

- 가장 단순히 사용되는 단순절제 방법
- 타원의 장축을 피부선에 맞추어야 반흔형성이 적음
- 타원의 장축이 단축의 4배가량 되어야 봉합선의 양단에 과다한 피부가 융기되는 견이 억제 가능
- 견이의 발생원인
  - 타원의 장축이 단축보다 4배 이하로 짧기 때문
  - 타원의 한 변이 다른 쪽 변보다 길이가 길기 때문
- 견이의 처치 방법
  - 과다조직을 제거
  - 봉합선이 Y가 되도록 절제

2) 쐐기형 절제

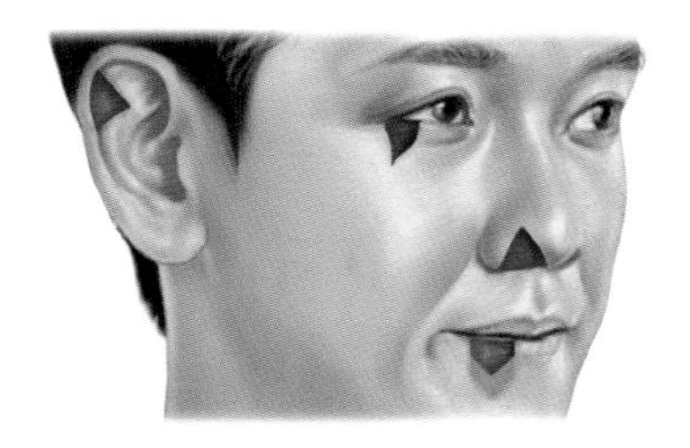
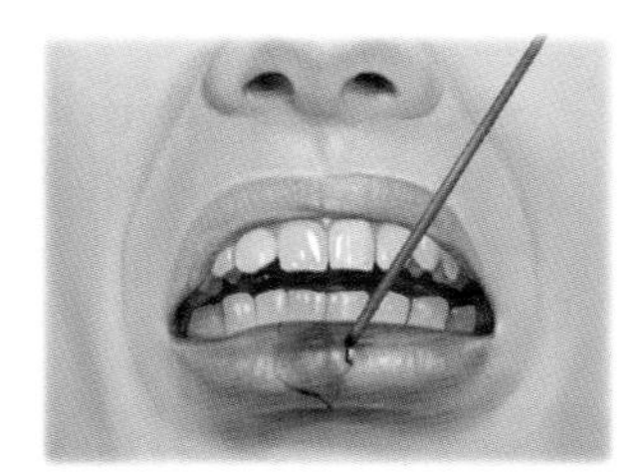

그림 2-19 쐐기형 절제(Wedge excision).

- 적용 부위 : 입술, 비익연, 안검, 이개 등
- 안검과 상구순은 전체 폭의 1/4까지, 하구순은 1/3까지 쐐기형 절제 후 일차봉합 가능
- 이차적으로 생긴 조직 결손이 클 때 : 복합조직이식(composite graft) 적용

3) 원형절제

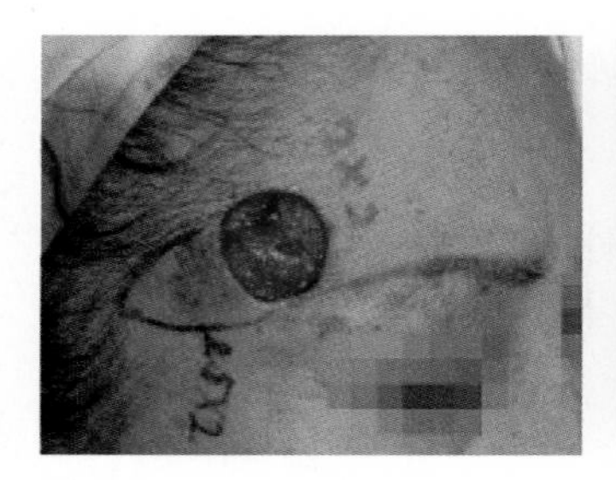
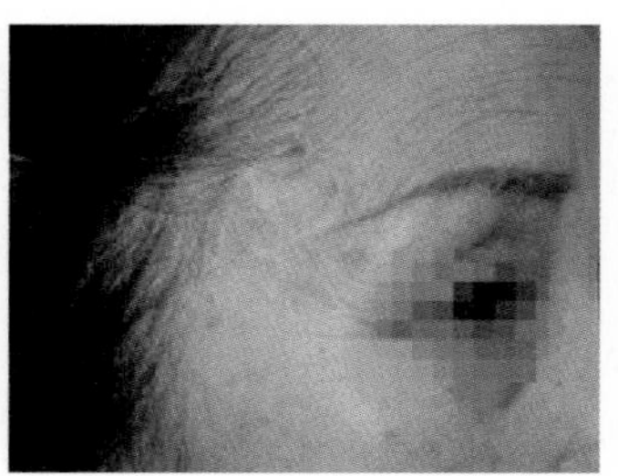

그림 2-20 원형절제(Circular excision).

■ 치료방법

- Skin graft
- Sliding subcutaneous pedicle flap (V-Y advancement flap)
- Local transposition flap

4) 다중절제

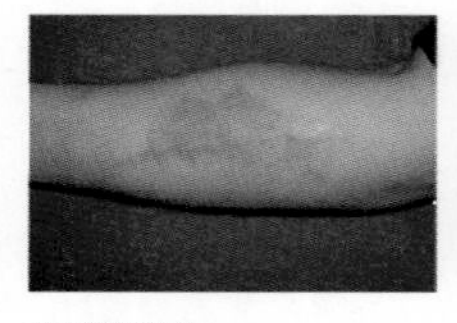
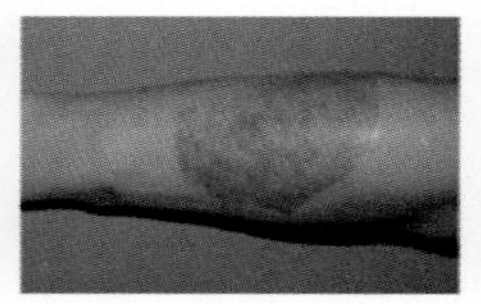
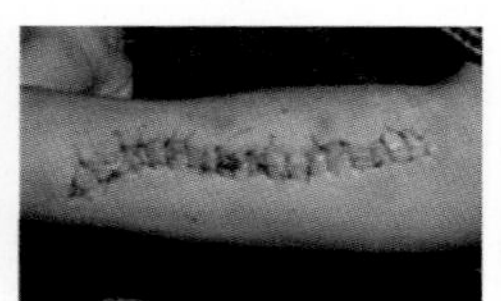

그림 2-21 피부가 늘어나는 특성을 이용하여 3~6개월 간격으로 연속적(serial)으로 병소를 조금씩 절제하여 점차 좁혀 들어가는 방법.

■ 적응증

- Wide scar
- Large nevus

봉합(Suture of skin wounds)

1) 지연봉합의 적응증

- 창상에 혈액공급이 불량, 감염우려, 환자의 비협조적인 자세
- 6~8시간 이상 경과된 창상:
  일차봉합이 어려움(세균수는 6~8시간 마다 2배로 증가)
- 단 두경부는 혈액 공급이 풍부하므로 수상 후 12시간 이후에도 봉합가능

2) 창상봉합의 유형

- 일차봉합 : 창상을 수상 후 6~8시간 내에 봉합
- 지연성 봉합 : 창상을 2~3일간 처치하여 감염의 위험이 없을 때 봉합
- 이차기도(secondary intention) : 창상이 육아조직으로 채워지고 이 육아조직의 수축과 재상피화에 의하여 저절로 치유되도록 함

3) 봉합사

a. 비흡수성 봉합사(Nonabsorbable sutures)

표 2-1 비흡수성 봉합사

이름	형태	수술적 취급	장력	매듭 안정성	조직반응	임상적 사용
실크	꼬임 혹은 뒤틀림	매우 좋음	1년 후 0%	좋음	보통	혈관결찰
나일론	단사	보통-좋음	1년 후 20%	보통	적음	피부봉합
Prolene	단사	보통-좋음	영구적	나쁨	적음	피부봉합

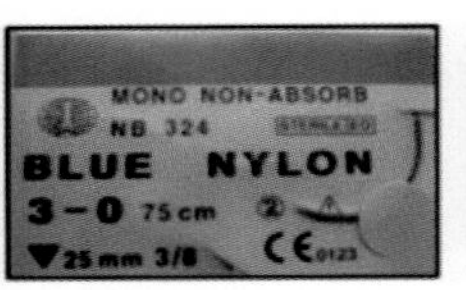

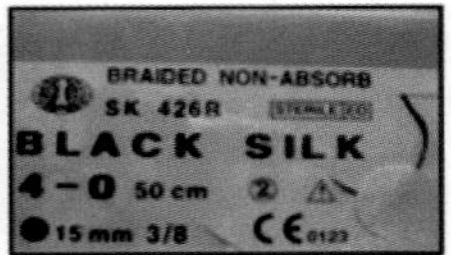

그림 2-22 비흡수성 봉합사 - 나이론 및 견사.

b. 흡수성 봉합사

표 2-2 흡수성 봉합사

이름	수술적 취급	장력	매듭안정성	조직반응	흡수시간	임상적 사용
Chromic	보통	2주내 약해짐	나쁨	중간이상	2~3주	구강, 비강
PDS	보통	4주후 50%	좋음	매우적음	6개월	오염피하조직봉합과 도긴장봉합
Vicryl	좋음	3주후 50%	좋음	적음	2~3개월	피하조직 봉합

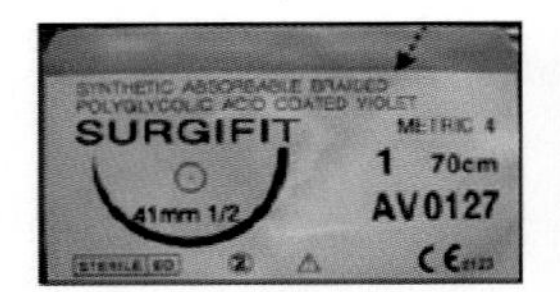

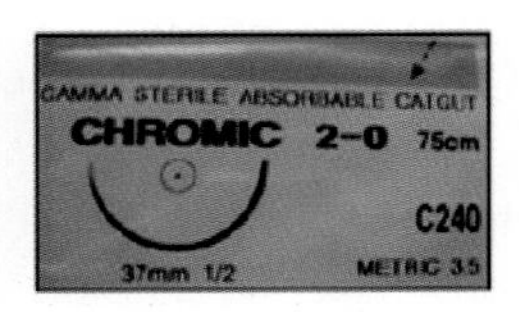

그림 2-23 흡수성 봉합사 - 바이크릴과 크로믹.

G 봉합방법(Suture methods)

1) 단순단속봉합법(Simple interrupted suture)

- 가장 흔히 사용하는 봉합
- 봉합을 단단히 하기 위해 굵은 실을 쓰기 보다 봉합의 수를 늘리는 것이 좋음
- 심층봉합은 이물반응의 원인이 되므로 긴장이 있는 경우에만 사용

2) 매트리스봉합(Mattress sutures)

a. Vertical mattress suture

- 피하박리를 넓게 하고 심층봉합을 않을 경우 심층의 접촉을 충분히 하기 위해 사용
- 심층의 접합이 주목적 - 표층을 완전히 근접시키기 위해 너무 단단하게 당기면 안됨
- 실밥자국이 남기 쉬우므로 단순 봉합보다 일찍 발사해야 함

b. Horizontal mattress suture

c. Half buried mattress suture

3) 연속봉합(Continuous suture)

- 실밥자국을 남기지 않고 진피의 접합을 유지할 수 있어 반흔의 최소화에 유용
- 창상이 긴장부위에 있을 때 흉이 넓어질 가능성이 있음
- 발사 : 조직반응이 거의 없으므로 10일~2주 후 제거

H 바늘형태(Needle configurations)

1) Cutting needles 각침

- 각침은 날카로운 모서리를 갖고 있으며 그 모서리는 바늘의 끝까지 연결 되어 있고 질긴 조직을 꿰뚫는 데 유용함
- 피부와 진피를 봉합하는데 각침을 씀

2) 테이퍼 바늘(끝이 가늘어지는 모양의 바늘)

- 테이퍼 침은 날카로운 끝을 가지나 날카롭지 않은 모서리를 가짐
- 테이퍼 바늘은 주로 건이나 심부조직의 봉합에 사용

3) 바늘 곡선의 반경

- 성형수술에서 이용되는 대부분의 바늘은 3/8원
- 1/4원 바늘은 현미외과용

4) 바늘 선택 요령

- 충분한 힘을 제공하는 가장 작은 caliber를 선택
- 일반적으로 테이퍼 바늘을 사용하는 영구 봉합은 근막, 건, 연골 등의 봉합을 위해 사용
- 각침은 피하, 진피 및 피부 봉합 위해 사용

5) 기타 봉합 방법

a. Stainless steel Staples

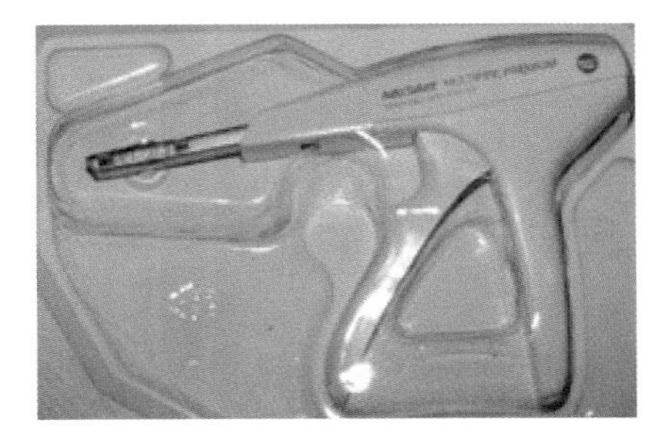

그림 2-24 스테이플(Staples).

- 조직반응이 가장 적은 봉합방법
- 그러나 탄력이 없고 양 edge를 정확하게 맞추기 힘듦

b. 2-oxy cyanoacrylate (시아노아크릴레이트) - 피부접착제
c. 긴장이 없고 배열이 잘 된 상처들에 빠르고 효과적이나 edge 맞추는 것이 부정확하고 edge 양쪽에 긴장이 잘 걸리지 않아 벌어지기 쉬움

I 술후 처치(Postoperative care)

1) 드레싱

- 역할 : 상처를 외상으로 보호하고 손상 부위를 움직이지 않게 고정, 혈종의 형성을 예방, 상처를 깨끗하게 유지
- 수술 다음 날 상처를 확인하기 위해 드레싱을 열어볼 수 있으나 통증, 삼출액, 국소열 등의 증상이 없으면 4~5일 정도 열어보지 않고 정상 치유과정을 방해하지 않는 것이 바람직
- 발사 전까지 상처가 물에 젖지 않도록 함

2) 발사(Suture removal)

a. 봉합사가 긴장 강도에 주로 기여하는 기간 - 2주일 정도

b. 발사시기 : 가능하면 빠를수록 좋다.

- 눈꺼풀 : 3~4일째
- 얼굴 : 5일 이내
- 얼굴 이외 부위
  - 5일째 half stitch out
  - 7일째 total stitch out
- 손바닥, 발바닥 : 10일째
- 매트리스 봉합 : 최초 발사 시에 먼저 제거
- 진피 내 연속봉합 : 2주 이상 남겨도 됨
- 발사 후 그날 저녁이나 다음날부터 세면이나 샤워 권장
- 발사 후 한달 이상 종이 반창고나 steri strip을 붙여 넓은 반흔 예방

J 봉합선(Suture mark, Railroad track)

- "Railroad track" 상처는 봉합사에 의해 봉합부위에 평행하게 점 형태의 흉터(punctate scar)가 기차 레일 모양으로 생기는 것을 이야기하며 봉합선 제거가 늦어져서 생김
- 수술 후의 부종을 고려하여 충분히 봉합을 느슨하게 함으로서 예방

1) 봉합사를 남겨두는 시간

- 수술 후 7일 이내에 제거하면 봉합사 반흔은 거의 생기지 않음
- 하지 등 장력이 있어 7일 이상 봉합사를 남겨 두어야 할 부위
  : buried suture하여 장력 줄이고 7일 이내 제거

2) 봉합사에 부과된 장력

창상의 양변이 겨우 접착될 만큼만 힘을 주어 결찰

3) 창연에서 봉합점까지의 거리

- 넓게 뜨면 봉합사의 협착 효과에 의하여 넓은 봉합사 반흔이 형성
- 안면 : 3~5 mm, 타 부위: 7 mm 이하

4) 신체부위

- 안검, 점막, 손바닥, 발바닥 : 봉합사 반흔이 거의 생기지 않음
- 흉골부위, 어깨, 윗 몸통부위 : 봉합사 반흔 잘 생김

5) 감염

감염의 증상이 있으면 봉합사를 조기에 제거하고 감염에 대한 치료

6) 켈로이드

켈로이드 체질을 가진 환자에서는 피부 봉합을 피하고 피하 또는 진피 내 매몰 봉합을 실시하고 피부테이프나 접착제로 창상연을 접착시킴

SECTION 05

성형수술에서의 마취
(Anesthesia in Plastic Surgery)

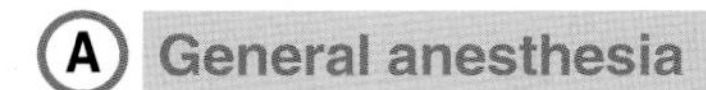

A General anesthesia

1) 목표

무통, 기억상실, 생명 필수조건의 유지, 외과의사에게 차분한 분위기 제공

2) 유형

a. 아산화질소

몸의 안과 밖을 빠르게 움직이며 몸의 차단된 부분에서 압력과 부피 증가

b. 기타 할로겐화된 약물들

Halothane, Enflurane, Isoflurane, Methoxyflurane

3) 균형마취

a. 전신마취는 수술과정에서 필수적 : 진통, 기억상실, 무의식에 들게 하여 근육이완과 원하지 않는 반사작용 억제

b. 단일 약물이 이러한 모든 효과를 빠르고 안전하게 얻을 수는 없음. 여러 가지 다른 종류의 약물이 사용되어 균형마취를 할 수 있게 함

4) 마취의 단계

a. 1단계

- 기억상실(마취제를 주입하면서 시작되며 의식을 계속 잃은 상태)
- 고통에 대한 최소치는 낮아지지 않은 상태

b. 2단계

- 섬망
  - 흥분이 억제가 되지않은 상태
  - 해로운 자극에 대한 반응이며 이 반응은 부상을 입을 수 있음
  - 반응은 구토, 후두경련, 고혈압, 빈맥, 절제하지 못하는 행동이 포함
  - 가장 위험한 단계

c. 3단계

수술적 마취, 고통적인 자극은 체성 반사나 해로운 자율신경계의 반응을 일으키지 않음(고혈압 or 빈맥)

d. 4단계

- 호흡의 감소
- 동공확대
- 동공무반응
- 순환계장애를 일으킬 수 있는 저혈압

B 정맥(Intravenous) 마취

- 종류
  - Barbiturate : Thiopental, Thiamylal, Methohexital
  - Nonbarbiturate
    - Nonopioids : Benzodiazepines, Ketamine, Etomidate, Propofol

- Opioids : Morphine, Meperidine, Fentanyl, Sufentanil, Alfentanil, remifentaynyl

- Barbiturate : 단기작용 수면제로 유도하는데 사용
- Ketamine
  - Phenycyclidine의 유도체로 기억상실이 특징적인 해리상태를 만든다.
  - 의식이 있는 어린이의 dressing을 바꾸거나 응급실에서 진정제로 많이 사용
  - 부작용으로 악몽, 환시, 응급 섬망이 30%의 어른에서 나타난다.
- Profopol

  Opioid agent 또는 barbiturate와 병행하여 사용함으로써 Opioid agent 또는 barbiturate의 onset 전까지의 시간동안 마취를 유도 또는 마취를 유지 한다.
- Benzodiazepine

  유도 또는 예비 마취 시 진정,수면제로 사용
- Opioid : 고통정보가 진행되는 것을 방해, 진통진정작용

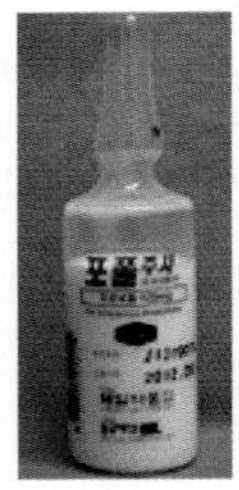

Propofol

케타민

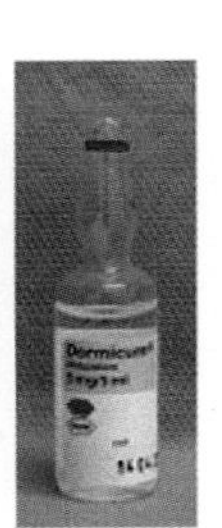

도미콤

그림 2-25 정맥마취약제들.

C Local anesthesia

1) 작용기전

- 부분 마취제는 축삭에서 활동전위의 이동을 방해
- 액체의 산도를 적절히 조절함으로써 안정도가 강화

2) 임상적인 특징

- 신경섬유의 각기 다른 단절-유수신경과 작은 신경이 많이 영향
- 혈관확장, 온도와 고통D에 대한 감각 상실, 압각의 상실, 움직임의 상실 순

3) 분류

a. 아미노 에스테르

- 슈도콜린 가수분해효소에 의한 대사에 의해 혈청에서의 반감기가 만들어짐
- 대사의 결과로 para-aminobenzoic acid (PABA)가 만들어지는데 이것은 특정 사람에게 과민성과 연관이 있음
- ex : procaine (novocaine), cocaine, benzocaine, chloroprocaine, tetracaine(pontocaine)

b. 아미노 아마이드

- 간에서 대사, 제거되는 반감기 : 2~3시간, 알레르기 반응은 거의 없음
- Lidocaine (Xylocaine), bupivacaine (Marcaine), mepivacaine (Carbocaine), prilocaine (Citanest), etidocaine (Duranest), dibucaine, ropivacaine (Naropin)

4) 국소 마취제와 기타 약물의 혼합

- 혼합물에 의한 독성은 각각의 독성보다 크지 않음
- Lidocaine(빠른 작용과 짧은 반감기)과 bupivacaine(장시간 작용)이 흔한 혼합체
- Epinephrine
  - 혈관수축, 효과지속시간 증가, 출혈감소
  - 단점 : 빈맥, 고혈압, 부정맥 유발
  - 자주 사용되는 농도는 1 : 100,000과 1 : 200,000 (각각 1 mg / 100 mL, 1 mg / 200 mL)

5) 독성

a. 부작용

- 가장 흔한 부작용 : 홍반, 두드러기, 부종, 피부염, 어지러움, 현기증, 입 주위의 감각상실, 이명 등
- 심각한 독성 : 대발작, 의식상실, 심혈관계 shock 등

b. 독성의 방지

- 과도한 양을 피함
- 혈관내 주입을 피함
- 에피네프린을 더함으로써 빨리 흡수되지 않게 함

c. 독성의 관리

- 더 이상의 마취제는 투여하지 않음
- 독성은 과탄산혈증에 의해 증가. 과호흡시키고 적당량의 산소를 주어 치료
- 발작이 끝나지 않을 경우 혈관 내로 Diazepam (valium)을 0.1 mg/kg 또는 thiopental을 2 mg/kg을 투여
- 아나필락시스를 치료

기타 마취방법

a. 말초신경차단

- 경피적 침윤
  - 신경차단은 근위부에서 원위부쪽 신경으로 함. 손가락, 갈비뼈 차단에 주로 사용
- 혈관내 부분 마취
  - 마취과 의사에 의해 시행
  - 마취제의 주사를 nerve plexus(신경다발) 가까운 부위에 할 때 많은 양이 필요

b. 중추신경 차단

- 경질막외 마취
  - 부분마취제가 경막 외 공간으로 주사. 많은 양이 필요
  - 카테터를 이용해 지속적으로 주사하는 기술이 사용
  - 감각신경을 차단하기 위한 마취이며 운동신경은 차단하지 않아도 됨
- 척수 마취
  - 지주막하 공간의 뇌척수액에 주사
  - 적은 양의 농축된 액을 사용. 감각, 운동신경이 차단
  - 비뇨기, 하복부, 골반, 하지, 일부 산부인과에서 사용

피부이식술 (Skin Graft)

A Anatomical structure and properties of skin

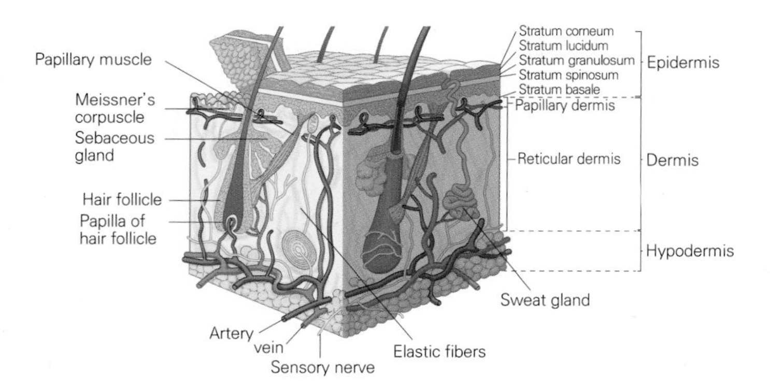

그림 2-26 피부의 구조.

1) 표피(Epidermis)

- 중층편평상피(stratified squamous epithelium)
- 5 layer로 구성

- 기저층(stratum germinativum, basal cell layer)
- 유극층(stratum spinosum, prickle cell layer)
- 과립층(stratum granulosum, granual cell layer)
- 투명층(stratum lucidum, clear cell layer)
- 각질층(stratum corneum, keratin layer)

2) 진피

- 표층의 유두층(papillary layer) : 주로 콜라겐, 탄성섬유, 기저물질로 구성
- 심층의 망상층(reticular layer) : 두꺼운 콜라겐 다발과 그 사이에 존재하는 탄성섬유로 구성

3) 상피부속기

모낭(hair follicle), 피지선(sebaceous gland), 한선(sweat gland)

B Type

1) 유전학적 분류

a. 자가이식(Autograft)

동일개체 내에서 피부이식. 거부반응이 없음

b. 동인자 이식(Isograft)

일란성 쌍생아 간의 피부이식. 생착

c. 동종이식(Allograft)

- 어떤 개체와 동종의 다른 개체 사이의 피부이식.
- 대부분 거부반응이 나타남

d. 이종이식(Xenograft)

- 이종개체 간의 피부이식.
- 거부반응이 강하게 나타남

2) 공여부 피부두께에 따른 분류

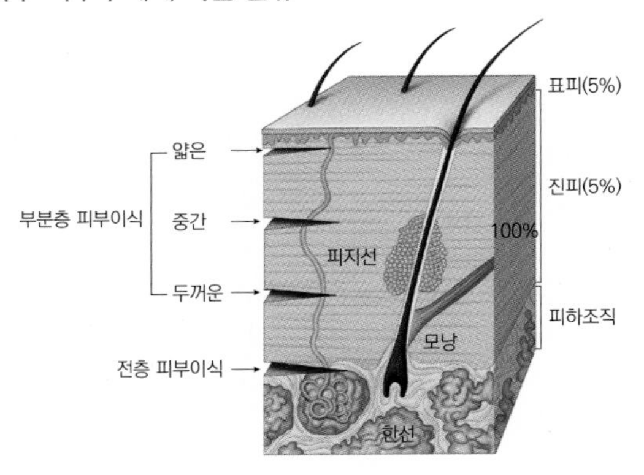

그림 2-27 피부이식의 두께(성인 외측대퇴부의 피부).

a. 부분층 피부이식(Split Thickness Skin Graft, STSG)

- 표피와 진피층 일부를 이식
- 포함된 진피의 두께에 따라 구분
  - 얇은 부분층 피부이식(thin STSG)
  - 중간 부분층 피부이식(medium or intermediate STSG)
  - 두꺼운 부분층 피부이식(thick STSG)

b. 전층 피부이식(Full Thickness Skin Graft, FTSG)

표피 및 진피 전층을 이식

Skin graft

1) 피부의 채취방법 및 공여부의 처치

a. 부분층 피부이식

- 피부절제기(dermatome) : 나이프식 절제기, 드럼식 절제기, 전동식 또는 압축공기식

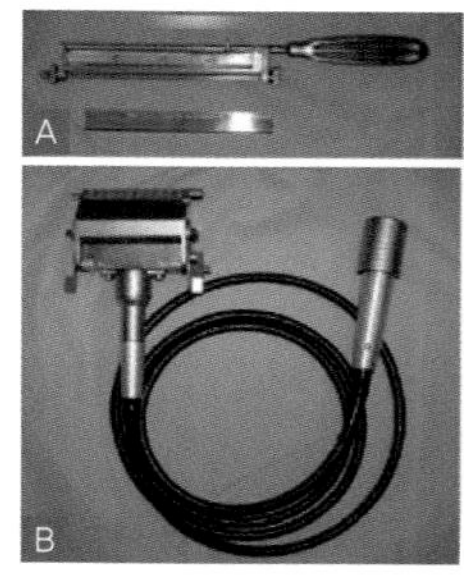

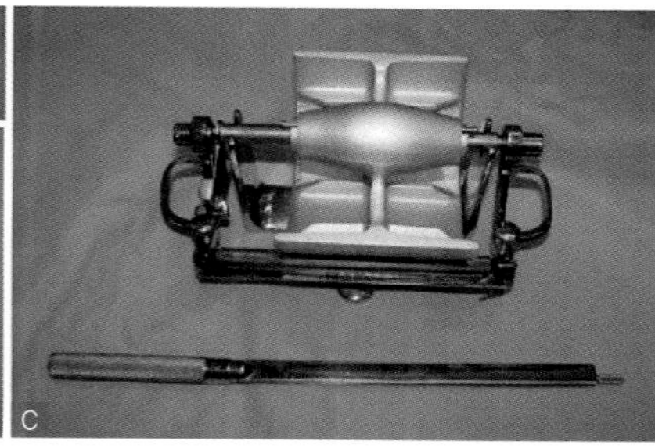

그림 2-28 피부절제기의 종류.
A: 나이프식 피부절제기(Humby Knife)
B: 전동식 또는 압축공기식 피부절제기(Electrical dermatome & Air-driven dermatome)
C: 드럼식 피부절제기(Padget-Hood dermatome).

- 채취방법
  - 채취할 피부의 두께를 정하여 피부절제기를 조작
  - 공여부에 미네랄오일을 도포하고 피부를 편평하게 한 후 피 부절제기로 채취
- 공여부 처치
- ephinephrine gauze를 이용하여 지혈 후 foam dressing을 시행

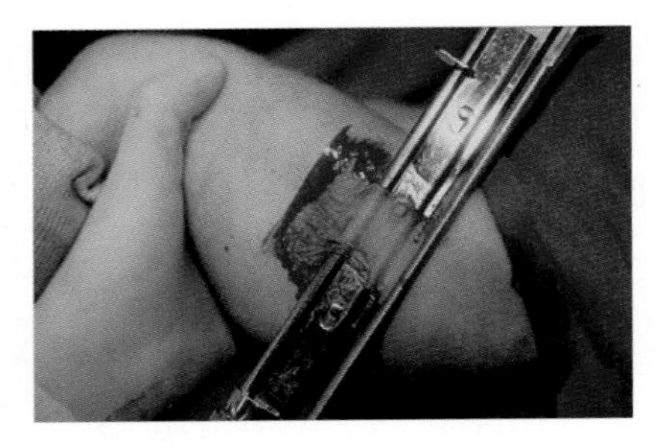

그림 2-29 피부절제기를 이용한 피부채취과정.

b. 전층 피부이식

- 피부의 결손부 모양에 따라 공여부에 디자인 하고 절개를 하여 피하지방 일부를 포함하여 채취

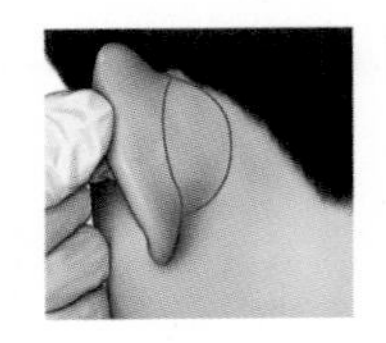

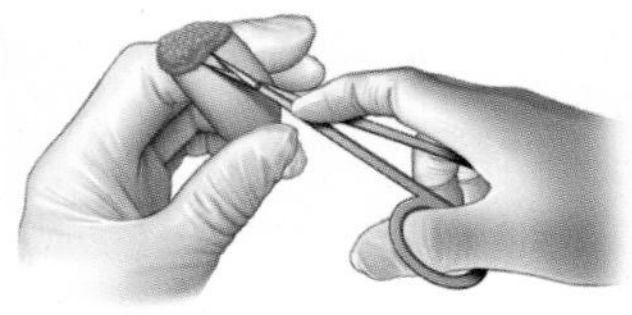

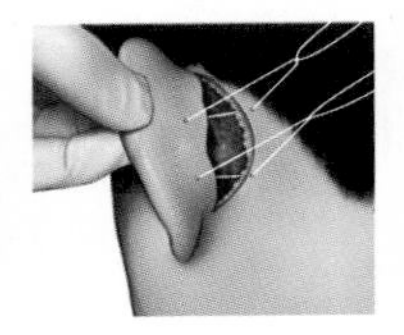

그림 2-30 후이개부에서 전층 피부이식편을 취하는 방법.
A: 결손부 모형을 도안한 후
B: 피하지방의 일부가 붙어있는 피부의 전층을 취하여 피하지방을 제거
C: 공여부는 일차 봉합술 시행

- 채취한 피부에서 지방을 제거한 후 수혜부에 고정
- 공여부는 일차봉합 시행

전층식피와 분층식피

	전층식피 (Full thickness skin graft)	분층식피 (Split thickness skin graft)
Schema	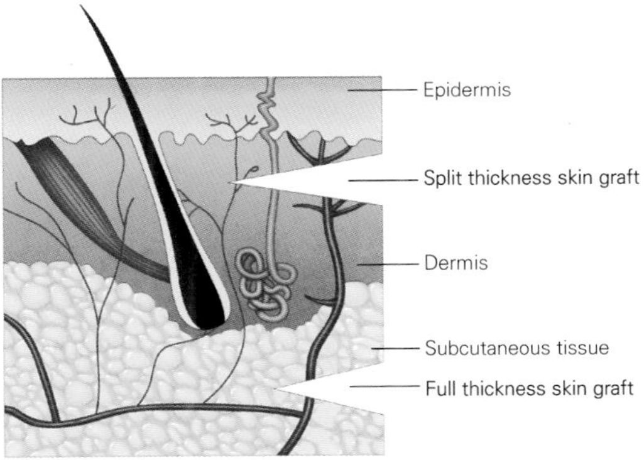 Epidermis Split thickness skin graft Dermis Subcutaneous tissue Full thickness skin graft	
채취방법	메스를 사용하여 채취 채취부는 봉합폐쇄	더마톰을 사용하여 채취 채취부는 2차치유
이점	수술 후의 구축이 적다 성형적으로 뛰어나다	채취할 수 있는 면적이 넓다 생착하기 쉽다
결점	채취부를 봉합폐쇄할 수 있는 범위밖에 채취하지 못한다	수술 후의 구축 (얇음 〉 중간 〉 두꺼움) 성형적으로 뒤떨어진다 채취부의 반흔이 흉하다
적응	비교적 좁은 범위의 피부결손 관절에 걸쳐 있는 피부결손 성형적인 고려가 필요한 부위	광범위한 피부결손
채취부위	서경부, 내과부 등	대퇴, 둔부, 복부, 배부(背部), 두부

2) 피부이식의 생착을 위하여 갖추어야 할 조건

- 수혜부의 좋은 혈관분포
- 피부이식편과 수혜부간의 좋은 접촉(good contact)
- 창상의 적절한 처치

3) 피부이식술의 실패의 원인

- 부적절한 수혜부 혈관분포
- 혈종, 장액종
- 고정불량(movement)
- 감염
- 기술적 과오
- 잘못 저장된 피부의 사용

4) 피부이식편의 생착과정

a. 혈장흡수기(Plasmatic imbibition)

- 이식초기에 섬유소(fibrin)에 의해 수혜부 피부에 부착
- 이식 후 첫 24~48시간 동안 이식된 피부는 혈장을 흡수하여 영양을 공급

b. 혈관재통(Revascularization)

- Inosculation of blood vessels
- Ingrowth of blood vessels after 48 hours.
- Lymphatic drainage

D Charateristics of transplanted skin

1) 수축

- 2차수축은 myofibroblast에 의해 발생하는 수축
- 2차수축은 피부이식후 10일 후 시작하여 6개월까지 진행
- 피부가 두꺼울 수록 2차 수축이 적음
- Forehead, scalp 등 골조직 부위는 2차 수축이 적고 anterior neck 등 운동성이 큰 곳은 2차 수축이 잘 생김
- 피부의 생착이 잘 될수록 2차 수축이 적음

2) 색상

과색소침착 예방 : 햇빛 노출을 가능한 피하고, sun screeing cream을 바름

3) 감각회복

- 이식 후 약 40일이 지나면 감각이 회복되기 시작
- 통각 > 촉각 > 온각 > 냉각 > 재질 분별력 순으로 회복
- 감각 회복은 피부이식 후 약 3주경 시작하여 1년 반에서 2년에 최고에 달함
- 감각의 양상은 수혜부의 특성을 따름

E Specific skin graft

1) 망상피부이식술(Mesh skin graft)

부족한 공여부의 피부를 보충하기 위하여 채취된 피부를 망상피부이식기 (Skin graft mesher)에 넣어 피부를 확장시킨 후 이식하는 방법

2) 진피상 중복피부이식술(Dermal overgrafting)

박피술 등으로 표피를 제거한 진피 위나 반흔조직 위에 부분층 피부이식을 시행하는 방법

3) 진피이식술

진피 이식은 표피를 제거한 진피층만을 취하여 수혜부의 피하에 삽입함으로써 함몰된 부위를 교정하는 방법

4) 복합이식술

이식하는 조직 속에 피부와 연골, 피부와 지방, 피부 지방 근육 등 2개의 이상의 해부학적으로 다른 명칭의 조직이 포함된 경우

A Definition of skin flaps

- 피판이란 공여부(donor site)로부터 수용부(recipient site)로 옮겨지는 동안 자신의 혈관내 순환을 유지하는 조직의 단위
- 피부이식(skin graft)의 차이점 : 자체의 혈액순환이 전혀 없는 상태에서 수용부로 옮겨진 조직이 수용부로부터 자라 들어온 혈관에 의하여 생존하는 경우는 피부이식

B Classification of skin flaps

- 피판을 옮기는 방법, 혈관분포의 양상, 피판을 구성하고 있는 조직 구성에 따라 분류

표 2-3

움직이는 방법(method of movement)에 따른 분류	혈액공급(blood supply)에 따른 분류	구성조직(composition)에 따른 분류
국소피판(local flap) 전진피판(advancement flap) 추축피판(pivor flap) 전위피판(transposition flap) 회전피판(rotation flap) 보간피판(interpolation flap) 피부보간피판(cutaneous interpolation flap) 도상피판(island flap) 원거리피판(distant flap) 직접피판(direct flap) 관상피판(rube flap) 유리피판(free flap)	근피동맥(musculocutaneous artery)을 갖는 피판 임의피부판(random cutaneous flap) 근피판(myocutaneous flap) 중격피부동맥(septocutaneous artery)를 갖는 피판 근막피판(fasciocutaneous flap) 동맥피판(arterial cutaneous flap)	피부판(cutaneous flap) 근막피판(fasciocutaneous flap) 근피판(myocutaneous flap) 근판(muscle flap)+피부이식 근막판(fascial flap)+피부이식 특수피판(specialized flap) 골피판(osseocutaneous flap) 감각피판(sensory flap) 복합피판(composite flap) 정맥피판(venous flap) 조립식피판(prefabricated flap)

TIP

피판의 혈관분포는 이식성공의 결정적인 요소이며, 임상적으로 가장 중요

1) 피판을 옮기는 방법(Methods of movement)에 따른 분류

a. 국소피판(Local flap)

피판의 공여부와 수용부가 인접해 있거나 거의 같은 해부학적 구역 내에 있는 것을 말함. 즉, 조직 결손 주위에서 조직을 가지고 와서 결함을 닫는데 이용

- 전진피판(Advancement flap)

  회전이나, 가쪽으로 움직임 없이, 두 고정점에 피판의 기저를 두고 결손부 쪽으로 당겨다가 결함부위로 것임

  Single-Pedicle advancement, Double-Pedicle advancement, V-Y advancement

- 회전피판(Rotation flap)
  - 결함부위를 닫기 위해 pivot point에서 semicircular하게 회전
  - donor부위가 일차봉합 또는 피부이식으로 덮힐 수 있음
  - 회전을 촉진하기 위해, base가 선회점(pivot point)에서 back-cut 될 수

있고, 또는 피부의 triangle(Burow's triangle)이 pivot point에서 바깥쪽으로 제거

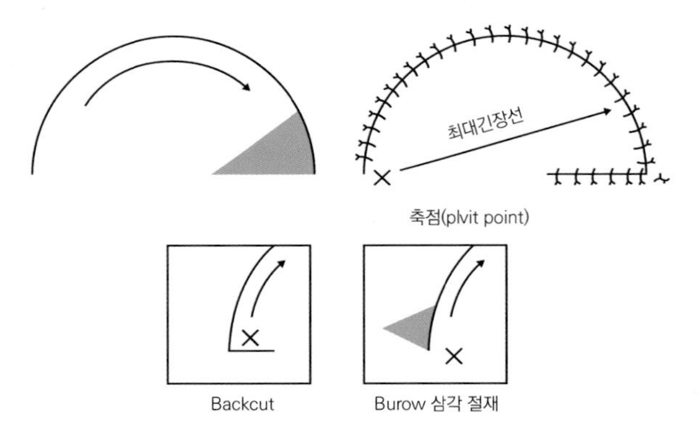

그림 2-31 회전피판(Rotaion flap) : 피판의 최대긴장선(line of greatest tension)이 축점에 연결되며 축점에 긴장이 심해서 피판을 회전하기 어려운 경우 축점에 역절개를 가하거나 축점 반대편에서 burrow씨 삼각절재를 해 줄 수 있음.

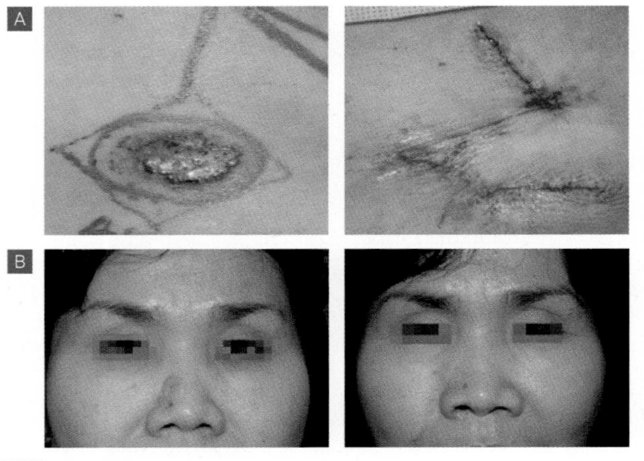

그림 2-32 전위피판(Transposition flap)의 수술 전·후
A: Limberg flap, B: Transposition flap (수술 전·후).

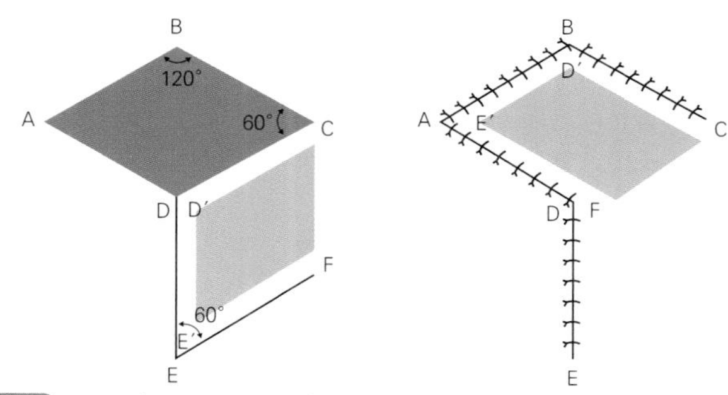

그림 2-33 전위피판(Transposition flap).
마름모꼴 모양의 결손부위를 덮어주는 피판으로 Limberg 피판이라고 하며 F점을 축점으로 하여 피판 CD'E'F는 결손부로 회전.

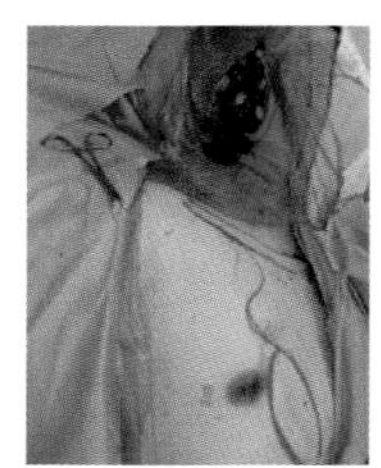
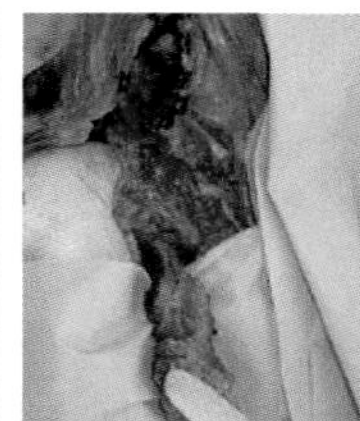
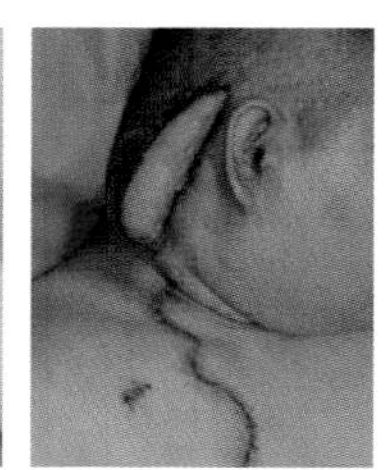

그림 2-34 도상피판(Island flap).
천측두동맥(superflcial temporal artery)을 피판경으로 하는 두피를 눈썹과 피판사이 정상 피부밑을 통과시켜 눈썹 재건.

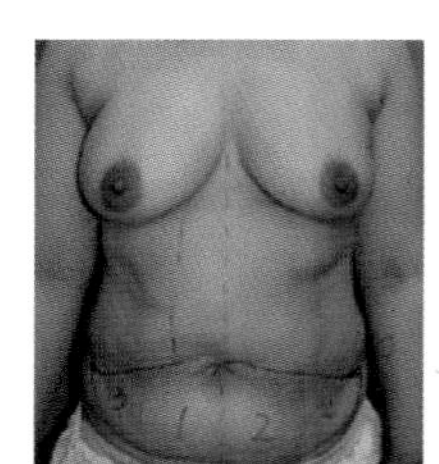
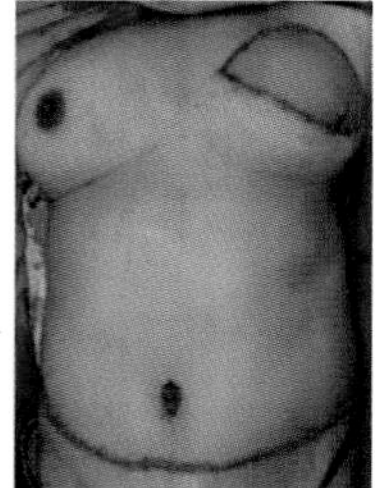

그림 2-35 Island flap 수술 전·후[도상피판(Island flap)을 이용한 유방암 환자의 결손부 재건 (TRAM flap : Transverse rectus abdominis flap)].

국소피판의 종류

전진피판 (Rectangular advancement flap)	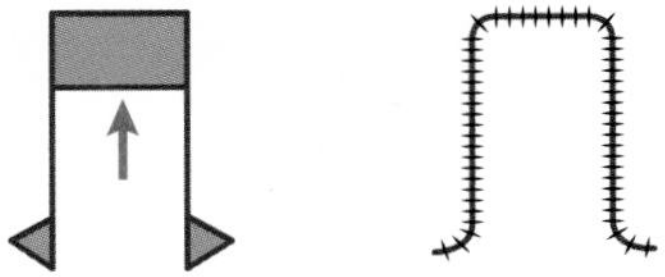
V피판 (V-Y advancement flap)	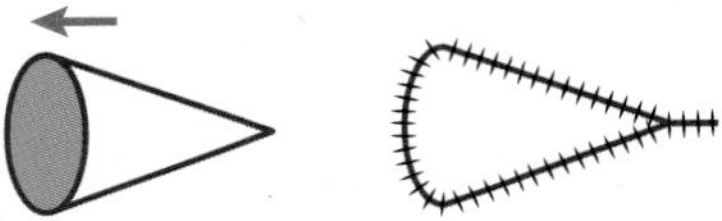
회전피판 (Rotation flap)	
횡전피판 (Transpositional flap)	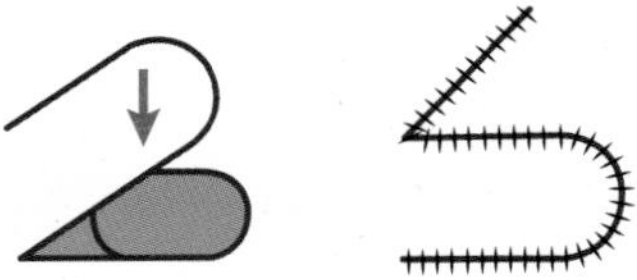
마름모꼴피판 (Limberg flap) (Rhomboid flap)	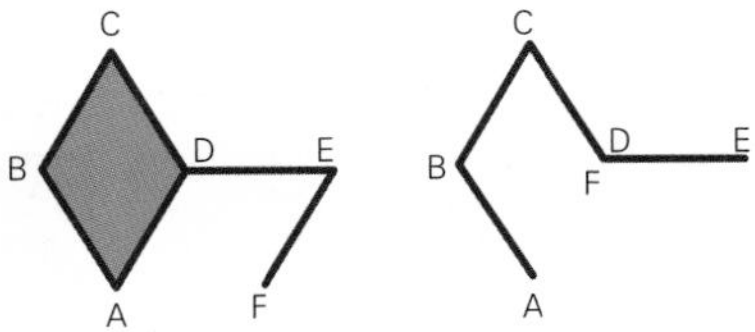
Deformenal flap	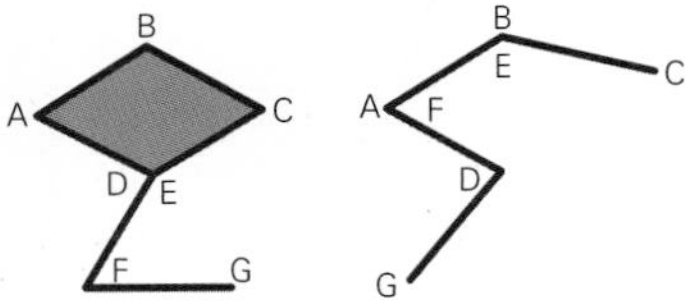

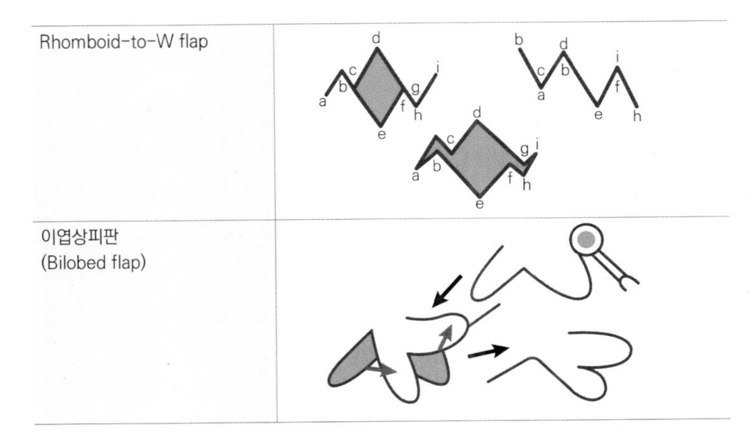

Rhomboid-to-W flap	
이엽상피판 (Bilobed flap)	

b. Distant flap

- 제공부가 수용부에 인접해 있지도 않고 또 동일한 해부학적 구역 내에 있지도 않으면서 피판을 멀리서 이전
- Regional flap - Thenal flap, Cross-leg flap, Groin flap

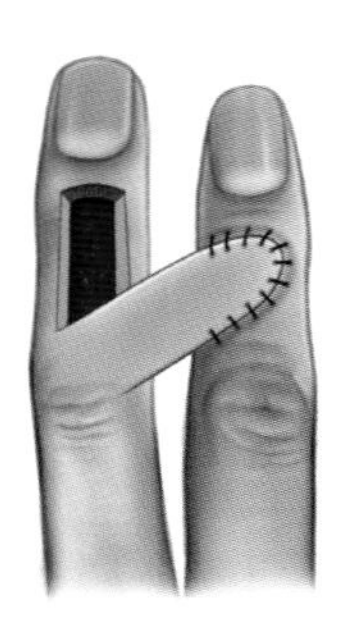

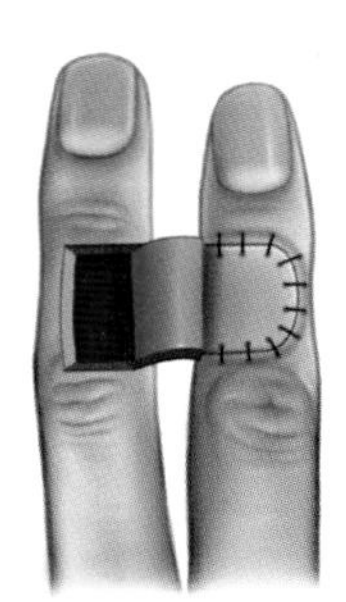

그림 2-36 Cross finger flap.

- 두 부위가 가까워 질 수 없을 때, tubed flap 또는 microvascular free tissue 이식이 필요할 수 있음

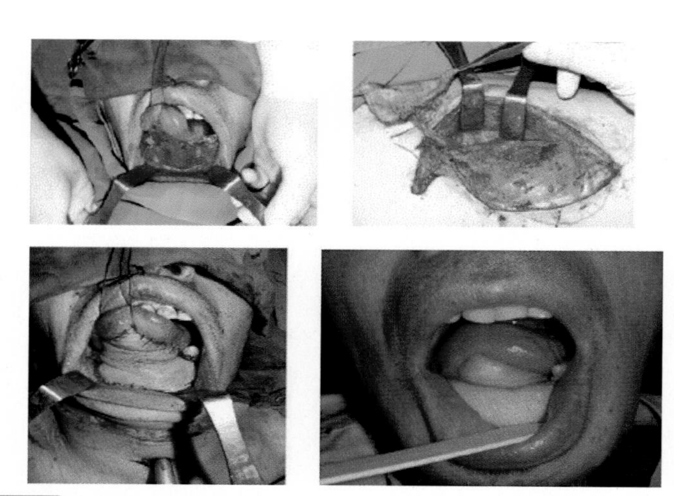

그림 2-37 유리피판을 이용한 구강 내 결손의 재건.

- Tubed flap은 먼부위로부터 수여 부위로 "walked"될 수 있는 pedicle flap
- 예를 들면, pedicled groin flap은 forearm으로 이동될 수 있고, 후에 그것은 얼굴의 수여부위로 옮겨지거나 나눠질 수 있음. Flap의 가쪽 edge들은 tube를 만들고 감염의 위험을 낮추기 위해서 suture 됨
- Free tissue transfer은 feeding artery와 draining vein이 있는 pedicle을 가진 조직의 단위를 옮김. pedicle은 수여부위에서 조직의 단위로 혈액공급을 재확립하기 위해 동맥과 정맥이 서로 문합

유리피판의 종류

구성성분에 의한 분류	피판명	혈관줄기	Schema
피부판	전완피판 (Radial forearm flap)	요골동맥	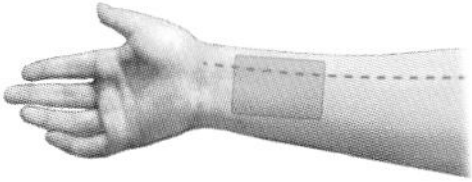
	견갑피판 (Scapular flap) (Parascapular flap)	견갑회선동맥	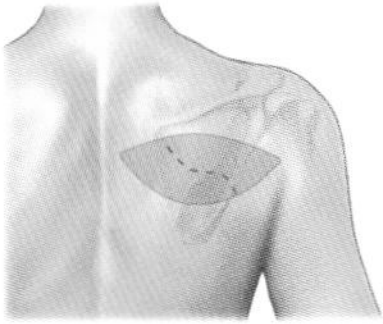
	내측족저피판 (Medial plantar flap)	내측족저동맥	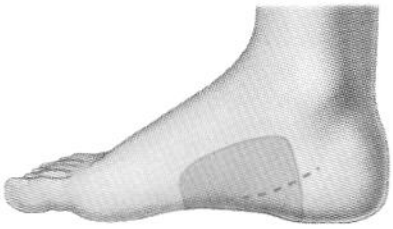
	서경피판 (Groin flap)	천장골회선 동맥	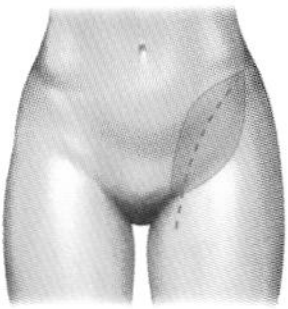
	전외측대퇴피판 (Anterolateral thigh flap)	심대퇴회선 동맥 하강지	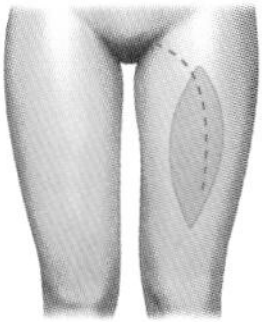

피부판	복직근천통지피판 (DIEP flap)	심하복벽동맥	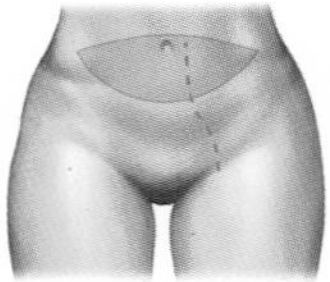
	광배근천통지피판(TAP flap)	흉배동맥	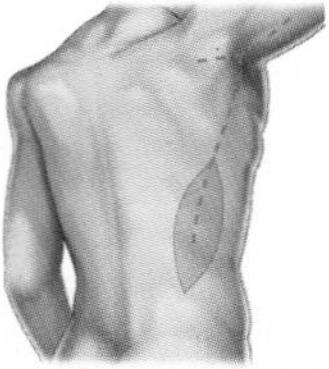
근피판	복직근피판 (Rectus adbominis myocutaneous flap)	심하복벽동맥	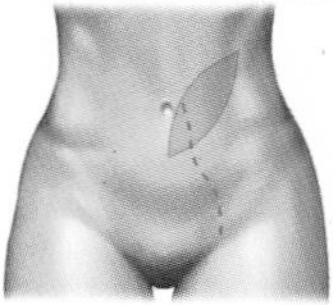
	광배근피판 (Latismus dorsi myocutaneous flap)	흉배동맥	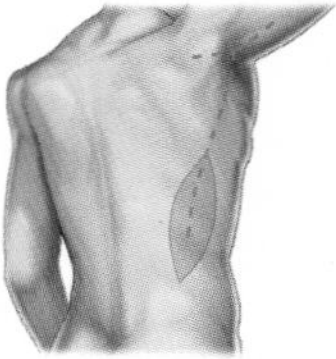
골피판	비골피판 (Fibula osteocutaneous flap)	비골동맥	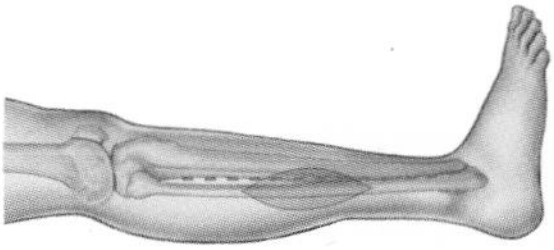
	장골피판 (Iliac osteocutaneous flap)	심장골 회선동맥	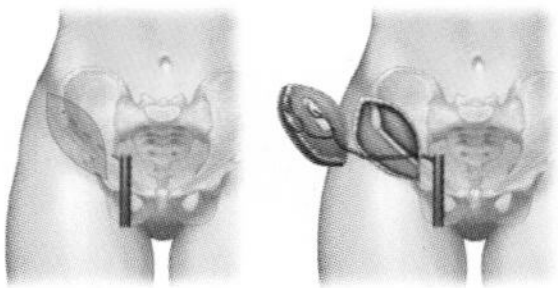

2) 혈관분포(Vascularity)에 의한 분류

A Random pattern skin flap

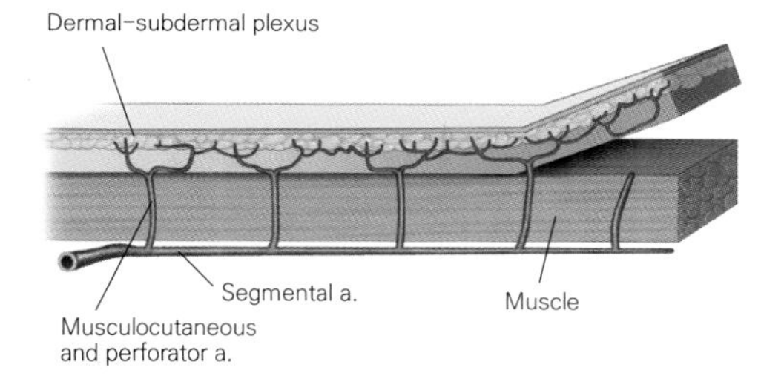

B Axial pattern skin flaps

1. Peninsular axial pattern flap

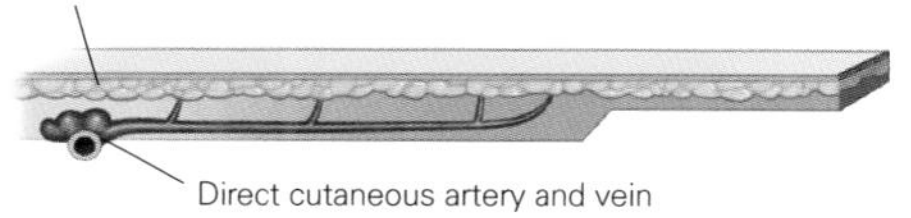

2. Island axial pattern flap

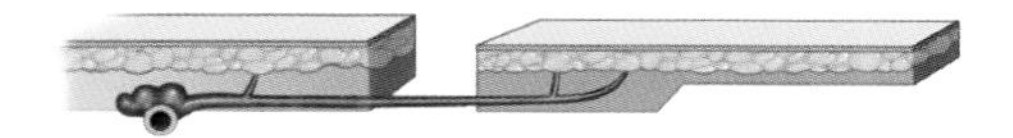

3. Free flap

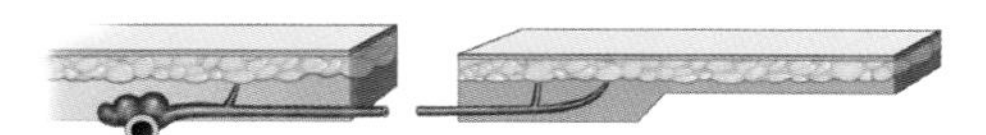

그림 2-38 각 피판의 혈관상태 비교.
각 피판의 혈관은 피판이 모체와 붙어있는 피판기저(anatomic base or flap base)에서 피판을 따라 주행하는 어느정도 큰 혈관인 혈관기저(vascular base)를 거쳐 모세혈관에 가까운 혈관총(vascular plexus)으로 이어지며 혈관총의 길이는 피판마다 거의 비슷하기 때문에 혈관기저의 길이에 따라 피판의 길이 결정.

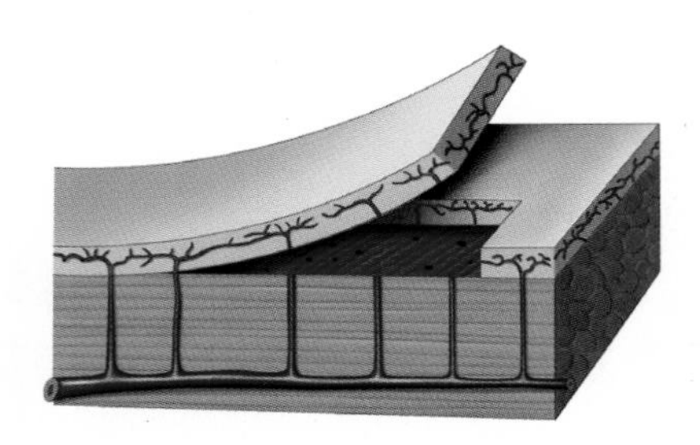

그림 2-39 임의 피부판(Random cutaneous flap).
이 피판은 근육내를 주행하는 동맥의 부지인 천공-근피동맥(Perforator-musculocutaneous artery)에 연결된 진피-진피하 혈관총(dermal-subdermal plexus)에 의하여 피판의 혈액순환이 되고 있음.

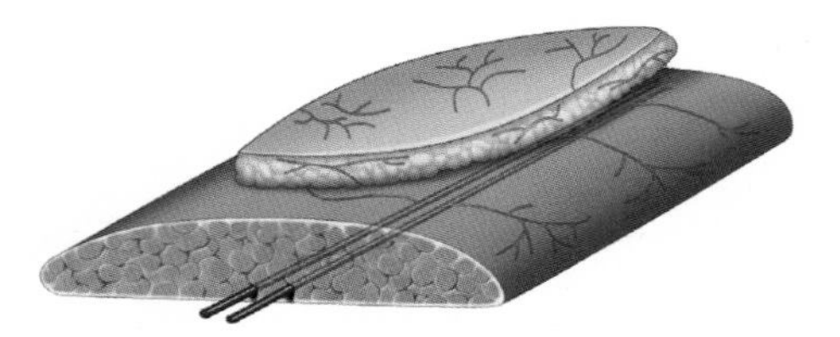

그림 2-40 근피판(Musculocutaneous flap).
혈액 순환이 좋은 근육과 상부의 피부를 동시에 이용한 피판으로 피부는 여러개의 근피동맥(musculocutaneous artery)으로 부터 풍부한 혈액공급을 받음.

3) 피판을 구성하고 있는 조직구성에 따른 분류

표 2-3 참조

C Uses of skin flaps

1) 피판의 적응증

- Poor vascular bed의 창상치료
- Reconstruction of facial features
- Padding over bony prominence
- Secondary operation through a skin flap
- Restoring sensation

2) 재건방법의 선택

- Healing by secondary intention, direct closure, skin graft, local flap, regional flap, distant flap, free tissue transfer 순으로 가장 단순한 방법에서 가장 복잡한 방법 순으로 고려해야 함.
- Micro - vascular에 능숙한 지금의 시대에서, free tissue transfer는 더 이상 최후의 방법이 아니고, 복잡한 방법들은 단순한 방법 보다 좋은 결과를 낳음
- Tissue expansion, prefabrication, 합성 flap의 이용은 surgeon이 donor morbidity와 결함의 복구 사이에서의 평형을 최적화 하게 해 줌

3) 결손부 분석

- 부위
- 적절한 조직제거술 후의 상처의 size와 surface area
- 결손부에 노출된 조직 및 어떤 조직이 대체되어야 하는지, 어떤 조직이 가능성 있게 대체될 수 있는지를 봐야 함.

4) Vascular status of wound

혈관 감소의 존재, graft와 local flap을 지지하기 위한 적절한 microcirculation, Free tissue transfer이 가능한, 적합한 수여 혈관, 이전의 radiation, 이전의 수술 또는 trauma를 봐야 함.

5) 감염정도

6) 재건에 성공과 안전에 영향을 주는 조건들 즉

diabetes, peripheral vascular disease, hypertension, obesity, hematologic disorder, immunosuppression, pulmonary dysfuction, tobacco use 등을 살펴 보아야 함.

7) 기능적 status, life style, 환자의 재활 능력은 고려해 보아야 할 것임

8) 복잡한 재건은 central nerve 손상과 삶이 얼마 남지 않은 환자에서 고민을 해 보아야 함

A Z-Plasty

1) Z 성형술의 정의 및 사용목적

a. 정의 : Z자 모양을 만들고 있는 2개의 삼각피판이 그 위치를 서로 바꾸는 술식

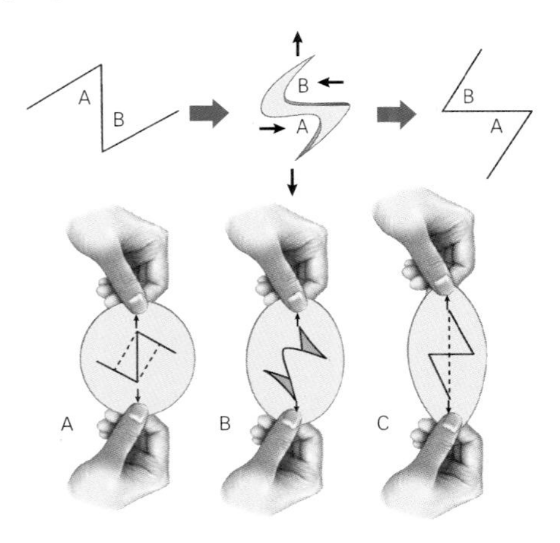

그림 2-41 성형술의 원리.

b. Z-plasty 는 transposition flap의 변형인데, 이 방법에서 triangular flap들 은 reversed(역행)됨
c. Z의 3개 limb는 똑같은 길이어야 되고, 가쪽 2개의 limb에서 중심 limb까 지의 각도는 동일
d. 길이의 증가는 중심 limb에서 가쪽 limb 사이의 각도와 관련 있음

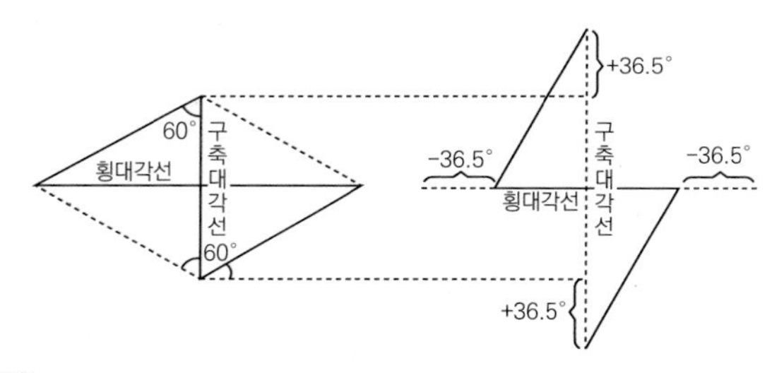

그림 2-42 Z 성형술의 도안.

e. 중심 limb 길이의 증가는 예상된 것의 55~84% 정도로 추정되고, 국소 skin의 tension에 따라 변함
f. multiple Z-plasty는 연속하여 디자인 될 수 있으나, 하나의 큰 Z-plasty의 모양은 피부의 길이를 얻는데 더 유효함
h. 두 개의 대응되는 semicircular flap을 이용하는 Z-plasty의 곡선 modification은 원형 결함을 덮을 수 있음
i. 사용목적
   - 선상반흔 구축의 길이 연장
   - 반흔의 방향 전환
   - 직선 반흔의 분산
   - 조직의 축을 회전

2) Z 성형술의 작성방법

a. 반흔 위에 젠티안 바이올렛(gentian violet)으로 중심변을 그리고 그 중심변의 양편으로 원하는 각도를 가진 지변을 그림

● Z성형의 정점 각도와 연장률

Z성형의 각도	연장률의 이론치
30°	25%
45°	50%
60°	75%
75°	100%
90°	120%

TIP

각도가 클수록 연장률이 높지만, 변형(왜곡)도 커지므로, 실제로는 60° 정도의 디자인이 최대이다.

● Z성형의 응용

연속Z성형	4-flap	5-flap
	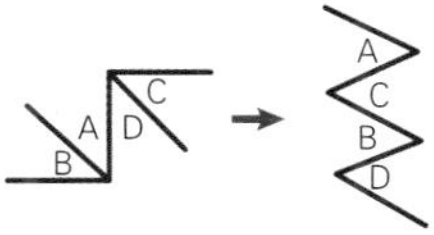 A B C D → A C B D	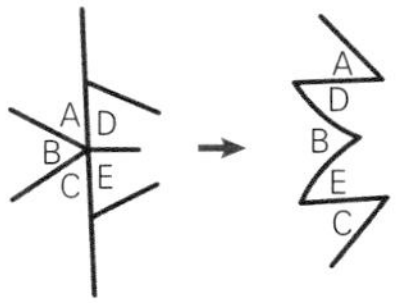 A B C D E → A D B E C

b. 중심변과 지변의 길이는 반드시 동일

c. 중심변의 길이가 길수록, 변사이의 각도가 클수록 반흔의 길이가 많이 연장

d. 변 사이의 각도는 60° 이상이면 삼각피판의 자리를 서로 바꾸기가 힘들고 30°이하이면 혈행 장애로 피판이 괴사되기 쉽기 때문에 30~60° 사이의 각도를 이루나 60°가 가장 많음

e. Z 성형술 후 중심 반흔이 윤곽선(contour line)과 같은 피부선을 따르게 할려면 Z자의 지변의 양 끝이 윤곽선 위에 놓이도록 함

f. Z 성형술에서 늘어나는 길이는 중심변의 양측에서 줄어드는 폭에 의존

3) 선상 반흔 구축의 길이 연장

a. Central limb의 길이가 길수록 triangular flap의 각도가 클수록 길이가 더 많이 연장

b. 각도가 너무 크면 flap transposition이 어렵고 각도가 너무 작으면 flap necrosis 위험이 있어 통상적으로 60°를 택함

4) 최소 긴장선을 따라 반흔의 방향전환

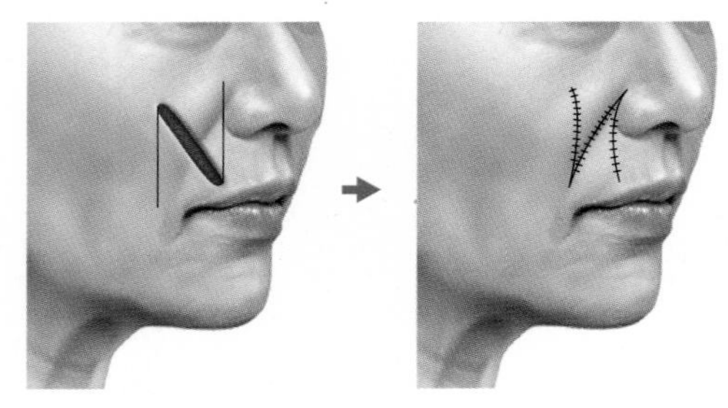

그림 2-43 Z 성형술을 통한 반흔의 방향전환.

a. 주로 반흔의 형태를 좋게 하기 위하여 이용

b. 반흔과 최소 긴장선 사이의 각도가 60° 미만이면 지변이 최소 긴장선에 평행하게 도안하기 때문에 Z 성형술 후에도 지변이 피부 최소 긴장선에 평행

c. 만일 반흔과 최소 긴장선 사이의 각도가 60~90°이면 Z자의 각도는 60°이고 Z 성형술 후 이동된 중심변이 최소 긴장선에 가깝게 위치

5) 조직의 축을 회전

삼각피판에 포함된 조직의 축이 삼각피판이 회전함에 따라 회전함으로 비대칭인 모양을 바로잡는데 이용

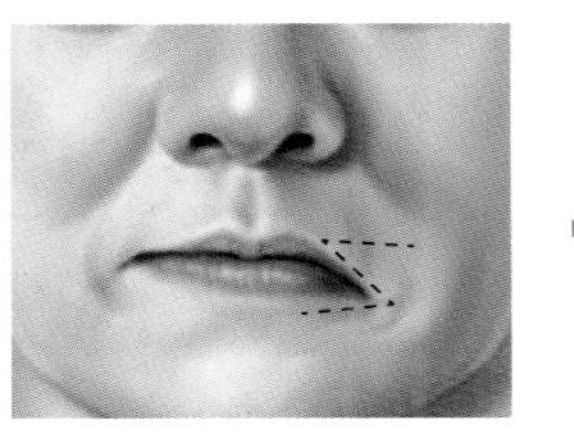
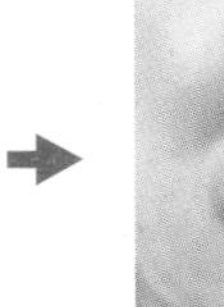
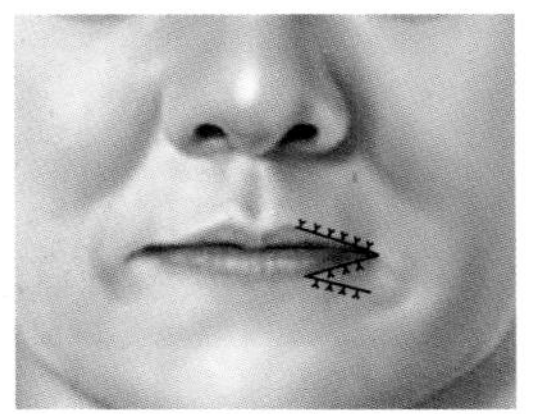

그림 2-44 Z 성형술의 임상례.

6) 직선 반흔의 분산

최소긴장선에 평행하지 않는 긴 직선은 눈에 뚜렷함으로 Z 성형술을 실시하여 직선이 분절되면 반흔의 일부는 최소 긴장선에 평행하기 때문에 반흔이 덜 뚜렷해지고 긴 직선이 분산

7) Z 성형술의 변화(Variations in Z-Pasty)

- Multipe Z-plasty
  - 길이의 연장이 필요하나 단축될 폭의 여유가 적을 경우의 반흔에 사용
  - 한 개의 큰 Z 성형술보다 다중 Z 성형술이 눈에 덜 띄고 보기 좋음
- Half Z-plasty
  중심변의 한쪽에는 반흔이 두텁고 반흔구축이 있는 반면 반대편은 피부 에 여유가 있는 정상조직일 때 반흔구축이 있는 편에 90°, 반대편에는 60° 각도를 갖는 성형술
- S-plasty
  중심변의 양측에 화상반흔이 있을 경우 사용
- Double opposing Z-plasty
  - 두 개의 Z 성형술이 대칭으로 만들어지는 경우
  - 해부학적으로 큰 피판을 만들 수 없는 경우, 화상반흔 구축과 같이 피판의 혈액순환이 걱정될 때 이용

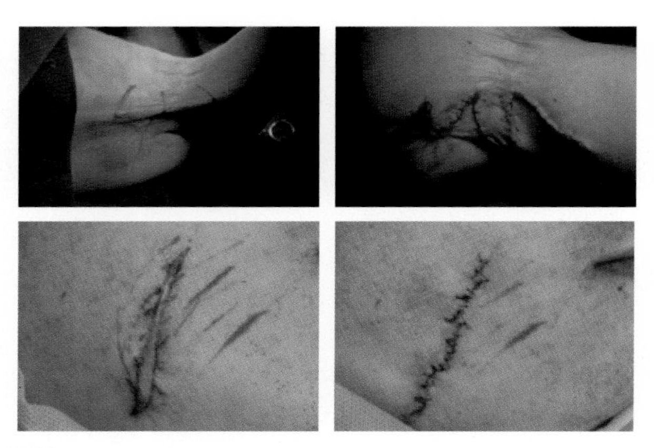

그림 2-45 Z-plasty의 임상례.

B W-Plasty

1) 정의

최소 긴장선에 역행하는 선상반흔이 있을 때 반흔의 양측을 따라 연속된 삼각형의 피부를 절제하고 봉합하여 W자 모양이 되는 상태

2) 수술방법

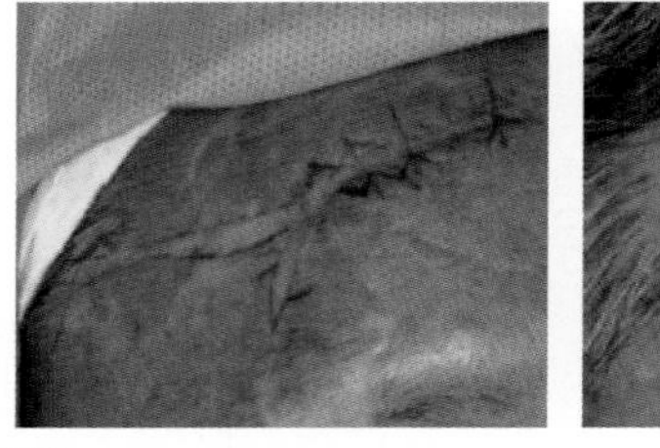

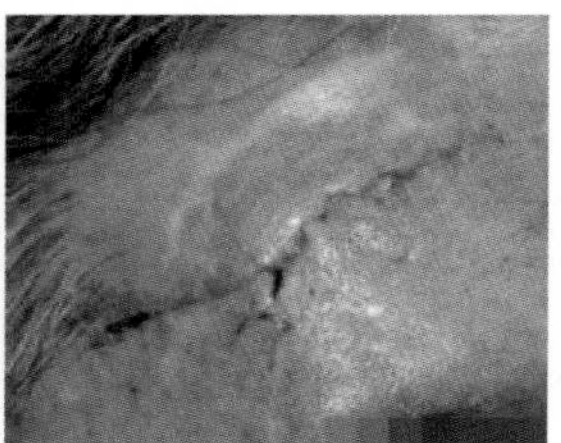

그림 2-46 W 성형술의 임상례.

a. 반흔에 접촉해 있는 양측 정상 피부에 연속된 W자 모양을 도안하며 이 때 삼각피판의 변의 길이는 3~6 mm(보통 4~5 mm)가 되도록 함
b. W 성형술의 양끝에서는 W자의 길이를 차차 짧게 하여 견이(dog ear)를 예방한 후 삼각형(Ammon's triangle)으로 반흔을 절제
c. 삼각피판의 각도는 반흔이 최소 긴장선과 90~ 60° 사이이면 60°가 되도록 하고, 60~ 45° 사이이면 피판의 각도를 60°에서 점차 90°로 늘이고, 45~30° 사이이면 피판의 각도를 90°가 되도록 하여 삼각피판의 한 변이 최소 긴장선에 평행하게 함
d. W자의 각도 즉 삼각피판의 각도가 60°이면 양변의 길이가 동일하여야 하나 각도가 90°이면 꼭 동일할 필요가 없음
e. 봉합방법은 4-0 nylon으로 삼각피판의 중간을 통과하도록 연속 피하봉합(continuous subcuticlar suture)하거나 5-0 vicryl로 단속 피하봉합(interrupted subcuticular suture)을 실시하여 양측 피부연을 접근시킨 후 6-0 nylon으로 각 삼각형의 끝에 피부 봉합을 함
f. 굽은 반흔에서 W 성형술을 하기 위해서는 굽은 선이 만드는 원의 중심에서 굽은 반흔의 외측에 있는 W자의 삼각피판이 방사선상에 있도록 하며 외측에 있는 W자의 변을 좀더 길게, 각을 좀 더 넓게 도안

● W성형술

적응	• 노출부의 구축이 없는 선상 반흔의 형성 (특히 RSTL을 따르지 않는 얼굴의 반흔 등 = 반흔의 방향 변환)	
이점	• Z 성형술처럼 주위 피부에 비틀림이 생기지 않는다	
결점	• W 성형술에는 연장효과, 입체효과가 없어서, 구축의 해제효과가 없다 • 건강한 부위의 절제가 다소 커진다	

3) 장점과 단점

a. 장점

- 반흔의 길이를 늘이거나 조직을 회전시키지 않고도 반흔의 방향 전환
- W자의 선의 반은 최소 긴장선에 평행하거나 비슷한 방향이기 때문에 눈에 덜 띄게 되며 직선의 긴 반흔이 단절된 짧은 여러 선으로 나타남

b. 단점

- 피부 봉합선에 긴장의 증가
- 다소 울퉁불퉁한 피부표면

4) Z 성형술과 W 성형술의 적응증과 금기

a. Z 성형술과 W 성형술의 적응증

- 피부에 긴장이 많을 때 Z 성형술을 시행
- 반흔 구축이 있어 반흔의 길이를 늘이는 것이 필요하면 Z 성형술을 시행
- U자형 반흔을 교정할 경우는 Z 성형술 시행
- 반흔이 최소 긴장선과 30° 이내의 각도를 이루면 작은 Z 성형술을 긴 반흔의 중간에 시행.
- 반흔의 길이가 별로 늘어나지 않으면서 반흔의 방향을 바꾸어야 할 경우는 W 성형술을 시행
- 해부학적 경계표의 변화 없이 반흔의 방향을 바꿀 경우는 W 성형술을시행

b. W 성형술의 금기사항

- 눈꺼풀, 코, 입술의 반흔
- 최저장력선에 역행하는 2 cm 이하의 반흔
- 피부장력선과 30° 이하의 각도를 이루는 반흔
- 얼굴 이외의 신체부위의 반흔
- 뚜껑문 반흔(trapdoor scar)

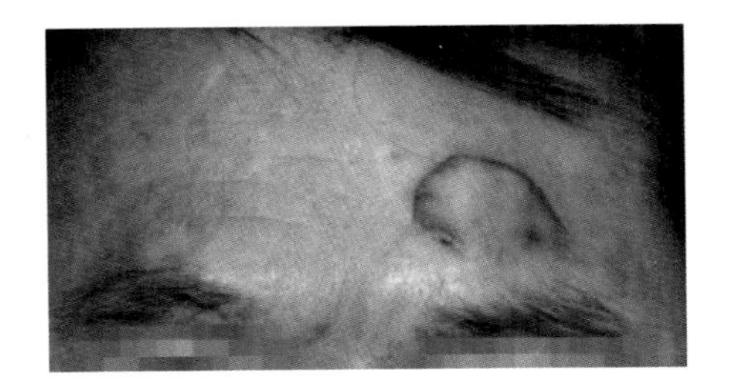

그림 2-47 Trapdoor scar 임상례.

Ⓐ Definition and use

1) 정의

늘이고자 하는 조직의 아래층에 실리콘 고무주머니를 삽입한 후 생리식염수를수주 또는 수개월에 걸쳐 주입, 팽창시키게 되면 실리콘 고무주머니 위의 조직이 점차 늘어나고 늘어난 조직을 이용하여 결손부를 재건해 주는 수술을 조직확장술이라 함

2) 장점

a. 기존의 피판술 및 식피술과는 달리 이접한 피부를 늘여 이를 전진시켜 재건할 부위로 가져가므로 피부질감, 피부색깔, 감각 및 상피부속기가 동일한 조직으로 결손부를 재건
b. 공여부의 조직결손 및 반흔 등의 문제가 없음
c. 비교적 간단한 수술이라 소아를 제외하고는 국소 마취가 가능

3) 단점

a. 확장기를 삽입하는 수술과 피부확장 후 재건하는 수술 등 최소한 2회의 수술이 필요
b. 조직 확장기를 서서히 팽창 시켜야 하므로 장시간이 소요
c. 확장기간 동안 불룩한 조직확장기를 달고 다녀야 하므로 외형상의 문제가 있음

B Indication and contraindication of tissue expansion

1) 적응증

a. 외상성 두피결손 또는 남성형 대머리
b. 광범위한 반흔 종양절제 후 결손부위 재건
c. 유방절제 후 재건 압박궤양
d. 소이증

2) 금기사항

a. 화상반흔과 같이 잘 늘어나지 않는 조직
b. 방사선 치료를 받은 부위
c. 감염되었거나 감염의 위험성이 많은 부위
d. 비협조적인 환자

표 2-4 조직 확장기의 종류와 특징

종 류	둘레길이 Expander 밑면길이		
	Round형	Rectangular형	Crescent형
신전효과	약 23%	약 38%	약 32%
특 징	유방재건에 흔히 사용	사지에 흔히 사용	두피결손의 재건에 적합하다.
적 응	두피결손의 재건, 소이증의 재건, 유방재건, 외비(外鼻)재건(Forehead 피판의 병용), 체간·사지의 피부결손재건이나 반흔절제 등		

C Clinical application in body part

1) 두피확장

a. 선천성두피결손, 남성형 대머리, 외상으로 인한 반흔성 탈모부위에 효과적인 재건방법.

b. 증량제는 원격 Filling Ports와 함께 머리덮개널힘줄밑(Subgaleal)에 위치

c. 다양한 증량제와 순환의 조합과 전진술이 이용

d. 적용

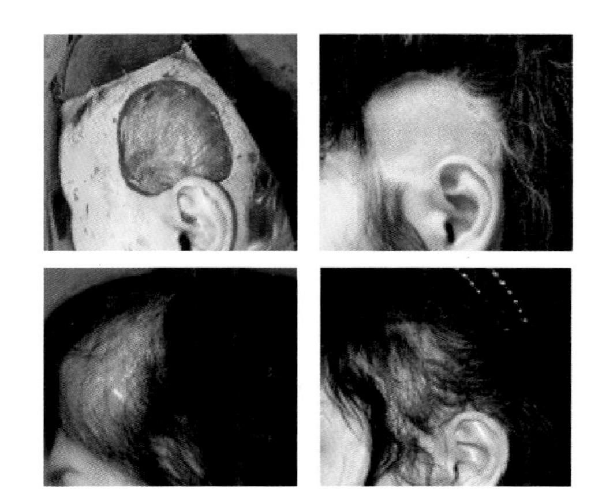

그림 2-48 조직확장술의 임상례.

- 남성 탈모
- 외상적 결함
- 화상 탈모증
- 선천성 모반
- 피부 악성 재건

2) 안면부와 안면부 재건

a. 선천성 모반, 반흔구축, 넓은 반흔 중 단순 반흔교정 수술로 교정이 어려울 때 사용

b. 재건술은 조직의 색깔, 굵기, 구조, 모낭질의 정확한 일치가 동반되어야 함

c. 최종의 상처는 가장 변형된 위치에 놓일 수 있음

d. 귀의 Post auricular skin은 선청성 혹은 후천성 기형의 재건이 있기 전에 확장될 수 있음

e. 얇고, 모발이 없는 피부는 재건된 Cartilage Framework위에 덮일 수도 있음

3) 유방재건

a. 종양으로 인한 유방절제술 후에 즉시 확장기를 삽입하거나 나중에 2차적으로 조직확장기를 삽입

b. 조직팽창술은 즉시의, 지연성의 가슴 재건에 가장 널리 사용

c. 통합된 Filling Port를 가진 확장제가 가장 많이 사용

4) 체간부 및 체간부 재건

a. 주로 선천성 거대모반증, 넓은 화상반흔, 식피술 후의 반흔 등에 이용

b. 조직 확장술은 등, 복부을 포함한 큰 병변에 이용되며 three stage나 그 이하에서 절제 될 수 없는 가슴에 이용

D Complication

- 조직확장기의 노출
- 감염
- 조직확장기의 누출
- 혈종 및 장액종
- 피판 괴사
- 신경마비

A Classification

- 자가이식편 : 숙주에서 나온 살아있는 조직
- 타가이식 : 같은 종의 공여자에서 나온 살아있지 않은 조직(cadaver)
- 이종이식 : 다른 종의 공여자에서 나온 살아있지 않은 조직(소, 돼지)
- 무생물재료 삽입 : 합성된 물질에 의한 이식

B 자가이식

장점과 장점

- 장점 : 내성, 숙주에 이식되는 능력 면에서 모든 다른 생체물질과의 비교에서 절대적인 기준이 됨
- 단점
  - 두 번째 수술부위가 필요하다. 획득하기 위해 수술을 위한 시간이 증가
  - morbidity 증가, 제한된 양, 시간에 따라 다양한 양이 흡수되는 점 등

동종이식 및 이종이식

- 동종이식 및 이종이식 조직은 살아있는 세포를 포함하지 않고 있음
- 조직은 항원성을 약화시키기 위해 다양한 방법으로 처리
- 이러한 조직은 숙주의 조직으로 이식됨으로써 숙주세포의 성장에 구조적인 틀이 됨
- 공여부가 필요 없고 수술시간이 적게 필요하고 충분한 양을 얻을 수 있음
- 이종이식은 동종이식에 비해 항원성이 강하므로 적게 사용
- 이종이식을 시행하기 전 의사는 환자가 전에 이종이식을 받은 적이 있는지 물어봐야 함. 왜냐하면 지연성 과민반응이 보고되었기 때문
- 꼼꼼한 무균처리 기술에도 불구하고 감염성 질환의 위험이 동종이식 물질의 가장 큰 걱정거리이다. 재흡수가 많음

Alloplastic material(무생물 삽입재료)

- 장점은 재고가 있어서 언제든 살 수 있고 제공부위의 부상이 없음.
- 단점은 이물질이며 모든 이식에서 어느 정도 물질에 대한 이물반응을 보임

SECTION
11 미세 수술
(Microsurgery)

A Equipments and tools of microsurgery

- 현미경 및 Loupes
  3.5X loupes는 조직 박리(dissection) 4.0X loupe는 1 mm 이하 혈관의 문합 위하여 사용될 수 있다. 6X to 40X 현미경은 혈관문합(anastomosis)을 위해 사용
- Forceps : #2~#5 jeweler's forceps, 둥글거나 편평한 손잡이, 4~6 인치가 좋음
- 가위 : 미세한 끝, 스프링 손잡이, serrated straight and curved, 혈관을 절개하고, 다듬는데 이용
- 혈관 확장기 : 부드럽고, 미세한 끝, 부드럽게 혈관을 확장시켜 spasm을 완화 시키거나 size mismatch를 교정하기 위하여 사용
- Needle holder : 굽어지거나 곧은 것 사용, nonlocking : jeweler's forceps을 사용하는 것이 나은 경우도 있음
- 미세혈관 clamps : 혈관 끝의 tension-free approximation을 위하여, 여러 크기의 한 개 clamps와 adjustable double clamp가 필요

표 2-5 혈관문합

<table>
<tr><td>현미경의 셋팅</td><td colspan="3">촛점거리 : 200~250 mm, 배율 6~40배</td></tr>
<tr><td>장애가 있는 혈관</td><td>
혈관 내에 피브린이 축적 또는 내막의 박탈에 의한 변화</td><td>
혈전에 의한 변화
잘록한 부분을 확인한다</td><td>
신전력이 가해져서, 찢어진 경우에 생기는 변화. 내막이 장애를 받을 수 있다</td></tr>
<tr><td>혈액의 유출
(Spur test)</td><td colspan="3">문합 전에 반드시 확인한다. 유출이 좋지 않은 경우, 혈관의 장애를 의심한다
</td></tr>
<tr><td>혈관</td><td colspan="3">단단문합
단측문합
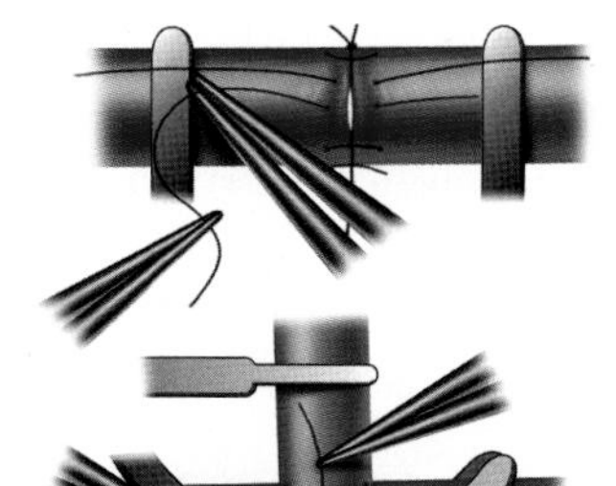</td></tr>
</table>

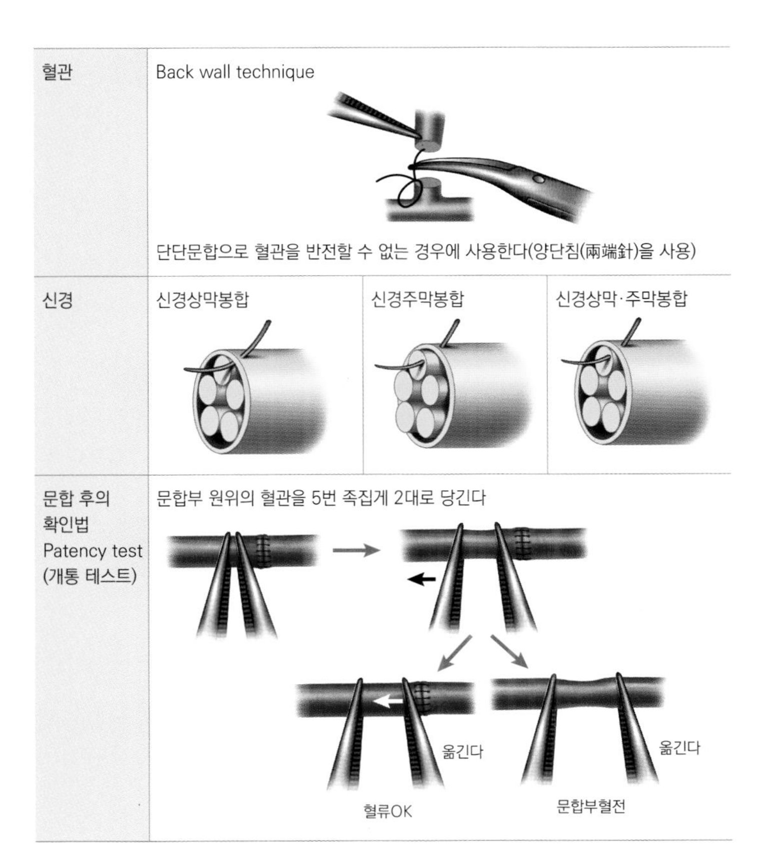

혈관	Back wall technique 단단문합으로 혈관을 반전할 수 없는 경우에 사용한다(양단침(兩端針)을 사용)		
신경	신경상막봉합	신경주막봉합	신경상막·주막봉합
문합 후의 확인법 Patency test (개통 테스트)	문합부 원위의 혈관을 5번 족집게 2대로 당긴다		

Indication and contraindication of free flap

1) 적응증

a. 어려운 창상을 덮는 데에 생각해 볼 수 있음. 더 간단하고 국소적인 창상을 덮는데는 이용할 수 없음.composite tissue를 먼 곳에 이식하는데 이용할 수 있음
b. 손과 손가락의 replantation이나 재건(reconstruction), functional muscle transfer, 혈관이 있는 뼈와 신경 이식에 사용 가능

2) 금기증

a. 일반적으로, microsurgical reconstruction의 절대적 금기증은 존재하지 않음
b. 나이:나이 자체는 금기가 아님
c. 전신 질환 : 절대적 금기는 존재하지 않음. 하지만 환자가 길어지는 전신 마취를 견딜 수 있어야 함
d. 담배 : 절대적 금기가 아님. 하지만 흡연자는 비흡연자보다 대략 50% 정도 창상 회복 합병증을 가질 확률이 높음
e. 손가락 replantation 후 흡연은 80~90% 실패율. 환자들은 replanting 하기 전 반드시 counselling을 받아야 함
f. 술 전 방사선 치료: 금기가 아님. Free flaps는 방사선을 받은 조직인가에 관계없이 같은 실패율을 보인다. 방사선을 받은 혈관을 치료할 때는 더 세심한 주의를 기울여야 함. 절개는 제한적이어야 하고, 가장 정교한 caliber suture와 needle이 사용되어야 함

Technique of micro-surgery

1) 혈관 준비 및 문합

a. 혈관은 축축하게 유지
b. 혈관을 손상시키는 것을 피하고, adventitia만 건드림
c. Tension-free anastomosis는 patency에 중요
d. 혈관 끝이 손상되어 있으면 건강한 부분까지 포함
e. 만약 혈관이 많이 손상되었다면 injury 바깥 부분에서 혈관을 골라야 함
f. 혈관의 끝에서 adventitia의 2~5 mm를 절개하여 혈관을 준비
g. 미세혈관 손상의 징후를 확인
h. 동맥과 정맥에 heparinized saline을 투여하여 피가 흐르도록 하여야 함
i. Anastomosis하기 전에 inflow를 test 하기 위하여 항상 동맥 clamp를 release함
j. Distal clamp를 먼저 release하고 anastomosis 부위로 다시 flow가 흐르는지 확인

2) 문합 술기의 종류

a. End-to-end

Halving(반으로 나누는) technique, triangulation technique (3 suture를 120° 로), back wall up technique 등

b. End-to-side

- 크기 불일치에 도움이 되고 혹은 in-line flow와 distal perfusion을 보존하는 데에 도움이 됨
- 이상적인 각도는 entry의 30~75° 사이
- Anastomosis와 vessel diameter의 이상적인 비율은 2:1
- 혈관 절개술은 key step

c. Vein grafts

- 정맥 이식은 동맥, 정맥 anastomosis 모두에서 유용
- Volar wrist 혹은 forearm 및 dorsum of foot이 공여 부위
- 정맥의 위쪽 꼭지를 표시한 후에 harvest를 마무리하여 꼬임을 방지
- 정맥 이식은 동맥 이식과 같은 patency를 가짐

d. Overcoming size discrepancy

- 정맥 이식, End-to-side anastomosis, sleeving technique 등
- Spatulation을 사용할 수도 있음
- Microvascular coupling devices(링 모양의 기구)를 쓸 수도 있음

D Post - operative observation

표 2-6 수술 후의 모니터링 방법

피판의 성상	
정상	피부색, 따뜻하다, 부드럽다
동맥혈전시	창백, 차갑다
정맥혈전시	암자색~암적색, 딱딱하다(혈류의 울혈 때문)
Pin prick test	25G 주사바늘을 피판 진피에 자입하여, 출혈의 상태를 관찰 • 느린 붉은색 출혈 → 양호 • 출혈 없음 → 허혈, 문합동맥폐색 의심 • 빠른 검은색 출혈 → 울혈, 문합정맥폐색 의심
Capillary return (Capillary refill)	피판을 압박하여 구혈한 후에 해제하고, 색조 개선의 정도를 관찰
도플러혈류계	이식조직이 표재하지 않는 경우. 문합혈관 이외의 혈관과 혼동하지 않도록 주의

Failure of flap

표 2-7 미세혈관 수술 실패의 원인

원인	문합부의 혈전 문합혈관의 연축(spasm) 문합혈관의 구부러짐 혈종에 의한 압박 감염
예방과 대책 물리적 예방	혈압의 유지 국소의 보온 피판·혈관지름에 대한 압박 제거 drain의 의한 혈종의 예방
약물정주요법	항응고제 : 헤파린 5,000U×2/일 정주 혈관확장제 : 프로스탄딘 60 μg×2/일 정주
사혈요법 (울혈시)	• 의료용 거머리 • 카프로신 (1,000U/0.1 m 카프로신 용해액) 첫 회 1,000단위 피하투여. 필요하면 울혈이 소실될 때까지 500단위씩 추가투여

TIP

문합부에서의 혈전 : 두경부 · 유방재건~3%, 하지재건 5~8%

SECTION 12

성형외과에서의 레이저 이용
(Application of Laser in Plastic Surgery)

LASER (Light amplification by Stimulated Emission of Radiation)는 유도방출복사에 의한 빛의 증폭이라는 의미. 에너지는 원자를 자극함으로써 발생

A Laser equipment and physical charactor

1) 레이저 기기 구성요소

발진매질, 펌프 소스, 거울(반사하고 빛에너지를 증폭)

2) 레이저 빛 "특성"

시종일관함, 단색, 평행함

3) 측정

a. 파장은 나노미터나 또는 1 m의 10억분의 1로 나타냄
b. 레이저 에너지는 와트초 또는 줄, 에너지의 밀도는 줄로 측정

- 전자기 스펙트럼
  - 자외선 : 200~400 nm
  - 가시광선 : 400~755 nm

- 근적외선 : 755~1,400 nm
- 중적외선 : 1,400~20,000 nm

4) 레이저 에너지의 특성

a. 반사 : 빛은 면을 반짝이며 반사
b. 흡수 : 이상적 - 에너지는 운반되며 효과를 냄
c. 이동 : 빛은 판유리를 아무런 효과 없이 지나침
   산란 : 빛은 우유가 담긴 컵을 적은 효과를 내며 지나침

5) 에너지 운반 모드

a. 지속적인 파 : 지속적으로 에너지를 운반
b. 펄스형태 : 에너지의 방출이 특정 마이크로초의 간격을 가짐
c. 큐 스위치 : 매우 높은 에너지의 방출이 나노초나 피코초의 간격을 가짐

B Directions for laser treatment

1) 눈의 보호

a. 레이저는 눈에 피해를 입히는 정도에 따라 등급이 나눠짐
b. 의료용 레이저는 4등급이며 눈의 보호가 필수적
c. 자외선과 근적외선은 각막의 손상을 일으킬 수 있음
d. 가시광선, 근적외선 레이저는 망막의 손상을 일으킬 수 있음
e. 레이저 주의 사항은 모든 치료실에 개시되어야 함

2) 화재안전

a. 불연성 액체와 불연성 마취제를 사용
b. 다른 물질에 불이 점화되는 경우를 대비하여 젖은 수건을 치료구역 주위에 둘러쌈

c. 절대로 치료구역에 보석이나 반사성 물질을 가지고 와서는 안됨

3) 연기

a. 연기는 탄소 조직, 피, 바이러스를 포함하는 것으로 알려져 있음
b. 필터를 이용한 연기 배출기를 이용
c. 0.1 μm의 여과기능을 가진 레이저용 마스크를 착용
d. 연기 배출용 튜브와 필터는 생물학적 폐기물로 처리

C Effect of laser for tissue

1) 선택적 광열용해

a. 레이저 손상은 파장, 강도, 구멍의 크기, 지속시간에 의해 결정
b. 레이저 에너지는 조직내의 발색단에 의해 흡수
c. 레이저 펄스는 특정조직이 다시 차가워지기 전에 적당한 시간과 충분한 에너지가 조사되어야 함

2) 열에 의한 효과

a. 한번 빛이 특정 조직에 투사되면 그것은 열로 바뀌게 됨
b. 다른 종류의 에너지는 다른 종류의 열에 의한 효과를 나타냄. 대표적으로 상처치유, 응고, 증발이 있음

Application of laser in plastic surgery

1) 혈관 병변

표 2-8 혈관 병변에서 레이저 이용

치료적응	단순성 혈관종, 딸기상 혈관종, 모세혈관확장증, 좌창 (발적, 요철), 지주상혈관종, 노인성 혈관종, 정맥류, 비후성 반흔이나 켈로이드의 발적	
대표적 레이저	펄스색소 레이저	V빔 레이저 (캔데라사)
파장과 펄스폭	파장 585 nm 조사펄스폭 0.45 msec	파장 595 nm 조사펄스폭 0.45~40 msec
특징	혈액 속의 헤모글로빈에 선택적으로 흡수된다. 헤모글로빈이 레이저의 빛에너지를 흡수하여, 열변환함으로써 혈관내벽이 열파괴되어 혈관을 폐색한다.	
	보험진료대상기종	펄스폭의 변환이 가능하며, 조사시 냉각기능이 있다.

2) 색소침착 피부 병변(Pigmented lesion)

표 2-9 색소침착 병변에서 레이저의 이용

치료적응	오타모반, 이소성몽고반점, 편평모반, 외상성색소침착, 노인성색소반, 주근깨, 문신		
대표적 레이저	Q스위치 루비레이저	Q스위치 알렉산드라이트레이저	Q스위치 Nd YAG레이저
파장과 펄스폭	파장 694 nm 조사펄스폭 20 nsec	파장 755 nm 조사펄스폭 50 nsec	파장 532 nm & 1064 nm 조사펄스폭 5~20 nsec
특징	멜라닌에 선택적으로 흡수되는 파장을 사용하며, 열에너지에 의해서 색소를 파괴한다		
	보험진료대상기종	보험진료대상기종	2종류의 파장변환이 가능

3) 제모(Hair removal)

a. 레이저 제모에서 멜라닌은 첫 번째 목표 발색단

b. 어두운 피부에서 가시광선의 파장은 과색소 침착이나 저색소침착의 부작용을 일으킬 수 있음

c. 치료부위의 성장 주기에 따라 다양한 치료가 요구됨
d. 잡아 뜯거나, 족집게로 제거하거나 왁싱은 치료 한 달 전부터 해서는 안 됨
e. 알렉산드라이트, 이오이드, Nd : YAG 강한 빛 레이저(IPL 400~1,400 nm)등이 사용되고 Nd : YAG(1,064 nm)은 어두운 피부타입에서 가장 안전

4) Tattoo removal(문신 제거)

a. 큐 스위치 레이저의 에너지는 위쪽 유두 진피를 통과하여 특정 색깔에 염색된 잉크 조각을 목표
b. 충격파는 잉크를 여러 조각으로 나누어 대식작용에 의해 제거될 수 있게 함
c. 네 개에서 여덟 번의 치료가 문신의 타입, 위치, 색에 따라 필요
d. 8~12주의 치료 간격이 필요
e. 어두운 잉크(검정, 파랑, 갈색) : 1,064 nm,
빨강 잉크(오렌지, 자주색, 빨강) : 532 nm
f. 초록 잉크(초록) : 650 nm를 사용

5) 비박피 표면재생(Non-ablative resurfacing)

a. 파장은 532~1,540 nm
b. 목표는 열을 조사하여 진피와 표피에 반응적으로 상처치유 반응을 일으키고 상처는 발생하지 않는 것. 콜라겐 합성을 유도
c. 잔주름의 생성을 저하(연구에 의하면 20~30%)
- 진피와 표피의 열적인 부상을 일으켜 층을 제거하지만 결과적으론 상처치유 반응을 일으킴. 케라틴 세포의 증식에 의해 표피가 재생
- 콜라겐 합성을 증가 및 제 1형 콜라겐의 수축에 의해 피부의 구축이 발생

a. 이산화탄소 레이저

- 가스 레이저 : 10,600 nm, 발색단은 물
- 펄스형태 또는 지속적인 형태, 잔주름과 깊은 주름 모두에게 효과
- 부작용 : 홍반의 지속, 저색소 침착, 과색소 침착
- 10,600 nm의 이산화탄소 레이저는 의학에서 사용되는 레이저 중 파장이 가장 길며 그에 따라 열 효과도 가장 큼

b. Erbium: yttrium aluminum garnet (Er : YAG) 레이저

- 고체 상태 레이저: 2,940 nm, 발색단은 물(가장 높음)
- 열에 의한 손상에 상관없이 제거
- 코끝이나 목과 같은 매우 얇은 피부에 사용될 수 있음
  제거 가능한 pulse 다음에 제거 가능한 펄스보다 약한 펄스를 더함으로써 열에 의한 효과를 낼 수 있음
- 제거의 최소치는 약 0.7J
- 마이크로 레이저 필과 표면재생에 추천되는 레이저

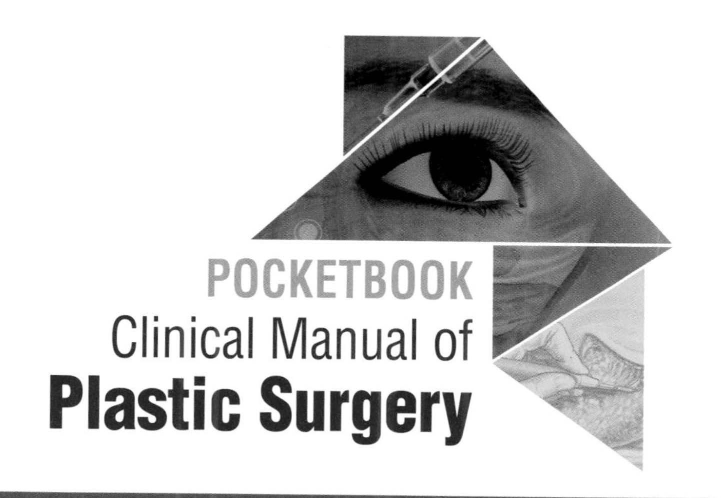

POCKETBOOK Clinical Manual of Plastic Surgery

Skin and Soft Tissue

Written by J. S. Shim MD PhD

SECTION

01

피부의 구조와 기능
(Structure and Function of Skin)

A Skin function

1) 우리 몸에서 가장 큰 장기, 평균 1.2~2.2 m^2
2) Protection : UV, 물리적, 화학적 자극, 박테리아 및 기타 오염물질
3) Metabolic : 비타민 D 합성
4) 체온조절

B Anatomy

피부전층 두께는 0.5~4.0 mm

1) 표피 : 중층 편평상피, 기저층, 유극층, 과립층, 투명층, 각질층
2) 진피 : 모세혈관, 교원섬유, 색소성 세포 등, 표층유두층, 심층 망상층
3) 상피부속기 : 새로운 표피 형성의 근원, 모낭(hair follicle), 피지선(sebaceous gland), 한선(sweat gland)
4) 나이, 성별, 신체부위에 따라 두께가 다름
5) 유아기의 피부 : 성인피부 두께의 1/3
6) 5세경 피부 : 성인과 비슷

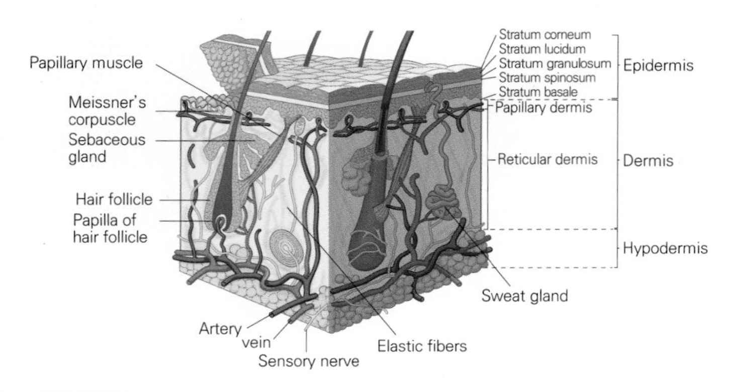

그림 3-1 피부의 구조.

C Aging skin

1) 나이에 따른 조직학적 변화

표 3-1 나이에 따른 인체조직의 증가와 감소

증가	감소
Insoluble collagen hydroxyproline	• 피부의 두께 • 피부의 탄력성 • 피하지방 • 근육 • 뼈 • Melanocyre • Langerhan's cell • Dermal Volume • Glucosaminglucom • Soluble collagen • eccrine & sebaceous gland

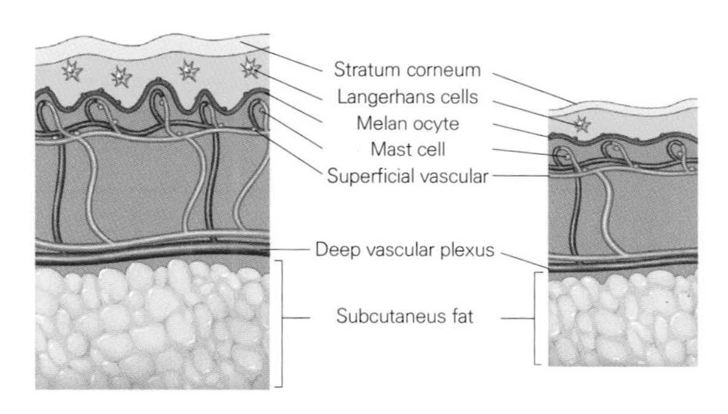

그림 3-2 나이에 따른 조직학적 변화.

2) Photoaging

a. Early stage : hyperplastic effect
b. 표피: thickening, cellular atypia, keratinocyte의 abnormal maturation
   Pigmentary mottling
c. Dermatoelastosis
d. Grenz zone
e. Ground substance의 증가

SECTION 02

피부양성종양 (Skin Benign Tumor)

A 선천성색소성모반

1) 발생률

출생 시 존재하며 남녀 발생비율은 동일

표 3-2 선천성 색소성 모반의 발생률

	발생률
선천성색소성모반	1:100(흑인 1.8:100)
거대색소성모반(> 20 cm^2)	1:20,000

2) 분류

표 3-3 크기에 따른 nevus 분류

크기	내용
Small(<1.5 cm^2)	• Tan to brown irregulary shaped maculae, mottled freckling이 있는 papule • 사춘기가 되면서 짙어지는 경향 • Elevation되기도 하고 hair가 발생하기도 함
Medium (1.5~20 cm^2)	• Small nevi와 비슷

Giant(> 20 cm^2)	• Dark, hairy, verrucous texture • Satellite lesion으로 보통 존재 • Leptomeninge를 침범할 경우 epilepsy와 같은 neurologic manifestation과 연관되기도 함 • Vertebral column 위치 할 경우 spina bifida, meningomyelocele이 있을 수 있음 • Neurofibromatosis와 같이 발생하기도 함 • 성장함에 따라 크기가 같이 성장

3) 악성화

a. Risk of malignant transformation

Controversial

- 1~10%까지의 발생률
- Giant congenital nevocytic nevi에서 melanoma 발생 시 poor prognosis

b. Clinical findings

- Size의 급격한 증가
- Irregularity of border
- Development of asymmetry
- Variation of color within nevus
- Development of satellite lesions
- Changes in texure

4) 치료

a. 크기나 형상에 따라 제거를 고려

b. Malignant transformation, cosmetic appearance, risk of scarring, psychological issue 등 여러가지 이유에 의해 수술적 제거 여부를 결정

c. Giant congenital nevocytic nevus는 가능하면 완전히 절제

d. Skin graft, flap, tissue expander, tissue culture 등의 surgical technique를 사용

SECTION 03

피부악성종양 (Skin Malignant Tumor)

A 기저세포암(BCC : Basal cell carcinoma)

1) 가장 흔한 피부 악성 종양

2) 진단 : 조직검사로 확진

3) 치료

- Currettage & electrodesiccation
- Radiation therapy
- Surgery (conventional & Mohs surgery)
- Cryotherapy

표 3-4 기저세포암(BCC)의 특징

발생 나이	40~79세(95%)
호발 부위	두경부(85%)
원인	자외선
선행병인	색소성 건피증, 모반양 기저세포암 등 전암성 병변
진단	조직검사
치료	Metastasis 드물기 때문에 대부분 local control

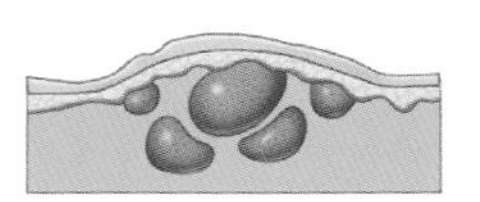
Nodular

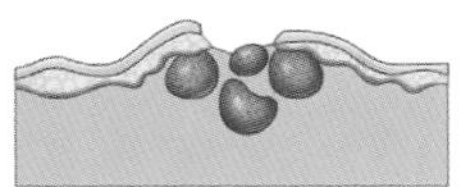
Nodular ulceraive (50~60%)

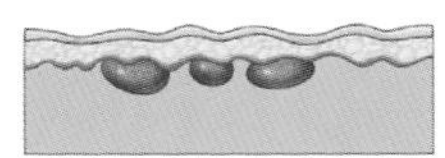
Spreading (9~15%)

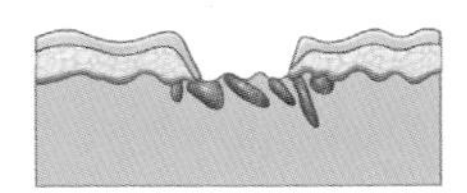
Ulerative

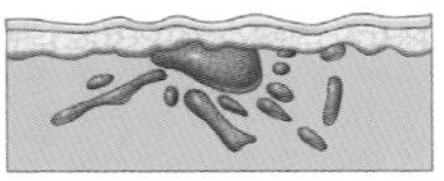
Infiltrative (7%)

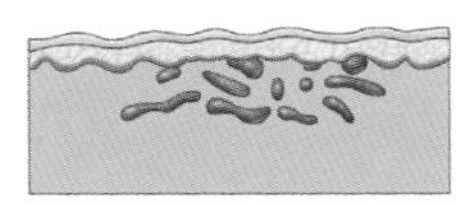
Morpheaform or sclerosing (2~3%)

그림 3-3 기저세포압의 형태별 분류.

B 편평세포암(SCC : Squamous cell carcinoma)

1) 기저세포암 다음 두번째로 많은 피부암

2) 기저세포암에 비해 전이를 잘 일으킴

3) 원인

자외선(m /i), 방사선, 면역억제, 유두종 바이러스, 비소, 탄화수소, 화상반흔. 만성궤양, 만성누공, 전암성 병변

- 전암성변
  - Actinic keratosis
  - Bowen's disease
  - Erythroplasia of Quevrat
  - Leukoplakia
  - Keratoacanthoma
  - Radiation dermatitis
  - Xeroderma pigmentosum
  - Nevus sebaceous
  - Nevoid basal cell syndrome(Gorlin's syndrome)

4) 증상

80%는 두경부, 팔에 발생, 결절판상, 우췌상, 궤양 등 다양하게 나타남

5) 재발에 관여하는 인자

- Degree of cellular differentiation
- Depth of tumor invasion
- Perineural invasion

6) 진단

조직검사

7) TNM 분류(UICC)

표 3-5 편평세포암의 TNM 분류

T
T0
Tis : carcinoma in situ
T1 : 2 cm 미만
T2 : 2 cm 이상 5 cm 미만
T3 : 5 cm 이상
T4 : 피부 이외 근육, 연골, 골 등 침범
N
N0 : regional lymph node 전이 없음
N1 : regional lymph ndoe 전이
M
M0 : 원격전이 없음
M1 : 원격전이

Staging
Stage 1 : T1N0M0
Stage 2 : T2, 3N0M0
Stage 3 : T4N0M0 ; anyTN1M0
Stage 4 : anyTanyNM1

UICC : union for international cancer control

8) 치료

a. BCC보다 more aggressive : surgery가 우선
b. Regional LN evaluation 반드시 시행

표 3-6 Recommended surgical margins of wide excisions of nonmelanocytic tumors of the skin and soft tissues

Horizontal margin
3~5 mm Bowen's disease, solar keratosis, basal cell carcinoma 10~30 mm Squamous cell carcinoma, malignant appendage-origin tumors, extramammary Paget's disease, Merkel cell carcinoma, malignant mesenchymal-origin tumors 50 mm Malignant soft-tissue tumors
Vertical margin
With fat layer Tumors that are limited to the dermis With deep fascia Tumors that extend into the fat layer With skeletal muscle Tumors that extend into the deep fascia With the membranes of deeper structures such as cartilage or bone Tumors that extend into skeletal muscle With deeper structures like cartilage or bone Tumors that extend into membranes of deeper structure like cartilage or bone

Plastic Surgery, 4th Edition, Peter C. Neligan MB, FRCS(I), FRCSC, FACS

악성흑색종(Melanoma)

표 3-7 악성흑색종의 특징

인종	백인 : 흑인 = 1:10~20
발생나이	환자의 50%가 50세 이상
호발부위	노출부
성별	남자 > 여자
가족력	환자의 10% 정도
위험인자	자외선,면역저하, 외상
선행병인	선천성거대색소성모반, 악성흑자, 색소성경피증, 기존색소성모반

표 3-8 악성화 소견

악성화 소견	
A	Asymmetry
B	Borderline irregularity
C	Color variegation
D	Diameter (> 6 mm)
E	Elevation of surface

1) 진단

조직학적 생검

2) 임상적분류

a. 악성흑자성 흑색종(Lentigo malignant melanoma)

4~10%, 두경부 발생의 50%, 가장 좋은 예후

b. 표재확장성 흑색종(Superficial spreading melanoma)

악성흑색종의 70%, 서양에서 가장 흔함

c. 결절성 흑색종(Nodular melanoma)

15~30%, 가장 나쁜 예후

d. 말단 흑자성 흑색종(Acral lentginous melanoma)

우리나라에서 가장 흔함(백인 2~8%, 동양 35~60%)

3) Stage

a. Breslow thickness : tumor의 두께를 mm로 표시

b. Clark's level : 조직학적으로 침범된 skin layer로 표시

표 3-9 악성흑색종의 Clark 분류

Level I	표피의 기저막 상방
Level II	진피의 유두층 상부
Level III	진피의 유두층
Level IV	진피의 망상층
Level V	피하 조직층

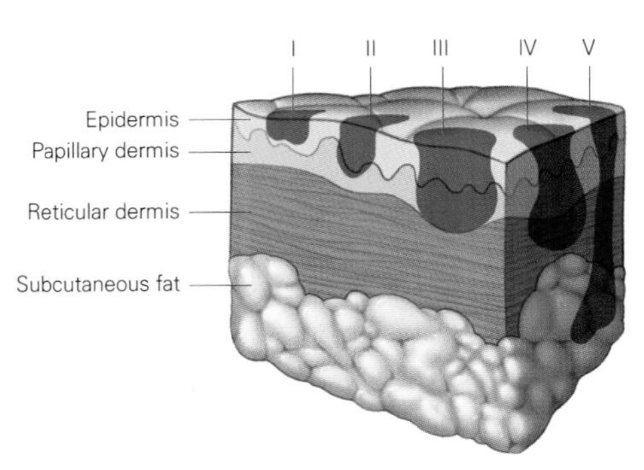

그림 3-4 Levels of tumor invasion by the clark microstaging criteria (Modified from Mcgovern VJ, Mihm MC Jr, Bailly C, et al. The classification of malignant melanoma and its histologic reporting. Cancer 32:1446, 1973).

c. Stage

표 3-10 악성흑색종의 TNM 분류

Cutaneous melanoma TNM staging		
T classification	Thickness	Ulceration status
Tis	Not applicable	Not applicable
T1	≤ 1.0 mm	a : without ulceration and mitosis b : with ulceration or mitosis
T2	1.01~2.0 mm	a : without ulceration b : with ulceration
T3	2.01~4.0 mm	a : without ulceration b : with ulceration
T4	≥ 4.0 mm	a : without ulceration b : with ulceration
N classification	No. of metastatic nodes	Nodal metastatic mass
N1	1 node	a : micrometastasis b : macrometastasis
N2	2~3 nodes	a : micrometastasis b : macrometastasis c : in transit met(s)/ satellite(s) without metastatic nodes
N3	4 or more metastatic nodes, or matted nodes, or in-transit met(s)/ satellite(s) with metastatic node(s)	
M classification	Site	Serum lactate dehydrogenase
M1a	Distant skin, subcutaneous, or nodal metastases	Normal
M1b	Lung metastases	Normal
M1c	All other visceral metastases Any distant metastasis	Normal Elevated

(J Clin Oncol. 2009;27:6199-6206.)

■ 병기분류

표 3-11 악성흑색종의 병기분류

임상적병기				병리학적병기			
0	Tis	N0	M0	0	Tis	N0	M0
Ⅰ A	T1a	N0	M0	Ⅰ A	T1a	N0	M0
Ⅰ B	T1b	N0	M0	Ⅰ B	T1b	N0	M0
	T2a	N0	M0		T2a	N0	M0
Ⅱ A	T2b	N0	M0	Ⅱ A	T2b	N0	M0
	T3a	N0	M0		T3a	N0	M0
Ⅱ B	T3b	N0	M0	Ⅱ B	T3b	N0	M0
	T4a	N0	M0		T4a	N0	M0
Ⅱ C	T4b	N0	M0	Ⅱ C	T4b	N0	M0
Ⅲ C	AnyT	N1-3	M0	Ⅲ A	T1a-4a	N1a-2a	M0
				Ⅲ B	T1a-4a	N1b, 2b, 2c	M0
					T1b-4b	N1a, 2a, 2c	M0
				Ⅲ C	T1b-4b	N1b-2b	M0
					Ant T	N3	M0
Ⅳ	AnyT	any N	M1	Ⅳ	AnyT	any N	M1

4) 치료

a. Surgical excision

- Wide excision : 종양의 두께에 따라 surgical margin 결정
- In situ : 0.5 cm margin
- < 1 mm : 1 cm margin
- 1~2 mm : 1~2 cm margin
- > 2 mm : at least 2 cm margin

b. Lymph node

- Sentinel lymph node biopsy

- Staging procedure
- Primary tumor의 excision시 시행
  - 도약전이 : 0~2%
- Therapeutic lymph node dissection
  - Positive sentinel lymph node, 또는 clinically palpable node

c. Adjuvant therapy

- Interferon α- 2b
- Chemotherapy
- Radiotherapy
- Immunotherapy : interleukin 2

5) 예후

Microscopic invasion의 depth가 가장 중요 - survival rate과 관계
재발 : 술후 3~5년 사이, 재발이 많음, 원발병소의 5 cm 내에서 주로 발생
생존률 : 5년 생존률이 낮은 경우가 많음

SECTION

04

혈관종과 혈관기형 (Hemangioma and Vascular Anomalies)

1. 분류

표 3-12 혈관종과 혈관기형의 분류

Tumors	Malformations	
	Slow-flow	Fast-flow
Infantile hemangioma (IH)	Capillary malformation (CM) Cutis marmorata telangiectatica congenita (CMTC) Telangiectasias	Arterial malformation (AM) Aneurysm Atresia Ectasia Stenosis
Congenital hemangioma (CH) Rapidly involuting congenita hemangioma (RICH) Non-involuting congenital hemangioma (NICH)	Lymphatic malformation (LM) Microcystic Macrocystic Primary lymphedema	Arteriovenous malformation (AVM) Capillary malformation-arteriovenous malformation (CM-AVM) Hereditary hemorrhagic telangiectasia (HHT) PTEN-associated vascular anomaly
Hemangioendotheliomas Kaposiform hemangio-endothelioma (KHE) Other	Venous malformation (VM) Cerebral cavernous malformation (CCM) Cutaneomucosal venous malformation (CMVM) Glomuvenous malformation (GVM) Verrucous venous malformation (VVM)	Combined malformations Capillary-arteriovenous malformation (CAVM) Capillary-lymphatic arteriovenous malformation (CLAVM)

Pyogenic granuloma (PG)	Combined malformations Capillary-venous malformation (CVM) Capillary-lymphatic malformation (CLM) Capillary-lymphatic-venous malformation (CLVM) Lymphatic-venous malformation (LVM)	

2. 혈관종과 혈관기형의 비교

표 3-13 혈관종과 혈관기형의 비교

	혈관종	혈관기형
발생연령	출생시, 소아	전연령
경과	증식 후 퇴행	지속적 성장
성별(남:여)	3:1	1:1
병리조직학적소견	내피세포의 과형성, 종양성 증식	선천성 혈관형성이상, 종양성증식이 아님

3. 치료

Hemangioma

a. Conservative treatment

b. Steroid

c. Laser

pulsed dye and nd : YAG laser는 hemangioma을 involution시킴

d. Surgery

B Vascular malformation

a. Mainly lesions amenable to sclerotherapy
b. Compression garment
c. Laser therapy : Nd : YAG 또는 Argon laser
d. Surgical resection

C Arteriovenous malformation

a. Surgical resection 72 hr 전 preoperative emblization
b. Wide local excision : 재발을 잘 함
c. Ischemic suture technique, hypotensive anesthesia
d. Bleeding control을 위하여 cardiopulmonary bypass를 하는 경우도 있음
e. Flap을 이용한 Postexcisional reconstruction 필요할 수 있음

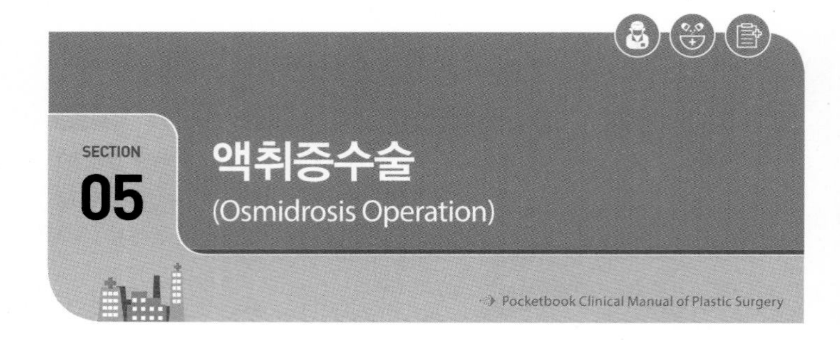

액취증수술
(Osmidrosis Operation)

A 정의

1) 다한증(Hyperhidrosis)

a. 땀이 많이 나는 상태
b. 액취증에 많이 동반됨

2) 액취증(Osmidrosis)

a. 불쾌감을 주는 냄새가 발생하는 질환
b. 아포크린땀샘에서 나오는 땀에 피지선의 분비물과 피부표면의 세균이 섞여서 불쾌감을 주는 냄새가 나는 것

3) 취한증(Bromidrosis, bromhidrosis)

a. 몸 전체에서 나는 땀자체의 냄새로 불쾌감 주는 것
b. 서구인은 액취증보다 취한증으로 인한 호소가 많음

B 해부, 생리, 조직병리

1) 땀샘(Sweat gland) = 아포크린땀샘 + 에크린땀샘

a. 위치

- 아포크린땀샘(apocrine gland)
  - 진피층 피부에서부터 피하 지방층까지 모낭 주위
  - 신체의 일정부위(액와부, 안검부, 외이도, 치골부, 회음부, 유두, 유륜부, 음경포피, 음낭, 배꼽 주위 등에 분포)
  - 두피와 안면주위도 소수 존재
  - 대부분 모발이 있는 액와부에 분포
- 에크린땀샘(eccrine gland)
  - 진피층의 심부
  - 일부 제외한 몸 전체에 분포
  - 입술이나 음경 귀두, 음경 포피, 음핵 및 소음순 등의 외부성기 등에는 없음

b. 특징

- 아포크린땀샘(apocrine gland)
  - 사춘기이후에 활성화 됨
  - 아드레날린성신경의 지배를 받음
  - 호르몬 변화에 영향을 받음
  - 대부분 sebaceous gland의 배출관을 통해 모공으로 배출되나, 드물게 직접 피부면으로 배출되기도 함
  - 분비 당시의 땀은 무균성, 무취성 액체
    1시간 이내에 피부표면의 세균(그람양성균)에 의해 분해되어 불쾌한 냄새가 남
- 에크린땀샘(eccrine gland)
  - 모공과는 상관없이 피부면으로 바로 배출 됨
  - 무색, 무취의 액체성

- 두 종류의 에크린땀샘
  - 손바닥과 발바닥에 존재하는 것
    - 콜린성신경 지배를 받음
    - 정서 자극이나 스트레스에 반응
  - 체포면 전체에 고루 분포하는 것
    - 온도 조절에 관여

2) 조직병리

a. 땀샘

- 코일 모양의 원통형 샘(tubular gland)으로 존재
- 땀샘의 수는 일생 동안 변동 없이 그대로 거의 유지되어 더 이상 생기거나 없어지지 않음

b. 아포크린땀샘

- 에크린땀샘보다 크기가 10배 정도 큼
- 수는 에크린땀샘과 1:1로 고르게 분포
- 액와부에는 중심에 많고 가장자리로 갈수록 적음
- 흑인이 백인에 비해 3배 정도 많음
- 동양인은 크기가 작고 기능이 상대적으로 떨어짐

C 액취증의 발생

1) 상염색체 우성으로 유전됨.

a. 부모 중 한 사람이 액취증이 있는 경우, 자녀 중 50%에서 발생
b. 양친 모두 액취증이 있는 경우, 자녀 중 80%에서 발생

2) 액취증의 20%에서는 가족력이 없음.

진단

1) 냄새에 의한 진단

a. 목욕 후 약 2시간 정도 있다가,
b. 주로 사용하는 쪽 액와부를 거즈로 문지른 후,
c. 전방 30 cm 거리에서 거즈의 액취를 맡을 수 있으면,
d. 치료가 요구되는 액취증으로 진단할 수 있음

2) 조직 생검

3) 시험 절개

4) Atropine - oxytocin 진단법

5) 귀지에 의한 진단

6) 발한 검사(iodine-starch test, Minor test)

a. 보다 정확하게 땀나는 범위와 정도를 진단
b. Minor용액을 바르고 약 5분간 건조한 다음, 전분을 그 위에 얇게 바르고, 3분간 백열전구 2개를 50 cm 거리에서 비추어 땀이 나도록 함
c. 땀이 난 부위는 하얀 전분이 흑갈색으로 변하게 되어 정확한 수술 범위를 정할 수 있음
d. Minor 용액
iodine 1.5 g + caster oil 10 mL + 95% alcohol 100 mL

E 치료

1) 비수술적 요법

a. 흘린 땀을 빨리 흡수하게 하거나 제거

b. 자주 씻어 줌으로써, 액와부를 청결히 함

c. 국소 약물 요법

장기간 치료를 요하며, 효과가 지속적이지 못함

- 국소항생제 도포하여 세균증식을 억제
- 비타민E 등 국소산화방지제로 지방산형성 방지
- aluminum chloride hexahydrate 20% in anhydrouseyhyl alchohol (Drysol)로 발한억제
- 탈취제 사용

d. 개개 모낭에 전기적 손상을 주는 치료법

효과의 지속성이 떨어짐

e. Laser 탈모술

- 심한 액취증에 효과 없음
- 여러 차례의 시술이 필요

2) 수술적 치료법

a. 액취증의 원인을 제공하는 아포크린 땀샘을 최소한의 반흔을 남기면서 최대한 제거

b. 아포크린 땀샘의 분포 부위가 일정하지 않고, 피하 및 진피 내 있는 위치도 사람에 따라 차이가 있어 100% 제거하는 것은 피부를 광범위하게 제거하고 부분층 피부 이식술을 시행하더라도 불가능함

c. 냄새를 100% 없애는 것이 아니라 일상생활에서 남이나 자기에게 지장 없도록 하는데 수술 목적이 있음을 환자에게 주지시켜야 함

■ 피부 절개에 의한 방법
절제범위의 한계, 수술 후 남게 되는 반흔

■ 직시하피하조직 제거법

- Skoog법

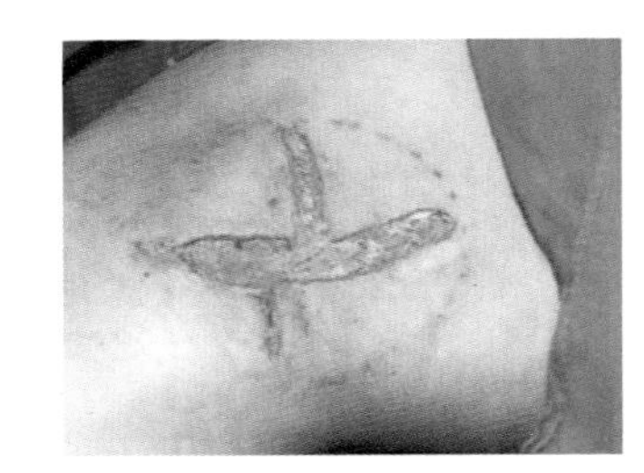

그림 3-5

- 장점
  - 넓은 부위 적용 가능하여 재발이 적음
  - 반흔이 넓지 않음
  - 반흔구축이 없음
  - 재발한 액취증이나 심한 환자에 효과적
- 단점
  - 분지형 십자반흔
  - 입원하여 액와부 움직임의 제한이 필요

- 양측유경피판법(bipedicled flap method)

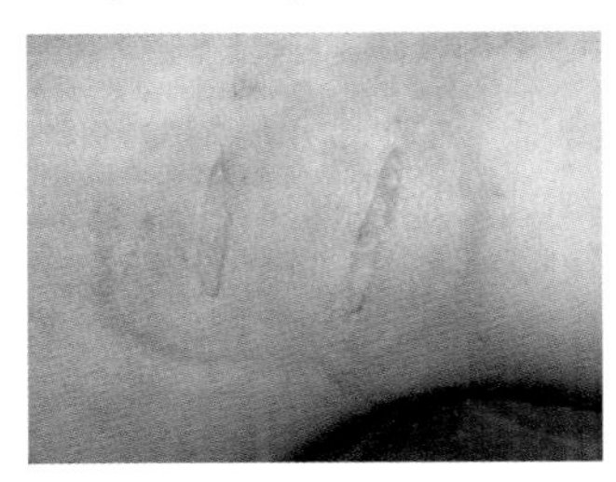

그림 3-6

- 장점
  - 낮은 재발율
  - 반흔이 두드러지지 않고, 반흔구축이 없음
- 단점
  - Inaba법보다 수술시간이 김
  - 입원하여 액와부 움직임의 제한이 필요

■ 피하조직 삭제법

그림 3-7

● Inaba법
- 장점
  - 반흔의 최소화
  - 짧은 수술시간
- 단점
  - 입원하여 액와부 움직임의 제한이 필요

● 소파흡인법
- 장점
  - 반흔의 최소화
  - 짧은 수술시간
  - 수술 후 관리가 용이
  - 혈관이나 신경, 근육등의 손상 최소화
- 단점
  - 재발의 가능성이 높음

- 초음파 파쇄 흡인법 및 고주파 파쇄 흡인법
  - 장점
    - 출혈 최소화
    - 수술 후 압박이 필요없음
    - 피부괴사, 반흔 구축 등 합병증이 적음
  - 단점
    - 숙련이 필요
    - 고가의 장비
    - 화상에 대해 주의가 필요

■ 혼합법
- Rigg법
- Inaba법 + 양측유경피판혼합법
- 일반액취증 수술방법 + laser 땀샘 소작법

■ 수술 후 합병증
- 혈종, 피부괴사, 감염, 상처 파열, 재발, 미립종(milia)

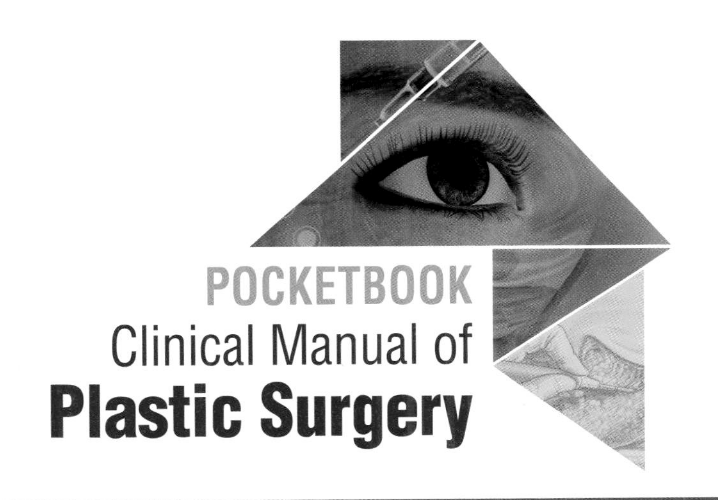

Facial Plastic Surgery

Written by Dr Peter C. W. Kim MD PhD MBA

SECTION 01

두개안면기형 (Craniofacial Deformity)

A 두개골유합(정상 두개골 봉합선과 천문 문합)

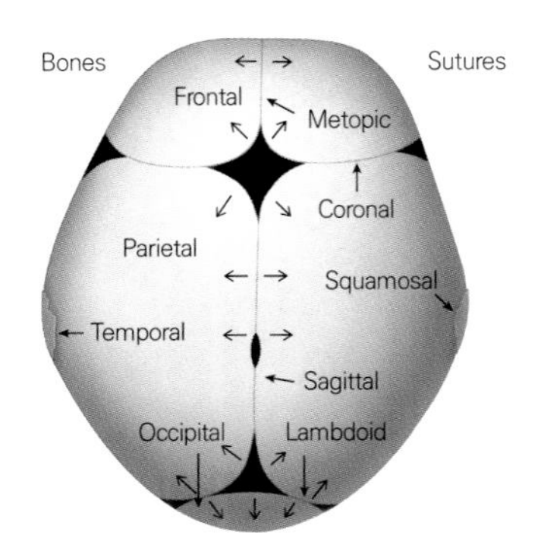

그림 4-1 두개골 운합과 두개골 명칭.

suture	metopic	Sagittal	Coronal	lambdoidal	Ant. fontanelle	Post fontanelle
age	2 yrs	22 yrs	24 yrs	26 yrs	9~12 mo	3~6 mo

B 두개안면 기형의 종류

1) Craniosynostosis

a. 임상양상

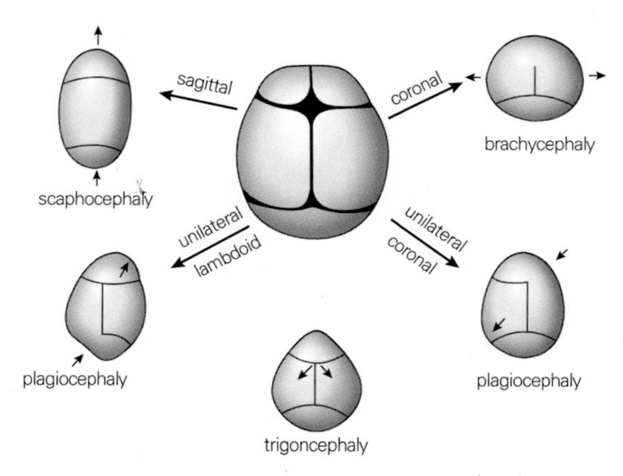

그림 4-2 두개골 조기유합증의 종류.

b. DDX with positional plagiocephaly

Anatomic features	Synostotic	Deformational
Ipsilateral superior orbital rim	위	아래
Ipsilateral ear	앞쪽 위쪽 방향	뒷쪽 낮은 방향
Nasal root	편측	중앙
Ipsilateral cheek	앞쪽으로 위치	뒤쪽으로 위치
Chin deviation	반대측	편측
Ipsilateral palpebral fissures	넓다	좁다

2) Syndromic craniosynostosis

a. Crouzon's syndrome (AD : autosomal dominant)

- Craniosynostosis, Exorbitism, Maxillary Hypoplasia
- Extremities : Normal

b. Apert's syndrome (AD)

- Extermities : Severe syndactly of hands and feets (Acrocephalosyndactyly)
- Acne
- Mental impartment - common, cerebral palsy
- Crouzon synd + syndactyly

c. Pfeiffer syndrome (AD)

- Normal mental status-usually
- Hypertelorism
- Downslanting palpebral fissures
- Midface hypoplasia
- Broad thumbs and Halluces

d. Craniofacial cleft

- 두안면의 어떤 부위가 융합이 안되고 갈라져서 생기는 안면열현상에 의해 심한 추형을 초래하는 선천성 기형

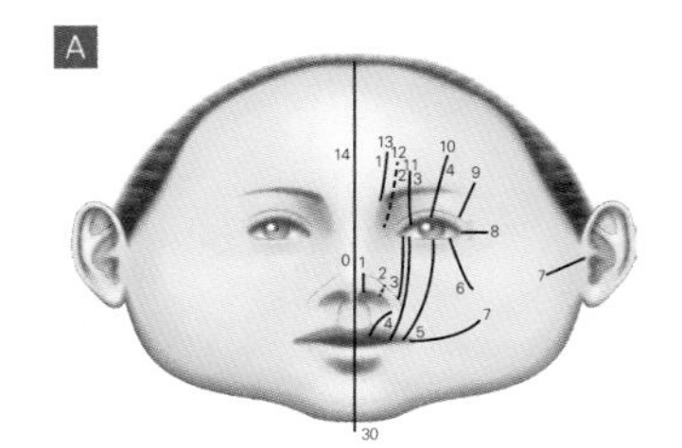

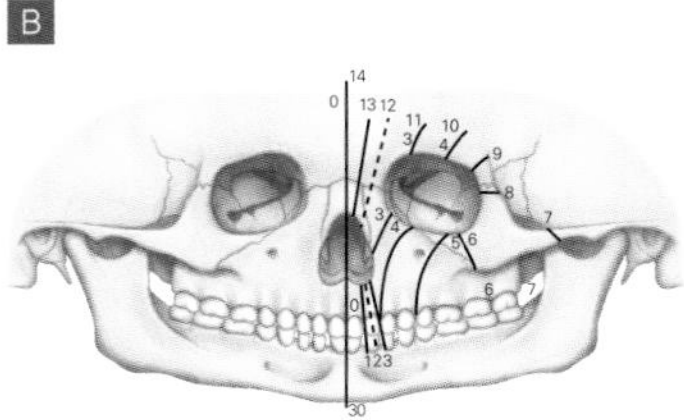

그림 4-3 Cleft numbering system [Tessier classification of clefts.
A: paths of various clefts on the face.
B: location of the clefts on the facial skeleton.

e. Craniofacial microsomia

- 제 1, 2 새궁에서 유래하는 골격 및 연부조직의 저형성을 보이는 선천성 얼굴기형

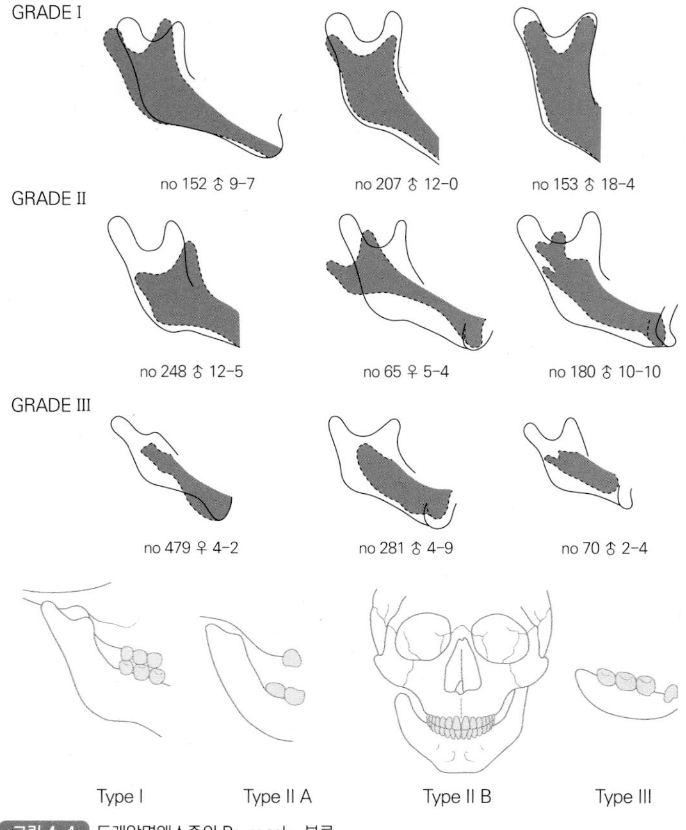

그림 4-4 두개안면왜소중의 Pruzansky 분류.
Type I : 하악골과 악관절 모양이 정상이지만 크기가 작음
Type II A : 관절돌기가 작고 모양에 이상
Type II B : 관절돌기가 작고 모양에 이상이 있으면서 악관절의 위치가 전내하방으로 변위
Type III : 하악지가 없고 하악이 대구치에서 끝남

f. Treacher collin syndrome

- Abnormality in migration of neural crest to 1st pharyngeal arch

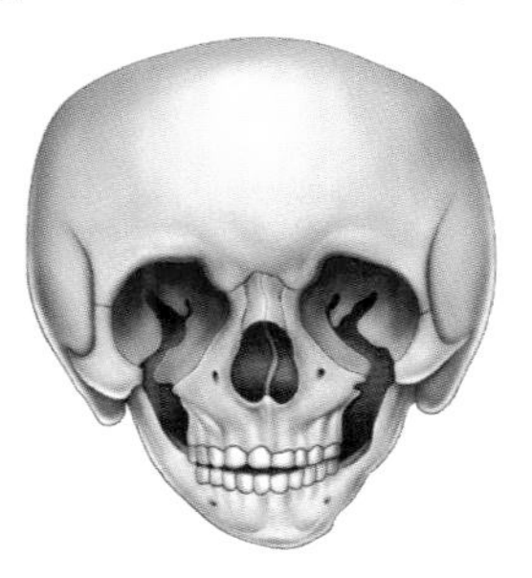

그림 4-5

g. Orbital hypertelorism

- 양쪽 안와사이의 거리(Interorbital distance : IOD)가 비정상적으로 떨어져 있는 경우

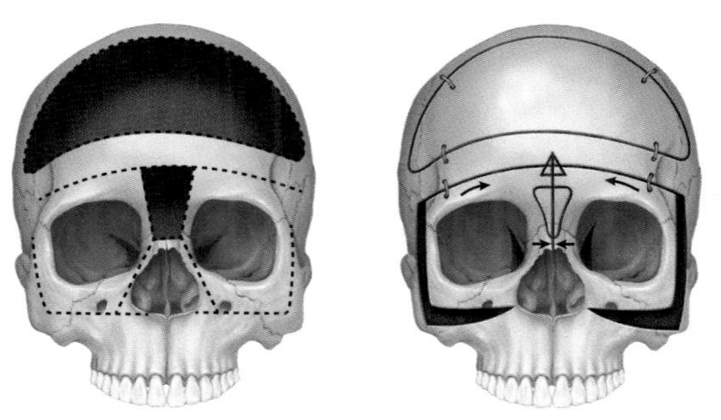

그림 4-6 두개강 내 접근법을 통한 상자형 절골술(Box osteotomy).

C 두개안면 기형의 치료 원칙

Mutildisciplinary team approach

1) Surgery timing

Cranium : 3 mo to 12 mo of age (frontoorbital advancement)
Maxilla : 6~12 yrs
Mandible : 14~18 yrs

2) Goals

Keep normal brain growth and normal craniofacial contour

3) Techniques

Bifrontal craniotomy
Frontoorbital advancement
Radial osteotomies
Barrel Staves
Strip Craniectomy

4) Grafts

Autologous Bone Grafts : calvaria, rib, iliac wing
MMA (methylmethacrylate)
Hydroxyapatite
Porous Polyethylene (Medpor® : Porex, Newnan, GA)
Demineralized bone
Bone tissue Engineering

D Postoperative care

- ICU for 24~48 hours
- Close monitoring : Neurologic examination every 2 hours
- Transfusion : 10 mL/kg over 4 hrs
- Dressing and Drain - removal after 1 day postoperatively

E Complications

- Mortality : 1~2%
- Hematoma
- Infection
- Venous Air Embolism
- CSF leak
- Visual Changes
- Reoperation - rates higher in bilateral coronal synostosis

Key point

* Involved sutures
- * Sagittal – scaphocephaly
- * Unicoronal –anterior plagiocephaly
- * Bicoronal – brachycephaly
- * Metopic – trigonocephaly
- * Lambdoid – posterior plagiocephaly

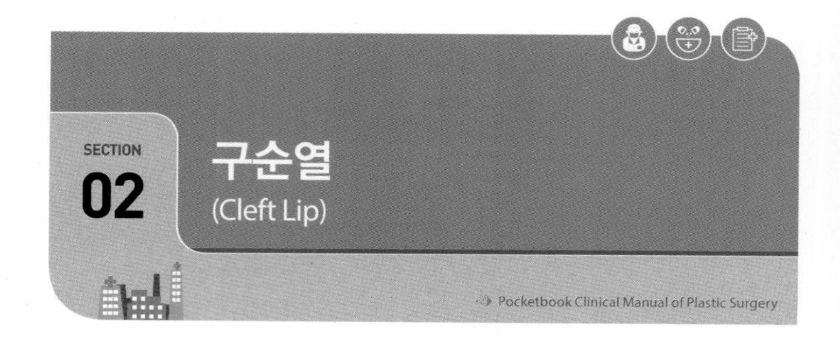

SECTION 02 구순열 (Cleft Lip)

A Anatomy

1) Normal lip

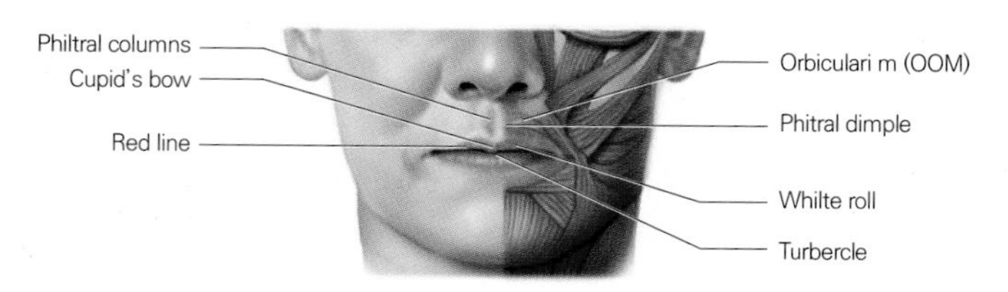

그림 4-7 정상구순의 명칭.

2) Cleft lip

a. Vertical height of lip - decreased
b. Cupid bow 2/3, philtral column, philtrum이 정상 쪽은 보존되어 있음
c. Premaxilla가 바깥으로 돌아가 있고 튀어나와 있음
d. OOM(oris)의 천층이 cleft margin과 평행하고 cleft의 비익저부에 잘못 삽입되어 있음
e. OOM(oris)의 심층은 분리되어있으나 잘못 삽입되어 있지는 않음

f. Philtral mildine과 cleft margin사이의 근육은 저하
g. 불완전한 cleft는 입술 높이의 3/2 보다 작고 몇 근육이 cleft를 지나기도함
h. Simonart's band-nasal sill을 지나가는 근육이 없는 피부줄기
i. Microform cleft에서는 muscle continuity가 없음

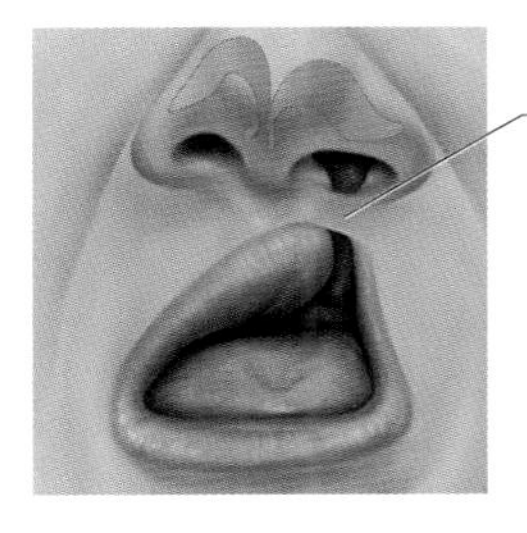

그림 4-8 구개열의 모식도.

3) Anatomy of the cleft nasal deformity

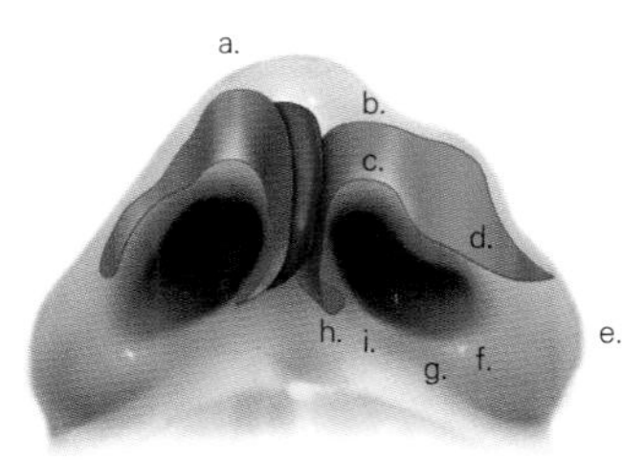

그림 4-9 구순비변형 모식도.

a. Noncleft side로 nasal tip이 돌아가 있음
b. 비익연골이 약하고 caudal displacement 되어 있음
c. Med & lateral crura 사이각이 더 둔각
d. Lateral crura의 buckling
e. Cleft side에서 alar-facial groove가 없음
f. Body development 의 deficiency

g. Cleft side에서 nostril floor가 넓음
h. Columella와 ant. septum이 cleftside로 돌아가 있음
i. Lat crura 사이에 buckling post septum이 cleft side로 convex하여 비폐색 야기함

B Classification

1) Unilateral, Bilateral

2) Complete, Incomplete

3) Microform

C 치료

1) Multidisciplinary team approach

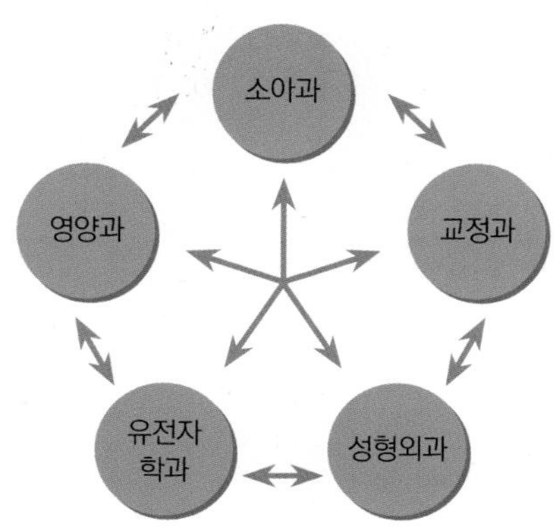

그림 4-10 Mutidisciplinary team approach.

- 영양과 : Feeding - special bottle-feeding techniques (squeezable bottles, cross-cut nipples)
- 교정과 : Presurgical orthopedics
  – passive (Nasoalveolar molding) / active (Latham appliance)
- 소아과 : 감기, 중이염, 언어장애 등 체크
- 유전자학과 : 형제, 자매, 부모 등 역학 조사
- 성형외과 : 수술적 치료 상담

2) Operation timing and sequence

a. Primary cleft lip repair : 3 month of age (standard)

- Goals
  - Reconstruction of philtrum, cupid's bow, turbercle
  - Functional muscle reconstruction
  - Symmetry
  - Minimal scarring

b. Primary cleft nasal repair

Columellar lengthening, Alveolar cleft repair

- Gingivoperiosteoplasty (Gpp)
- Bilateral mucoperiosteal flap을 일으켜 cleft 부분을 봉합함.
- Primary alveolar bone graft(2세 전)
- Rib cartilage graft을 점막피판 밑에 삽입하는 경우도 있음.
- Secondary alveolar bone graft

TIP

2nd bone graft는 견치가 불완전하게 형성된 8~12세에 하면 가장 성공률이 높다.

3) Surgical technique

a. Unilateral cleft lip

Rose - Thompson

Randall - Tennison

Millard - m/c used

b. Bilateral cleft lip

Millard repair

Modified Manchester repair

c. Millard technique for unilateral cleft lip

- Identification of the base of the cleft-side philtral column
- White skin roll의 방향이 바뀌는 부위
- Vermilion이 가장 두꺼워졌다가 줄어드는 부위
- Red line이 white skin roll과 만나는 부위에서 3~4 mm 외측

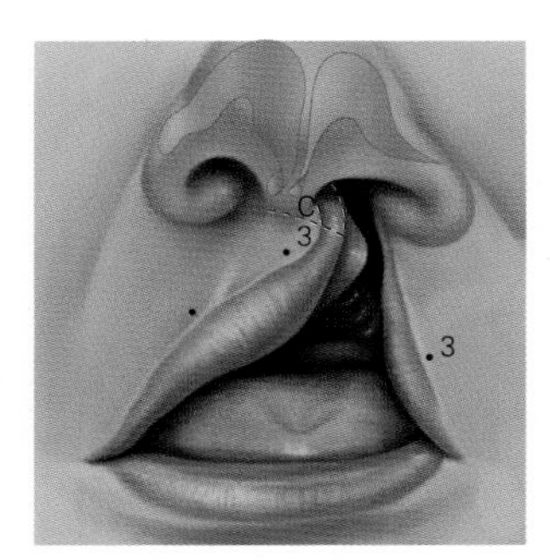

그림 4-11 Millard techmgue.

- Rotation incision(점선)이 건측의 philtral column을 지나지 않도록. (normal anatomy가 무너지지 않도록)
- Vertical length가 horizontal length보다 미용적으로 더 중요

- CPHL′을 lateral로 이동하면 vertical length는 증가하나 horizontal length는 감소함
- Vertical length가 4 mm 정도 차이 나는 경우는 충분한 muscle dissection & skin redraping으로 교정이 가능
- Alar base로 incision을 확장하여 advancement를 더 많이 시키면 vertical-length가 늘어나 scar가 심하게 남음

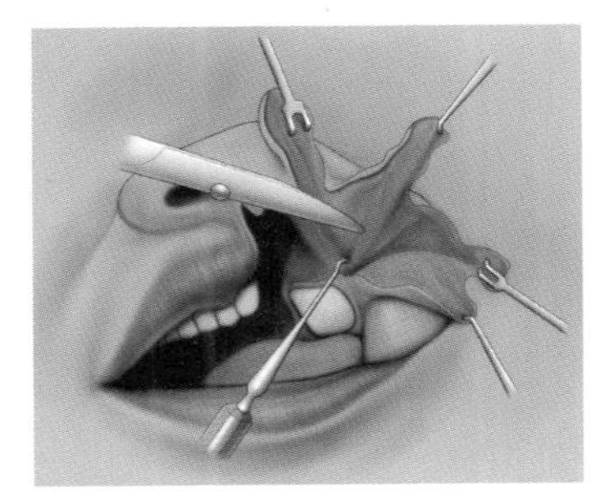

그림 4-12 수술 중 모식도(Millard technique).

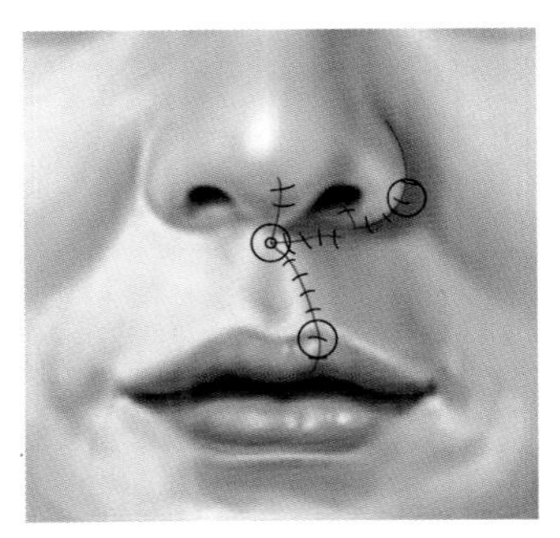

그림 4-13 The areas of concern.

- muscle을 충분히 dissection하는 것이 중요
- skin의 rotation은 중요하지만 muscle의 충분한 rotation도 중요
  - Straight line closure of the lip은 cupid bow 하부의 vermilion deficiency를 재건하기 힘들고 red line의 stepped-off appearance를 남김
  - Rotation incision의 apex에 back-cut은 advancement flap으로 close하기 힘든 broad area를 남김
  - Alar base 주위에 incision은 unacceptable scar를 남기므로 피해야 함

SECTION 03

구개열 (Cleft Palate)

Ⓐ Anatomy

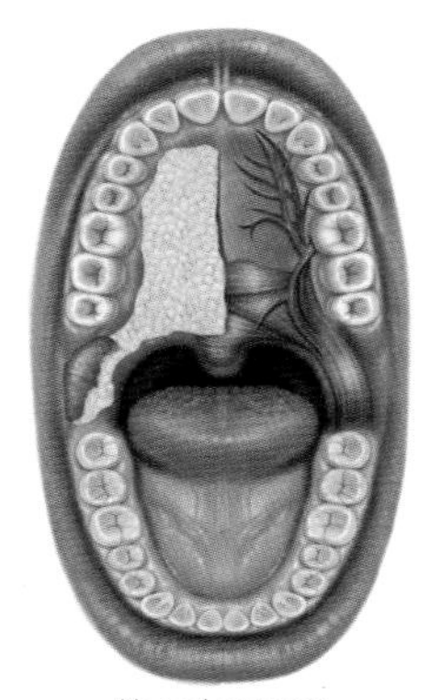

Normal anatomy

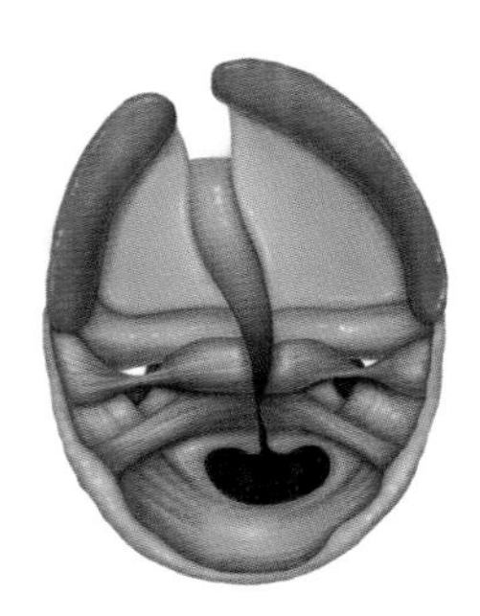

Cleft anatomy

그림 4-14 정상구개와 구개열의 모식도.

양측 구개근이 정중선에 연결되지 못하고 비정상적인 곳에 붙음

B Surgical treatment

1) 치료원칙

a. 언어치료사, 치과교정과, 소아과, 이비인후과, 성형외과 협진

b. Early presurgical orthodontic therapy

출생 후 2주에서 시작해 6개월 내 완료

c. 치료시기

구개열 수술 : 10~12개월

2) 수술방법

- Von Langenbeck Palatoplasty

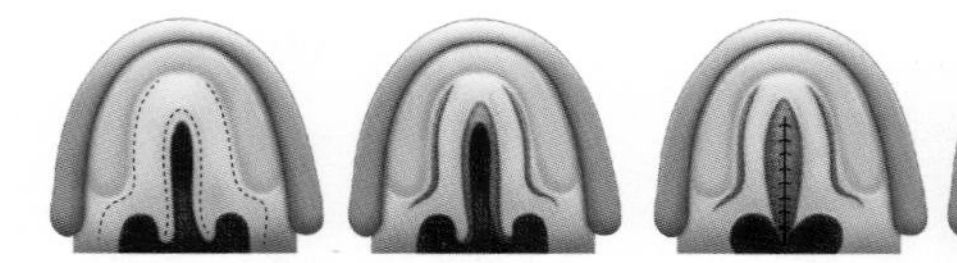

- Push back palatoplalsty

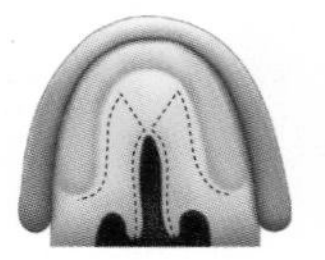
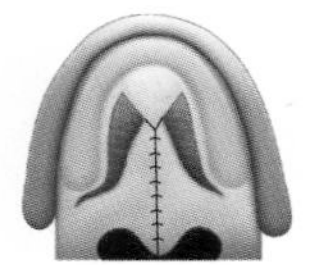

- Double Reversing Z-plasty (Furlow's operation)

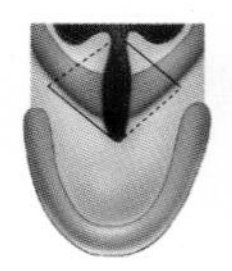
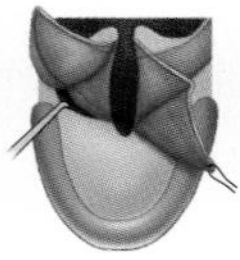
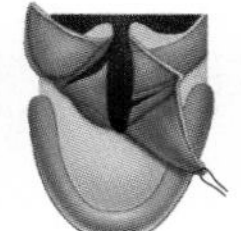
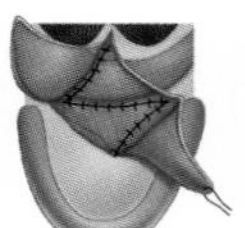
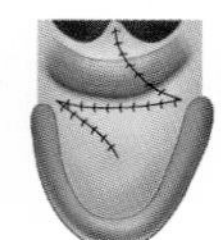

C Postoperative care

1) Airway obstruction를 방지를 위한 감시

- Continuous pulse oximetry
- Tongue suture

2) Postoperative bleeding을 위한 감시

- 수술 시 지혈 철저하게 할 것
- Raw surface에 fibrillar collagen이나 지혈제를 packing

3) 머리를 30°로 올림

4) Feeding - 수술 후 24시간 동안 syringe로 준 후 유동식

5) 항생제 5일 동안, 처방 수술 후 1일째 퇴원

D Complication

1) Bleeding

2) Airway compromise

3) Fistula

A Definition

- 말을 할 때 구개와 인두가 닿지 않아 발음에 문제가 생겨 언어장애가 오는 것

B Assessment

- Speech evaluation - 언어치료사
- Nasopharyngeal endoscope

C Surgical treatment

1) Posterior pharyngeal flap – lateral 구멍사이즈가 중요

- Lateral port size는 10~12F (10~13 mm) nasal catheter 크기
- 평행절개선 2.5 cm 간격 - dissection은 prevertebral fascia 위로
- Outcome은 superior based와 inf. based 간 차이가 없음

- Raw surface는 scar 줄이기 위해 가능하면 봉합.
  Complication - airway obx., chronic obstructive sleep apnea 등

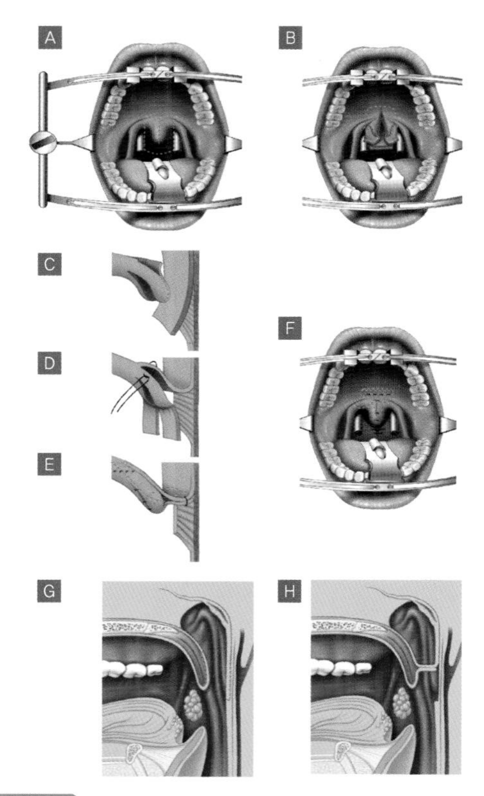

그림 4-15 Superior based pharyngeal flap.
A-F. 수술방법, G. 수술 전, H. 수술 후 측면모습

2) Sphincter pharyngoplasty

Palatopharyngeous muscle을 포함한 flap을 양측 lateral wall에서 거상 tonsil 후방의 palatopharyngeus 조작하여 posterior pharyngeal wall 가장 높은 곳에 고정. tight sphincter 역할

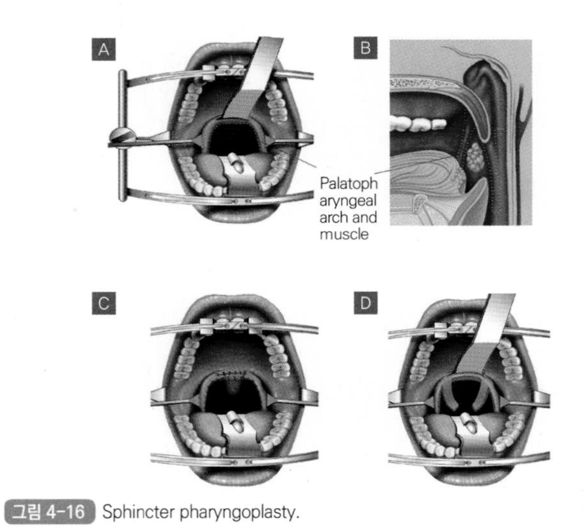

그림 4-16 Sphincter pharyngoplasty.

- Tonsil 바로 뒤쪽 posterior pillar가 palatopharyngeous, flap의 base는 tonsil의 upper margin

3) Augmentation of post. Pharyngeal wall

Velopharyngeal gap이 0.5 cm 미만이고 구개인두공의 넓이가 40 mm^2 미만인 경우

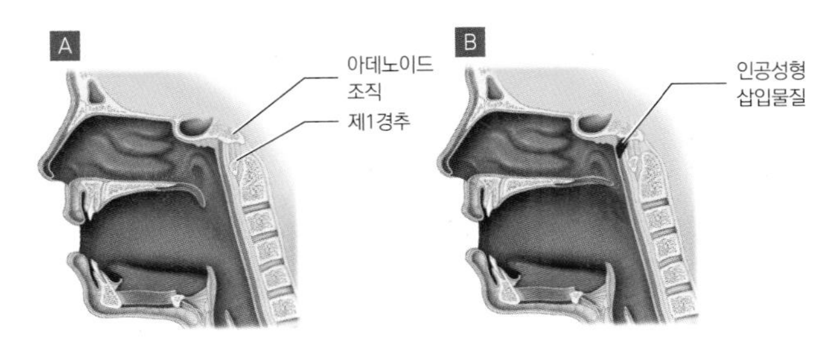

그림 4-17 인두후벽 융기 모식도.

4) Choice of surgery

a. Small central defect with good fuction of all elements of the sphincter
 : posterior wall implant / Furlow palatoplasty

b. Asymmetric defects of the sphincter
 - 일측의 연구개 거상이 부족한 경우 : sup. based pharyngeal flap
 - lateral pharyngeal wall movement가 비대칭인 경우
 : unilateral sphincter pharyngoplasty

c. 연구개 거상이 부족하나 lateral wall movement는 충분한 경우
 : sup. based pharyngeal flap

d. 연구개 거상은 충분하나 lateral wall movement가 약한 경우
 : sphincter pharyngoplasty

SECTION

05 모발이식 및 두피 재건술 (Hair Transplantation and Scalp Reconstruction)

A Anatomy

1) Scalp layers

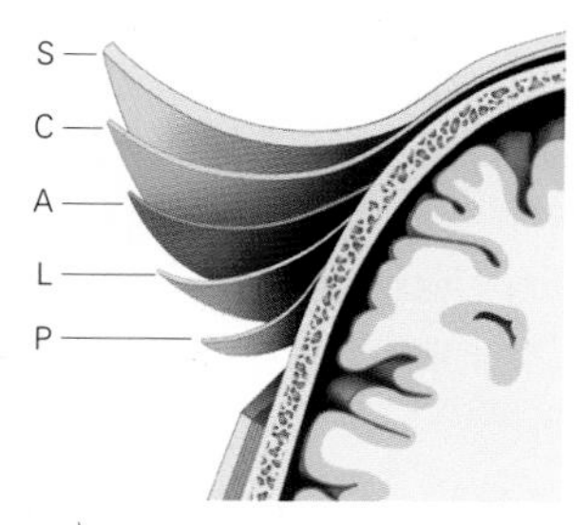

그림 4-18 Scalp 단면 모식도.

S (Skin) : 3~8 mm thick

C (Subcutaneous tissue) : vessel, lymphatics, nerve

A (Aponeurotic Layer) : frontalis, occipitalis와 연결되어 있음

L (Loose areolar tissue) : subgaleal fascia, scalp mobility를 제공, emissary vein이 들어 있음

P (Pericranium) : calvarium에 단단히 부착

B Hair biomechanics

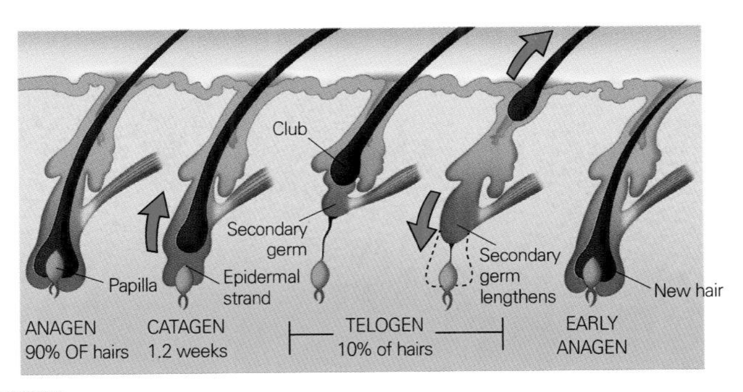

그림 4-19 모주기.

1) 모주기(Hair growth cycle)

- 성장기(Anagen) : 5~8년(90%)
- 퇴행기(Catagen) : 2~3주(1~3%)
- 휴지기(Telogen) : 2~3개월(10%)
- 머리카락 성장속도 : 0.3~0.3 5 mm/day, 1 cm/month, 12 cm/year
- 모발의 밀도(한 follicular unit에 1개부터 3~4개의 hair가 있을 수 있음)
  - 1 follicular unit = 2 hairs/mm^2(m/c)
  - 100 follicular units = 200 hairs/cm^2
  - 150 (low) / 200 (average) / 250 (high)
  - Entire scalp area : 500cm^2 : 200 hairs × 500 = 100,000 hairs

Ⓒ Hair transplantation

1) 대머리의 원인

주로 Androgenic alopecia이며,
X - linked dominant 유전 패턴을 보임

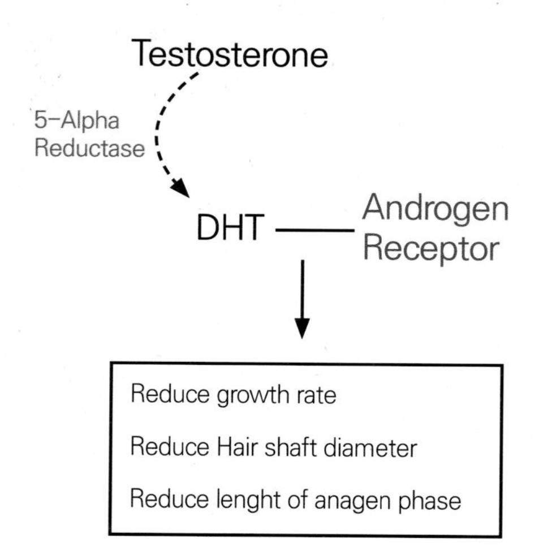

2) Hair design

High frontal hair line으로 디자인 : 8~10 cm from glabella가 적당
Fronto - temporal recession : 깊게 한다.
FUE (Follicular Unit Extraction) : 하나 짜리 → 앞쪽으로 심고, 3~4개 짜리 뒤쪽으로 심는다.

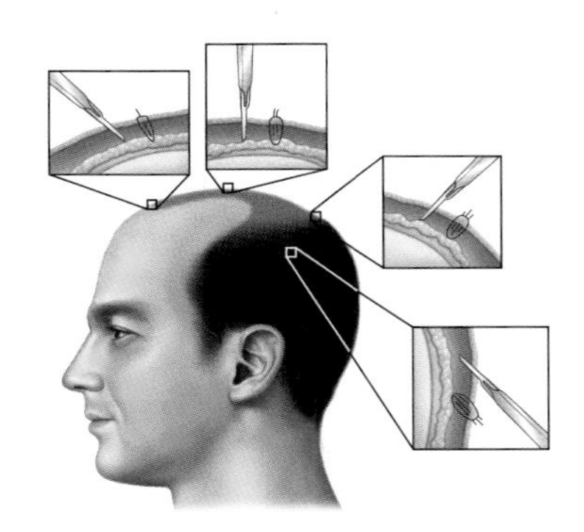

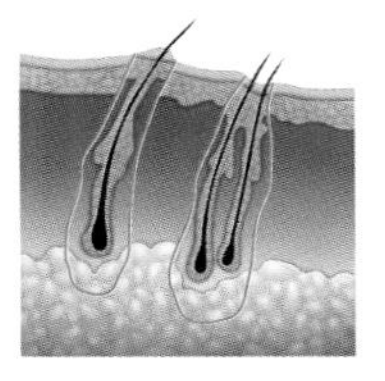

그림 4-20 모발이식 방법 모식도.

3) Patient evaluation

a. 40세 이하 환자에서 모발 공여부

뒷머리의 수직 길이를 3등분 했을 때, 중간 1/3 아래 1/3사이의 junction을 이용

b. 41세 이상 환자의 모발 공여부

뒷머리의 수직길이의 중간 지점.

- 평균 성인 두피 면적 500 cm^2 즉 50,000 mm^2 정도
- 머리털의 수는 평균 200 hairs/cm
- One follicular unit (2 hairs)/mm^2
- 전체 두피 면적의 10% 정도를 모발 이식하려면, 5,000 mm^2 면적정도의 털이므로, 5,000 follicular units 즉, 10,000 hairs가 필요. 통상적으로 정상두피의 10% 정도의 머리털이 telogen phase에 있는 것과 1회당 3,000~4,000 micrograft나 minigraft를 해 주게 되는 것을 감안 한다면, 1~2회 정도의 시술이 필요함을 예상

4) Medical treatment

가는 솜털을 굵고 길게, 새로운 털이 만들어지는 게 아님.

a. Minoxidil

모세혈관 확장작용으로 혈류 증가, 가느다란 솜털을 좀 더 굵고 긴 머리카락으로 성장 촉진, 직접적으로 모낭 상피에 작용하여 모발의 성장을 촉진, immune modulator 작용으로 모발성장 → 정수리 부위 머리카락 성장에 도움

- 여성도 가능
- 저혈압, 심질환자 금기

b. Finasteride or propecia

- Inhibitor of 5 -α-reductase type II : 남성(18~41세)용
- 체내에서 5 -α-reductase type II 효소를 차단함으로써 체내에서 DHT의 농도를 감소. 발모과정이 정상화 되고 탈모과정이 역전
- 간기능장애, 여성, 소아 금기

c. Dutasteride

5-α-reductase type I, II를 모두 억제하는 최초이자 유일한 약제

5) Surgical treatment

a. 수술의 목표

- 자연스러운 모습이 되도록
- 정상적인 앞 머리선과 정상 머리털 성장 패턴에 맞도록
- 공여부와 수여부에 최소한의 흉터가 남도록

b. 적응증

- Androgenic alopecia
- Cicatricial alopecia
- Traumatic alopecia
- Traction alopecia

c. 금기

- Diffuse female pattern baldness - 6~12개월 후 저절로 회복
- Non-donor-dominant alopecia

- Alopecia areata(원형탈모증) - 스트레스 등이 원인 6~12개월 후 저절로 회복, 부신피질 호르몬제를 국소주사로 치료
- Active scarring alopecias

d. Surgical technique

- Donor site location
  occipital & temporal area가 제일 좋음(뒷머리는 대머리에서도 잘 안 빠지므로 이식 후에도 donor dependent하니깐 잘 안 빠짐).
- Donor harvesting technique
  dissection between deep subcutanesous fat and galea fascia
- Ideal hair graft

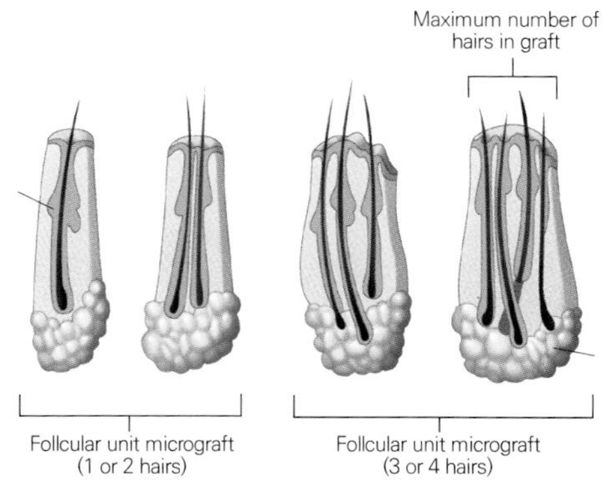

그림 4-21 Ideal hair grafts.

- 심는 각도
  - Frontal hairline : 45~60°
  - Posterior to hairline : 75~80°
  - Crown/vertex : 90°
  - Posterior to crown : 45~60°

e. Ideal gripping

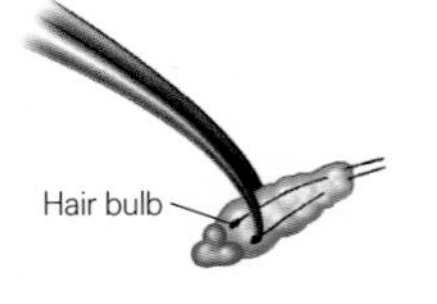

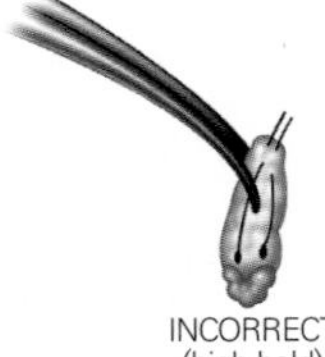

그림 4-22 Hair graft 잡는 법.

f. Follicular unit

- 한 개의 모공에서 나오는 hair follicle bundle
- 보통 1~3개의 hair 포함(2개가 제일 많음)
- 모발이식 시 흔히 사용되는 기본단위

g. Bad hair grafts

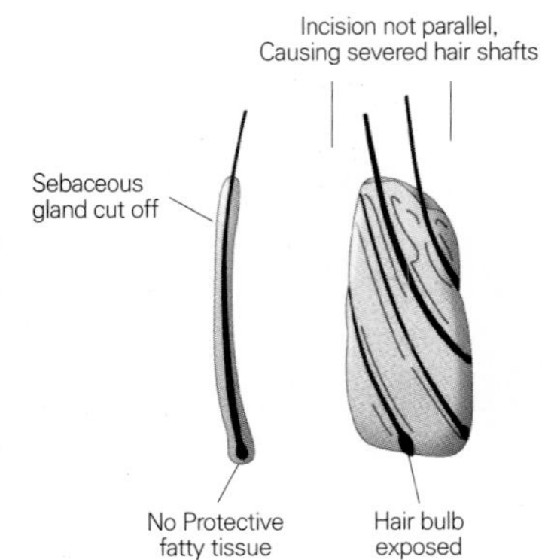

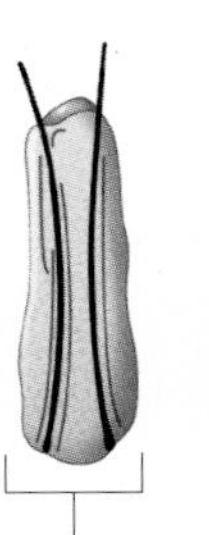

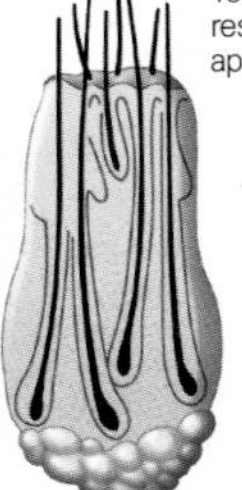

그림 4-23 잘못된 hair graft.

7) Postoperative care

a. 항생제투여(5일)
b. 수술 5일 후부터 가벼운 샴푸 및 샤워 허용(술 후 14일부터 정상적인 머리 감기가 가능)
c. Hair graft관리 - 3~4주면 crust 떨어져 나감
d. 미녹시딜 용액 사용(1~3개월)
e. 이식한 모발의 생착 및 성장과정 설명
   1개월 지나면 이식한 모발이 모근을 남기고 대부분(70~80% 빠짐)
   빠졌던 모발은 수술 후 3~4개월쯤 지나면 다시 자라남
   수술 후 6~12개월이 지나면 5~10 cm 정도 자라남
f. 직사광선을 피하도록 함

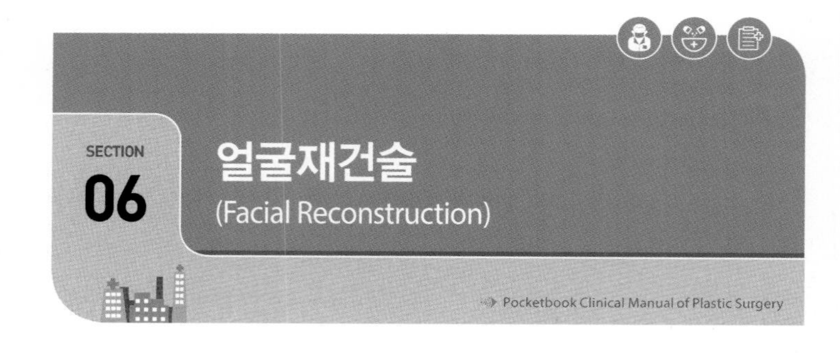

SECTION 06 얼굴재건술 (Facial Reconstruction)

A Eyelid reconstruction (written by D. H. Park MD PhD)

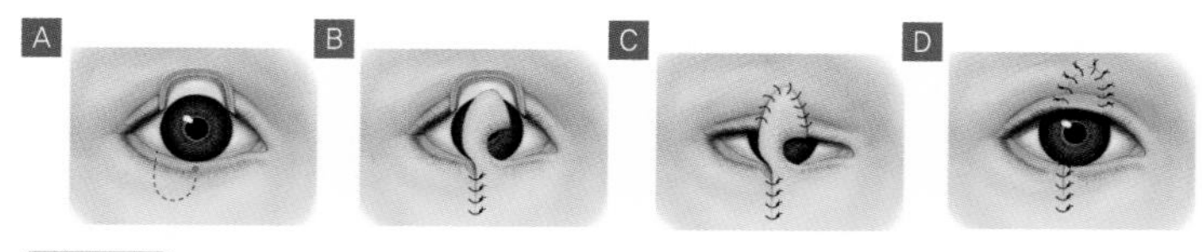

그림 4-24 Mustardé법.
A. 절개, B. 피판을 뒤집어 결막측에서 절개하고 기저부 폭이 3~5 mm되게 한다.
C. 아래눈꺼풀절개선 봉합하고 결손부에서 피판을 봉합
D. 결손부에서 피판을 봉합, 이때 회색선을 잘 맞추는 것이 중요하다.

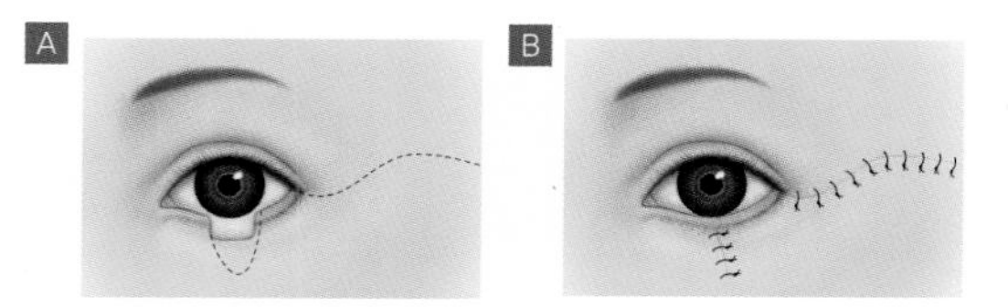

그림 4-25 협부피판에 의한 재건(Mustard 법).
A. 바깥눈구석에서 외상방으로 피부를 절개한다.
B. 피판을 내방으로 전진시켜서 결손부를 폐쇄한다.

B Nasal reconstruction

1) Defect analysis

a. 재건목표

- 기도유지
- 유사조직으로 대체
- Morbidity 최소화
- 미용적 교정

b. Aesthetic subunit of nose (Burget and Menick)

50% 이상 subuit에 결손이 포함 되어 있으면 그 subunit 전체를 재건

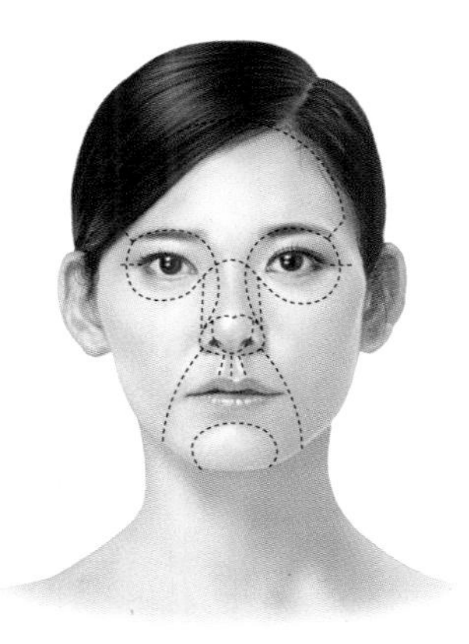

그림 4-26 코의 미적 단위.

2) Reconstruction of skin and soft tissues

표 4-1 Flap selection for nasal reconstruction with local and regional flaps based on location

Proximal third of the nose	
Central	Horizontal defect : dorsal nasal flap Round defect : glabella flap Vertical defect : V-Y flap
Lateral	Horizontal defect : glabella flap, first choice; dorsal nasal flap, second choice Vertical defect : V-Y flap Combined defect : gorehead flap
Middle third of the nose	
Central	Horizontal and round defect : dorsal nasal flap Vertical defect : V-Y flap
Lateral	Horizontal defect : dorsal nasal flap Vertical defect : V-Y flap, first choice; nasolabial flap second choice Combined defect : forehead flap
Distal third of the nose	
	Alar defect : nasolabial flap, first choice; V-Y flap, second choice Domal-alar groove defect : nasolabial flap, first choice; V-Y flap, second choice Dome defect : bilobed flap Central tip defect : bilobed flap Columella defect : composite graft, skin graft, ascending helical free flap Nasal sill defect : nasolabial flap Combined defect : forehead flap, first choice; nasolabial or extended V-Y flap, second choice

A
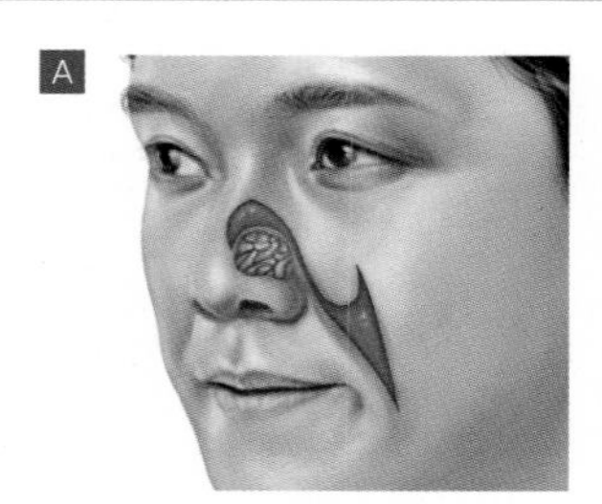

B
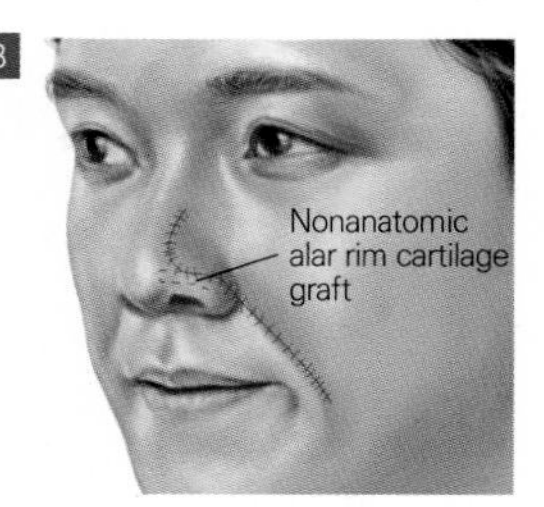

그림 4-27 Nasolabial flap.
A. flip design, B. 수술 후

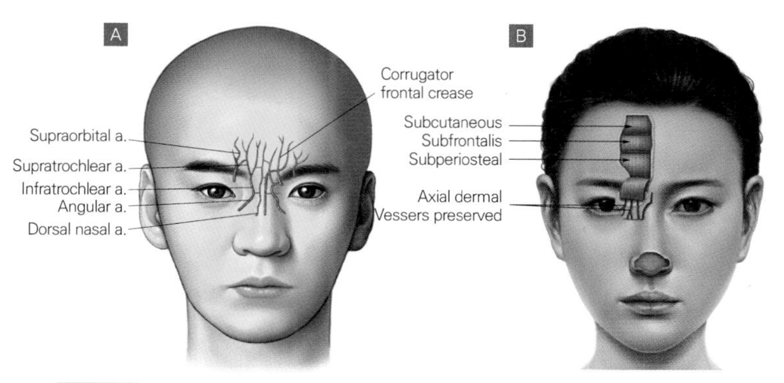

그림 4-28 Forehead flap.
A. forehead flip의 blood supply, B. layer of forehead flap

3) Skeletal / Cartilaginous support

a. Midline support

- Strut technique
- Hinged septal flap
- Septal pivot flap
- Cantilever graft

b. Alar support

- Anatomic alar graft
- Alar batten graft
- Lateral crural strut graft
- Alar spreader graft
- Alar contour graft

4) Line reconstruction

- Septal door flap : 비점막전체를 일으켜 같은 쪽 결함부위를 덮음
- Septal mucoperichondrial flap : 비점막을 크게 직사각형으로 한쪽을 일으킨 뒤 비점막 lining을 만듦

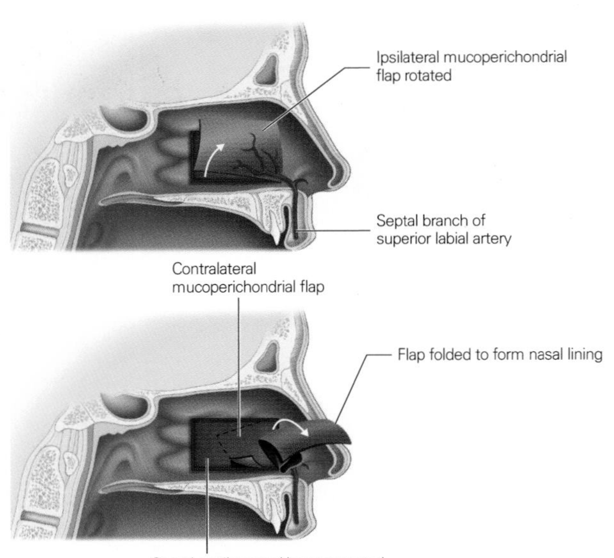

그림 4-29 Septal mucoperichondrial flap

4) Columellar reconstruction

- Nasolabial flap : 피판을 일으켜 vestibule 안쪽으로 터널을 만들어 인중을 만듦

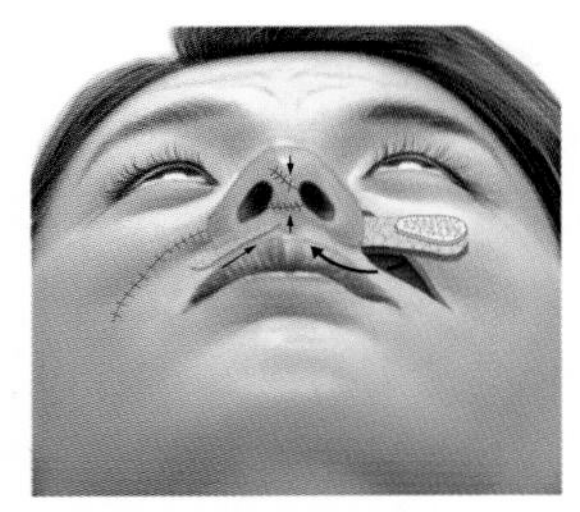

그림 4-30 Bilateral nasolabial flaps, for columellar reconstruction

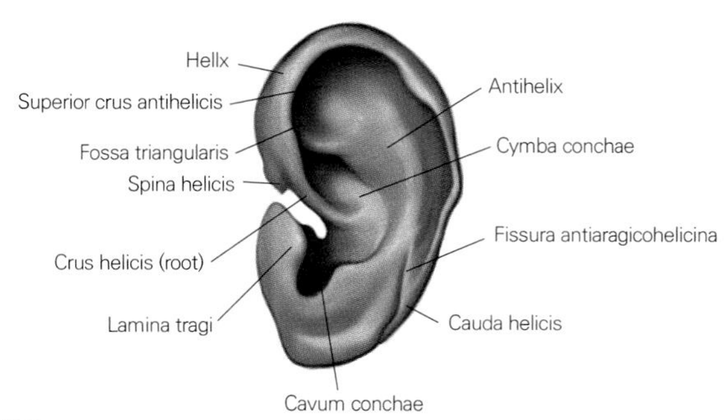

그림 4-32 외이도의 해부도

b. 귀의 미적인 모양과 위치

- 귀는 laterl orbital rim의 뒤쪽이 귀의 상연
- 귀의 정상크기 : 5.5~6.5 cm
- 폭: 전체길이의 약 55%
- 외측으로 돌출된 정도: 두피에서1~2 cm 정도
  (sup. : 10~12 mm, middle : 16~18 mm, inferio r (20~22 mm)
- 귀가 돌출된 각도 : 21~25°
- 귀의 전체 축의 각도 : 20° 정도

c. Muscle

- Intrinsic : helicis major / minior, tragicus, antitragicus
- Extrinsic : anterior / superior / posterior auricularis

d. Blood supply

Artery : post. auricular a., suprf. temporal a., occipital a.

Vein : post. auricular v., supf. temporal v., retromandibula v.

e. Nervous system

Great auricular n.

Auriculotemporal n.

Lessor occipital n.

Arnold's nervel (CN VII, XI, X)

2) Clinical classification of auricular defect (Tanzer)

- Anotia
- Complete hypoplasia (microtia)
  With atresia of external auditory canal
  Without atresia of external auditory canal
- Hypoplasia of middle third of auricle
- Hypoplasia of superior third of auricle
  Constricted (cup and lop) ear
  Cryptotia
  Hypoplasia of entire superior
- Prominent ear

3) Reconstructive algorithm

표 4-4 귀 부분 결손 재건 방법

Location	Suze	Option
Helical rim	Small (< 2 cm)	composite graft(< 1.5 cm), Antia - buch procedure, Chondrocutaneous rotation flap fig The antia-buch procedure of helical rim advancement. 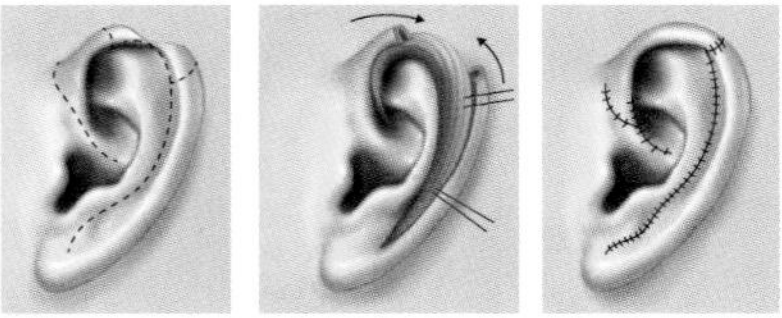
	Large (> 2 cm)	Converse's tunnel technique, Tubed - pedicle flap 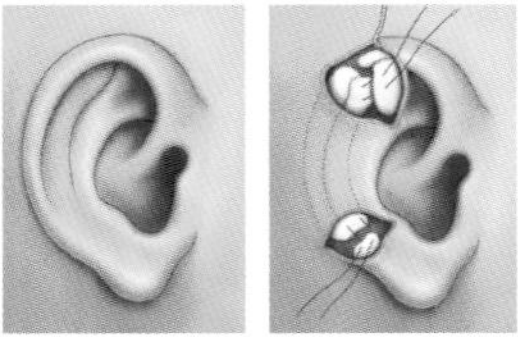
Superior 1/3	Small (< 2 cm)	Tanzer's excision Chondrocutaneous composite flap. 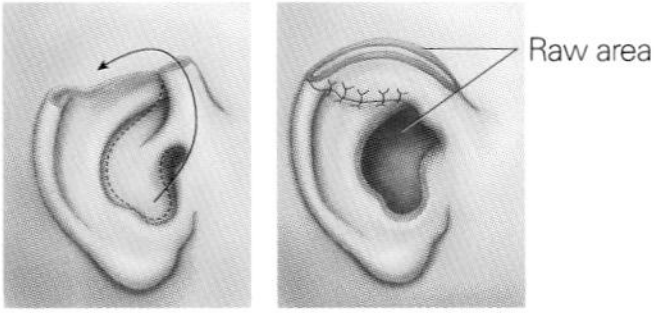
	Large (> 2 cm)	Contralateral auricular cartilage graft, Valise Handle, Condrocutaneous composite flap, Costal cartilage graft
Mid 1/3	Small (< 2 cm)	Tanzer's excision
	Large (> 2 cm)	Contralateral composite graft, Converse's tunnel technique, Diffenbach's flap
Inf 1/3		Valise handle technique

4) Microtia and total ear reconstruction

a. 수술시기

a. 수술시기에 영향주는 요인
- 귀발달의 85%가 4살 정도에 이루어짐
- 10세까지 귀의 폭은 계속 자람
- 중이수술의 필요성 - 일반적으로 귀 재건은 중이수술 전에 시행, 만약 중이수술이 먼저 시행된 경우는 이과의사가 성형외과의사와 협진하여 canal 위치, 피판의 방향, 귀 제건에 사용될 절개 위치를 서로 상의

b. Brent's technique : 4~6세(귀의 성숙이 되고 학동기가 전 나이)

c. Nagata's technique : 10세(가슴둘레가 60 cm 정도가 되어 tragus 재건에 필요한 연골을 얻을 수 있을 나이)

b. Preoperative workup

성형외과의사와 이과의사에 의해 생후 1년째 확인을 하여 재건시기를 매년 확인

a. family history

b. physical exam

c. Diagnostic study - HRCT(ossicle 평가) MRI(안면신경 주행확인)

c. Classification

a. Anotia

b. Lobular type

c. Conchal type

d. Small conchal type

e. Atypical Microtia

d. Treatment options

a. Autogenous costal cartilage graft- m/c used

b. Silastic framework

c. Porous polyethylene implant

e. Osseointegrated reconstruction

f. Tissue engineering

e. Operative techniques

- Stage I : ip silateralrib cartilage framework(6~9 번째 늑골) with tragal component
  - 피하층에 삽입(w-shaped flap)
- Stage II : Projection of contruct and skin graft 귀피판을 삽입된 늑골을 포함하여 전체를 일으켜 wedge cartilage graft로 귀를 일정 각도로 세운 후 뒷면은 피부이식을 함

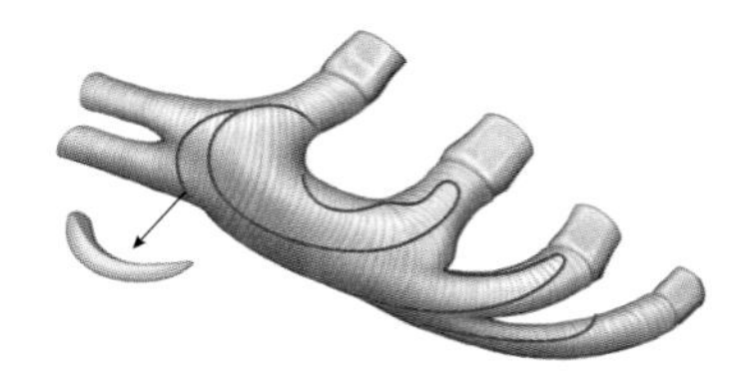

그림 4-33 가슴연골 채취디자인.

- Contralateral costal synchondrosis (Rib 6~8th)에서 주로 채취
- 소아 때 연골은 flexible, 성인 때는 stiff하여 술후 bending 염려가 없음
- Ear template을 가지고 수술 때 참고로 함

Ⓔ Lip reconstruction

1) Lip anatomy

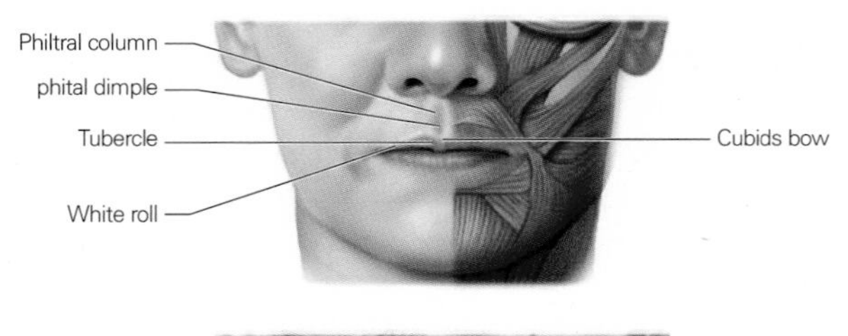

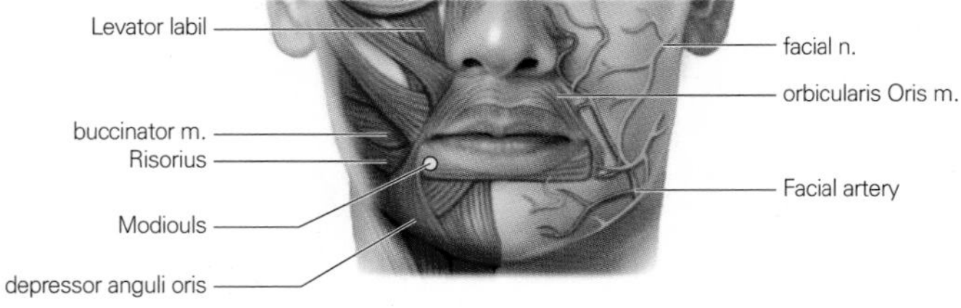

그림 4-34 정상구순 명칭 및 근육.

2) Goal of lip reconstruction

a. oral competence

b. speech

c. 미용 목적

3) Repair of vermilion defect

a. Volume deficiency alone-V-Y advancement

b. Subtotal vermilion deficiency (< 50%)

- Axial musculovermilion advancement flap
- Musculomucosal V-Y advancement flap
- Vermilion lip switch flap

c. Larger vermilion defect (> 50%)

Tongue flap

d. Total vermilion deficiency

Buccal mucosal advancement

4) Full thickness lip reconstuction

a. Primary repair - 상구순 1/3 하구순 1/4까지의 결손은 일차 봉합 가능

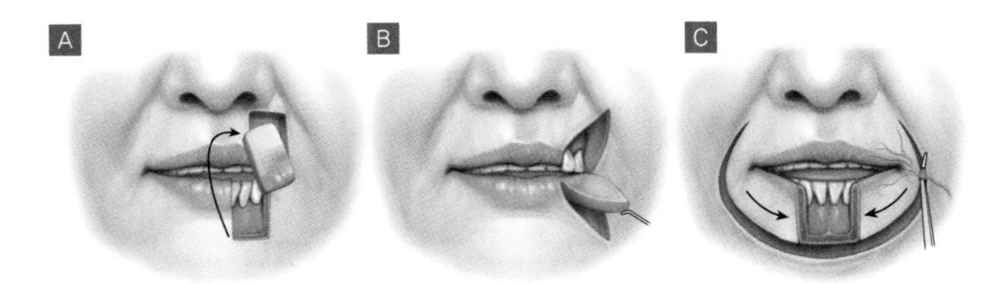

그림 4-35 입술 재건에 쓰이는 3개의 중요한 피판.
A. Abbe lip switch flap, B. Estlander flap, C. Karapandzic flap

표 4-5 3개의 피판 비교

	Abbe flap	Estlander flap	Karapandzic flap.
Indication	입술의 1/3~1/2결손이 있으며 구순각이 살아있을 경우	구순각 결손이 포함된 구순의 1/2~2/3 결손 시	구순 1/3~2/3 결손 시 사용
Advantage	구순각을 유지시키고 공여부를 일차봉합으로 마무리	single stage op.	술 후 구순 괄약근의 감각과 competence가 좋음 인중과 modiolus를 보존
Disadvantage	two stage operation, 환자가 불편해 함, 감각피판이 아님	피판에 감각 결여, 입술의 움직임이 부자연스러움.	너무 큰 결손 시 microstomia를 초래할 수 있음 상구순이 재건 후 tight 해짐

Key point

* 아주 세밀한 해부학적 정렬이 중요하다 약간만 입술 라인이 맞지 않더라도 바로 눈에 띄기 쉬움
* 윗입술의 1/3과 아랫입술 1/4은 일차봉합이 가능
* Abbe flap은 결손부위의 반 정도 폭만 디자인해도 충분
* 구순각이 결손부위에 같이 있으면 Estlander flap이 적합

SECTION
07

하악재건술 (Mandibular Reconstruction)

A Considerations in mandibular reconstruction

표 4-6 하악재건에 고려할 점

Consideration	Details
Patient's risk factors	• Smoking, old age, diabetes, malnutrition, cardiovascular disease, liver cirrhosis, nutrition • Local advanced disease, distal metastasis, recurrent or second primary cancer, postoperative radiation
Defects	• Length and location of bone defects • Size, volume, and components of soft tissue • Radiated skin and vessels, previous scarring, cosmesis
Recipient vessels	• Ipsilateral or contralateral
Selection of donor flaps	• Fibula, radius, scapula, ilium, rib, second metatarsal

B 하악결손의 분류

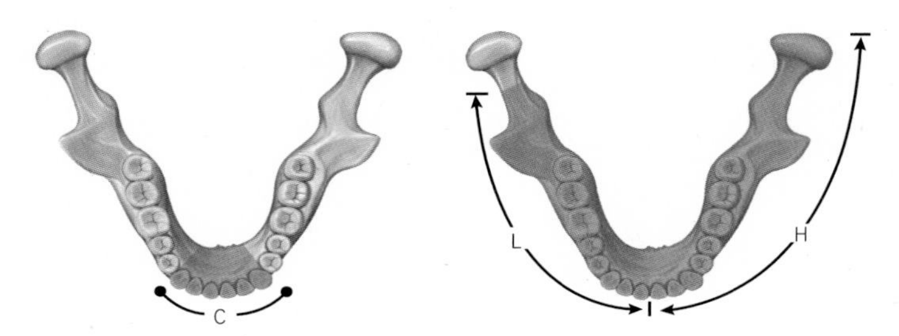

그림 4-36 HCL Classification system.

C : Central segment defect

L : Lateral segment defect of any length excluding condyle

H : Complete hemimandibular defect

C Mandible reconstruction에 쓰이는 피판

1) Soft tissue flaps

Submental flap · deltopectoral flap

Pectoralis Major, Trapezius, Lattisimus Dorsi

2) Free flap : RFFF, UFFF, lateral arm. RA˙ALT. TDAP MSAP...

Bone - carrying flaps

a. Fibular free flap – m/c choice

- Bone design - diversible
  - pedicle 길게 갈려면 distal에서 뗀다.

- 반대편과 연결하기 위해 반대편에서 fibular 뗀다.
  - Rt hemimandible, graft from Rt leg
    - angle of graft is positioned at the pedicle approximates the fibula 동측다리 디자인 시 angle에 pedicle 둠
  - Anterior graft - graft is shifted distally to increase pedicle length
  - Rt hemimandible graft from Lt leg
    - when Lt neck vessel is used as recipient vessel to maximize the length of pedicle 반대편 다리 사용 시 distal bone에서 pedicle 길게

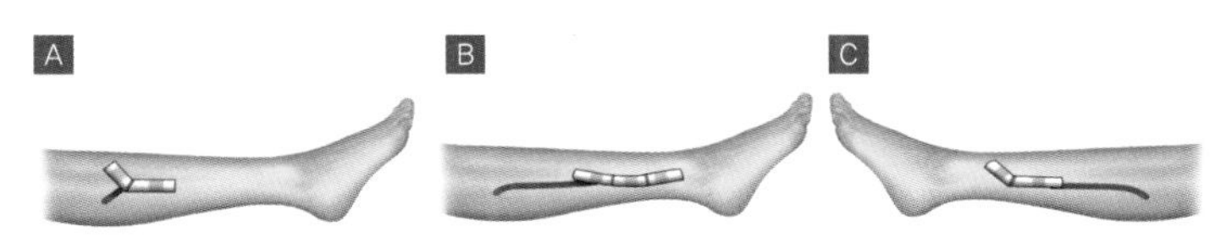

그림 4-37 Bone design for fibular free flaps.

- Advantages
  - Two team approach
  - Robust segmental blood supply
    large diameter Peroneal Artery flow-thorough pattern, 1 cm osteotome
  - Reliable skin flap
  - Combined flexor hallucis longus no functional deficit, submental filling
  - Sensate flap lateral sural cutaneous nerve
  - Separation of two skin island flaps
- Disadvantages peroneal artery - dominant legs에서는 금기
  - Two free flaps 필요 시 : fibula + radial forearm - ideal
    fibula-rectus abdominis (large volume 필요 시)
  - Flow-through pattern : fibula, radial forearm
  - Not indicated vascular problem in leg

SECTION
08

하인두 및 식도 재건 (Hypopharyngeal and Esophageal Reconstruction)

A Pharyngeal anatomy

1) Nasopharynx
2) Oropharynx
3) Hypopharynx

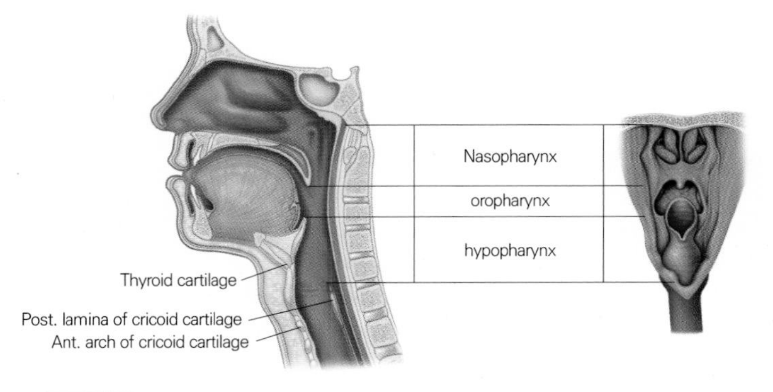

그림 4-38 인두 해부 모식도.

B General reconstruction principles

1) Nasopharynx

a. 항상 비수술적 방법을 선택
b. 재건이 꼭 필요한 경우는 fasciocutaneous flap 등 lining을 재건하는 것에 한정

2) Soft palate- thin, pliable flap을 사용

tongue base

- Speech와 swallowing 동안 dead space를 막을 정도의 bulk로 함
- Pectoralis flap

3) Hypopharynx & cervical esophagus

- Mucosa가 충분할 경우 - primary closure
- Mucosa가 불충분할 경우 - tubed pectoral flap
  radial forearm flap
  ALT flap
  free jejunum flap
- Esophageal defect-gastric pullup
  colonic interposition

Advantages and disadvantages of commonly used free flaps

표 4-7 식도 및 하인두 재건에 쓰이는 피판의 장단점

	ALT	Jejunum	Radial forearm
Flap elevation	Moderately difficult	Moderately difficult	Easy
Flap reliability	Good	Good	Good
Flap thickness	Can be too thick	Good	Good
Primary healing	Good	Best	Good
Donor site morbidity	Low	High	Moderate
Recovery time	Quick	Can be slow	Quick
Fistula rates	Low	Low	Moderate
Stricture rates	Low	High	Moderate
TEP voice	Good	Poor	Good
Swallowing	Good	Good	Good
Contraindications	Obesity, with a very thick thigh	Severe comorbidity, prior abdominal surgery	Thin patient with a small arm, radial dominance

ALT, anterolateral thigh flap; TEP, tracheoesophageal puncture

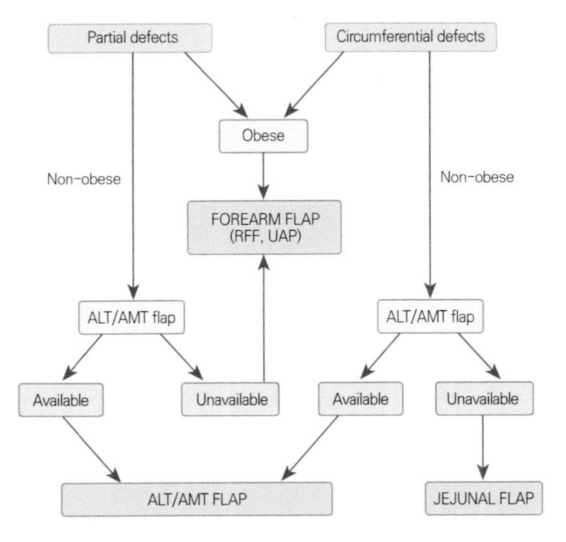

그림 4-39 An algorithm of flap selection for pharyngoesophageal reconstruction.

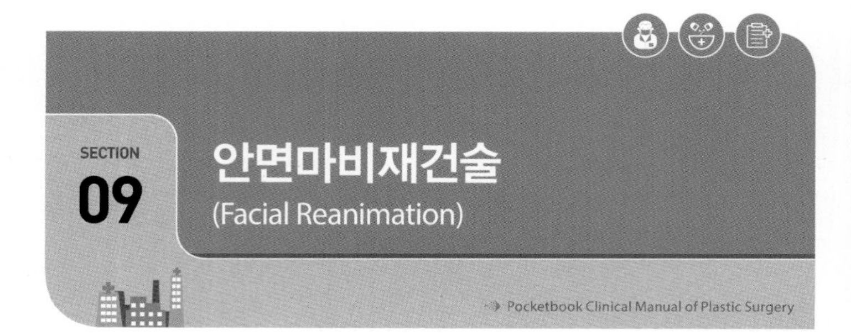

SECTION
09
안면마비재건술 (Facial Reanimation)

A Anatomy

1) Facial nerve anatomy

Innervation of 17 paired muscles & 1 unpaired sphincter muscle (orbicularis oris)

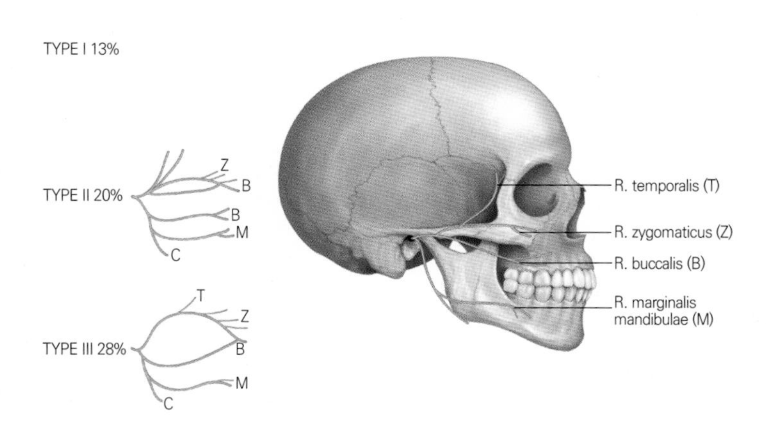

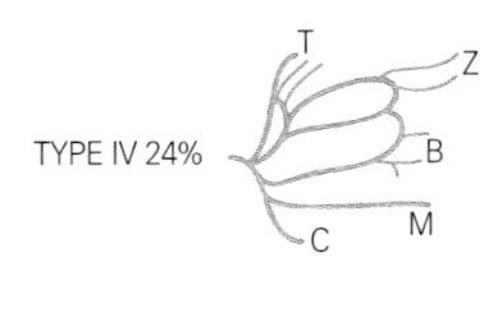

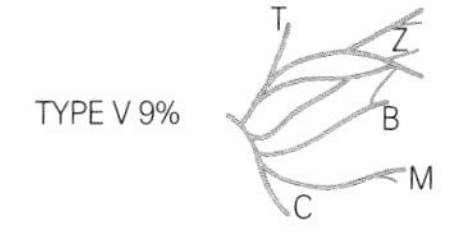

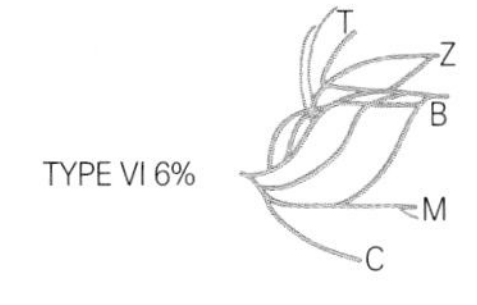

그림 4-40 안면신경해부도.

2) Facial musculature

4 Layers (Freilinger)

Layer 1 : depressor anguli oris, zygomaticus minor, orbicularis oculi

Layer 2 : depressor labii inferioris, risorius, plastysma, zygomaticus major, levator labii superioris alaque nasi

Layer 3 : orbicularis oris, levator labii superioris

Layer 4 : Most deepest - buccinator, mentalis, levator anguli oris
근육의 superficial 쪽에서 신경이 지배함

Nerves enter the deep surfaces of muscle except three deepest muscles

B Etiology

표 4-8 Classification of facial paralysis

1) Extracranial
Traumatic
Facial lacerations Blunt forces Penetrating wounds Mandible fractures Iatrogenic injuries Newborn paralysis
Neoplastic
Parotid tumors Tumors of the external canal and middle ear Facial nerve neurinomas Metastatic lesions
Congenital absence of facial musculature
2) Intratemporal
Traumatic
Fractures of petrous pyramid Penetrating injuries Iatrogenic injuries
Neoplastic
Glomus tumors Cholesteatoma Facial neurinomas Squamous cell carcinomas Rhabdomyosarcoma Arachnoidal cysts Metastatic
Infectious
Herpes zoster oticus Acute otitis media Malignant otitis externa
Idiopathic

Bells' palsy – 안면마비의 85% 정도를 차지(m/c) • 임신과 관련 • 바이러스가 안면신경을 침투 • 치료 : steroid를 24시간 내 투여시 호전 (Prednisone 60 mg/day for 5 days, tapering to 5 mg/day by the tenth day of treatment)
3) Congenital, syndromic
Hemifacial microsomia (unilateral) Möbius syndrome (bilateral)

Treatement

표 4-9 Most common surgical options for each region of the face

Brow (brow ptosis)
Direct brow lift (direct excision) Coronal brow lift with static suspension Endoscopic brow lift
Upper eyelid (lagophthalmos)
Gold weight Temporalis transfer Spring Tarsorrhaphy
Lower eyelid (ectropion)
Tendon sling Lateral canthoplasty Horizontal lid shortening Temporalis transfer Cartilage graft
Nasal airway
Static sling Alar base elevation Septoplasty

Commissure and upper lip
Nerve transfer either directly or via nerve graft to reinnervate recently paralyzed muscles Microneurovascular muscle transplantation with the use of ipsilateral seventh nerve, cross-facial nerve graft, or other cranial nerve for motor innervation Temporalis transposition with or without masseter transposition Static slings Soft-tissue balancing procedures (rhytidectomy, mucosal excision or advancement)
Lower lip
Depressor labii inferioris resection (on normal side) Muscle transfer (digastric, platysma) Wedge excision

Reconstruction of facial paralysis

1) Nerve transfer

Ipsilateral proximal facial n. sump를 사용할 수 없고 facial m.은 irreversibly atorophy가 없는 경우 hypoglossal n. or trigeminal n.의 일부를 사용하여 할 수 있다.

2) Microneurovascular muscle transplanation

표 4-10 Options for microneurovascular muscle transplantation

One-stage	Muscle innervated by ipsilateral facial nerve (if available) Muscle with long nerve segment innervated by contralateral seventh-nerve branches Muscle innervated by masseter, hypoglossal, or accessory nerve
Two-stage	Cross-facial nerve graft followed by the muscle transplantation Sural nerve is the usual donor nerve

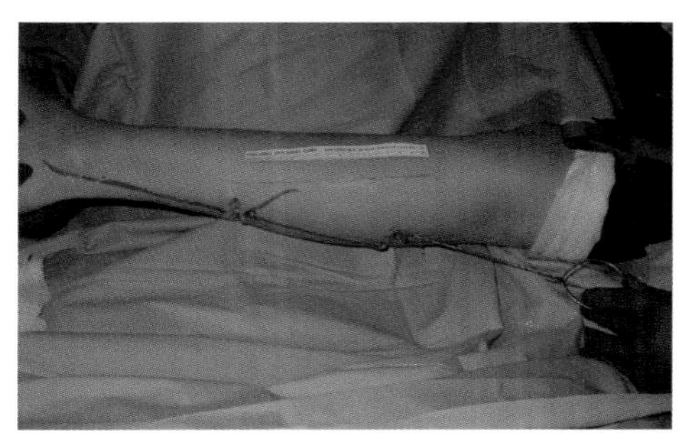

그림 4-41 Method of nerve harvest

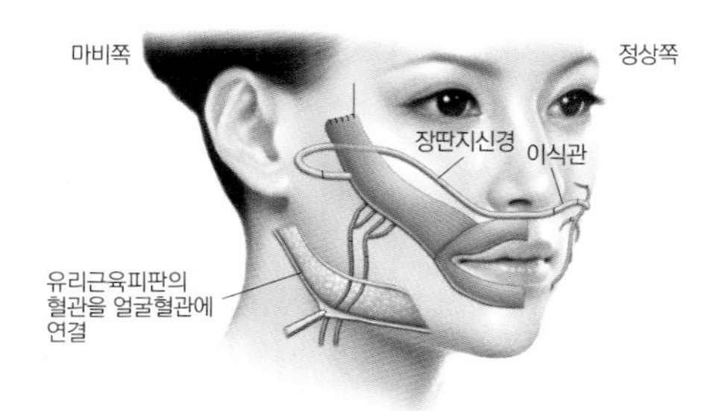

그림 4-42 Two stage microneurovascular transplantation: 먼저 Sural nerve를 이식한 다음 6개월 후 유리근육피판 이식을 한다.

3) Muscles available for microneurovascular transplantation gracilis

Pectoralis minor
Rectus abdominis
Latissimus dorsi
Extensor carpi radialis brevis
Serratus anterior
Rectus femoris
Abductor hallucis

4) Regional muscle transplantation

안 하는데 어쩔 수 없는 경우, 고령이거나 바로 effect 원하거나 할 때 사용할 수 있음.

- Temporalis m.
  - Advantage : excellent static positioning & voluntary activity
  - Disadvantage - significant temporal hollowing / bulging over zygomatic arch / no control of direction of movement
- Maseter m.
  - Advantage : good static control of the mouth
  - Disadvantage - Lack of sufficient force & excursion to procedure full smile too horizontal movement, hollowing of mandible angle
  - temporalis가 masseter보다 좋은 점 - paralyzed eye의 재활, mouth의 운동범위 증가

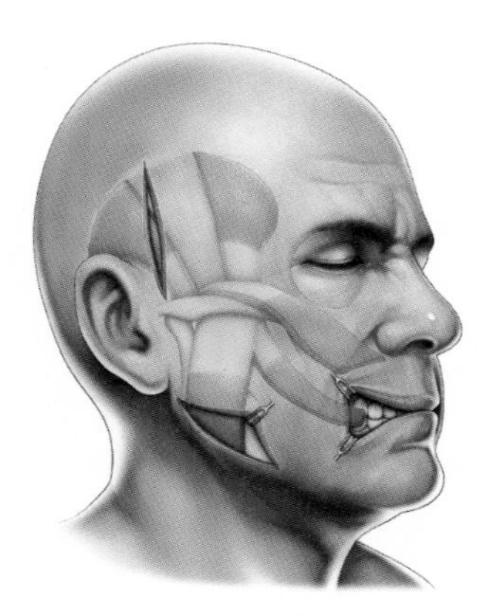

그림 4-43 Transplantation of both the temporalis and a portion of the masseter muscle to the periorbital region.

5) Static sling

- Material of static sling
  - Fascia : tensor fascia lata
  - Tendon : palmaris longus, plantaris, extensor digitorum longus
  - Prosthetic materials : Gore-Tex

    Achieve symmetry at rest without providing animation, Equal or slightly overcorrection from the resting position

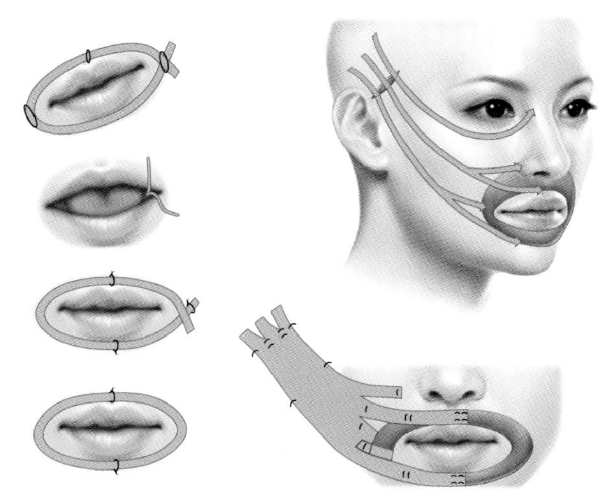

그림 4-44 Tensor fascia sling for facial palsy.

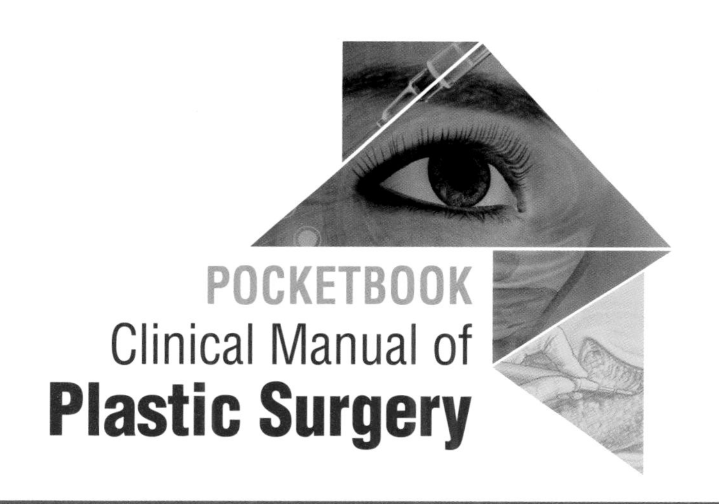

POCKETBOOK
Clinical Manual of
Plastic Surgery

Breast Surgery

Written by Dr J. S. Shim MD PhD

SECTION 01

유방의 해부와 발생 (Breast Anatomy and Development)

A 유방의 구조

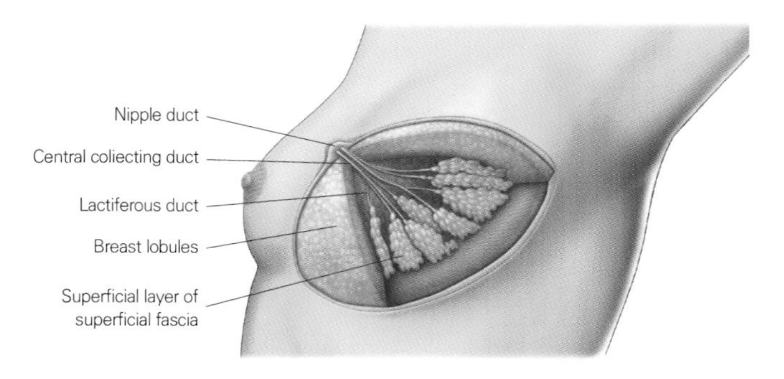

그림 5-1 유방의 구조

1) 2~3늑골-아래로 7~8늑골 사이

2) Nipple : 4번째 늑간, 16~24개의 mammary duct

3) Lobule : breast의 functional unit

유방의 혈액공급

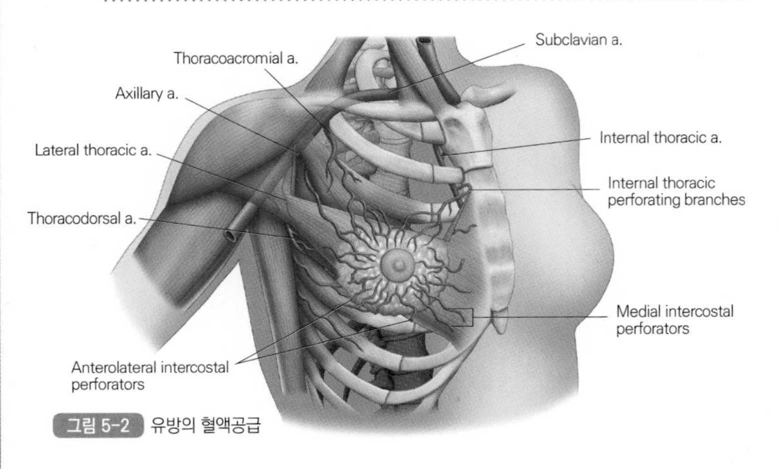

그림 5-2 유방의 혈액공급

유방의 신경지배

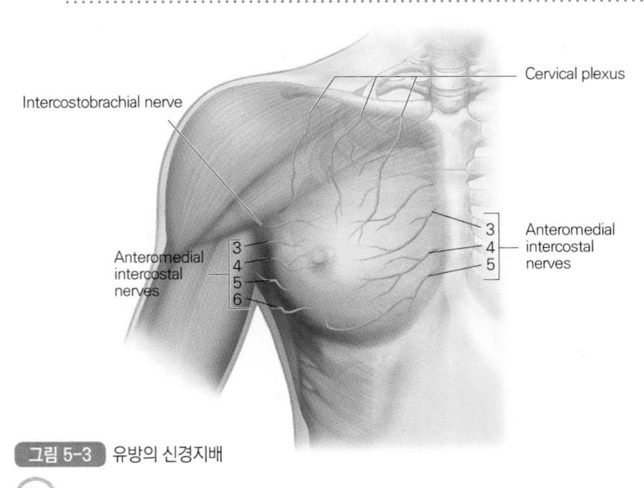

그림 5-3 유방의 신경지배

D 유방과 주변근육과의 위치관계

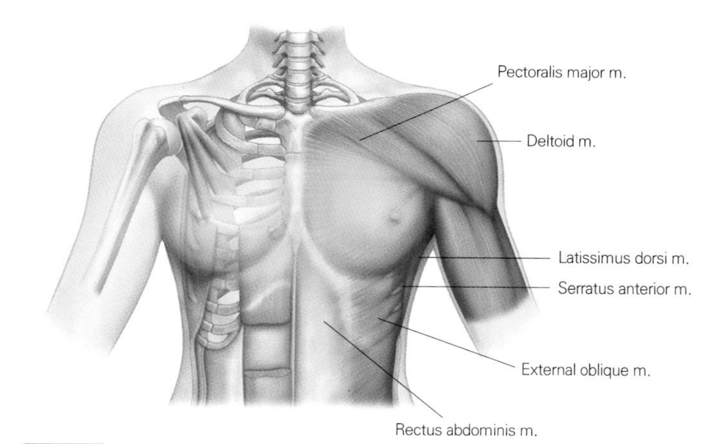

그림 5-4 유방과 주변근육과의 위치관계

SECTION

02

유방확대술
(Breast Augmentation)

A Patient evaluation

1) Medical history

a. 유방질환이나 유방암의 병력
b. 유방질환이나 유방암의 가족력
c. 임신경험 : 임신 전 · 후, 임신 중의 크기, 임신계획
d. 유방촬영(mammography) : screening mammogram - 35세 이상
- 40세 이상의 여성 : 매 2년마다
- 50세 이상의 여성 : 매년

2) Physical exam

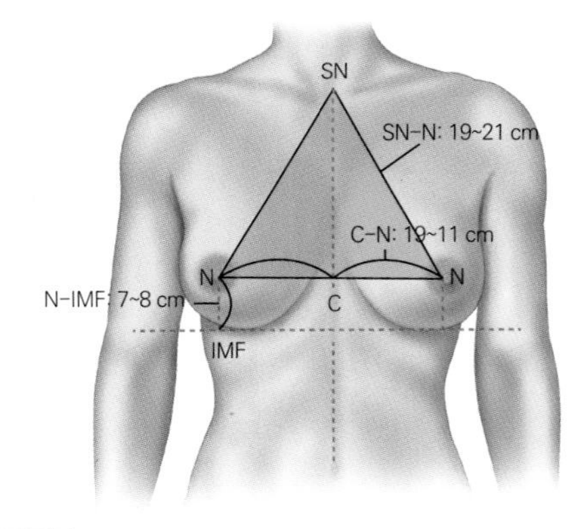

SN: sternal noch
N: nipple
IMF: inframammary fold
C: center line

그림 5-5 유두의 표준적 위치

3) Pinching test

a. 윗부분이 < 2 cm 인 경우

Subpectoral implant placement

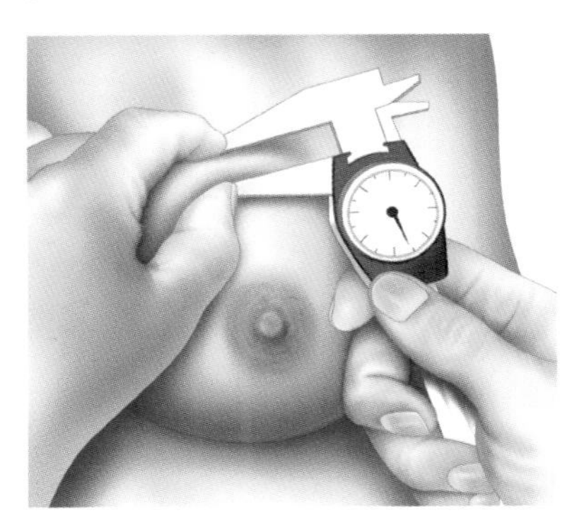

그림 5-6 Pinching test-윗부분

b. 밑부분이 < 0.5 cm 인 경우

Pectoralis major muscle 보존

Dual plane시 buttomig out 초래 가능성

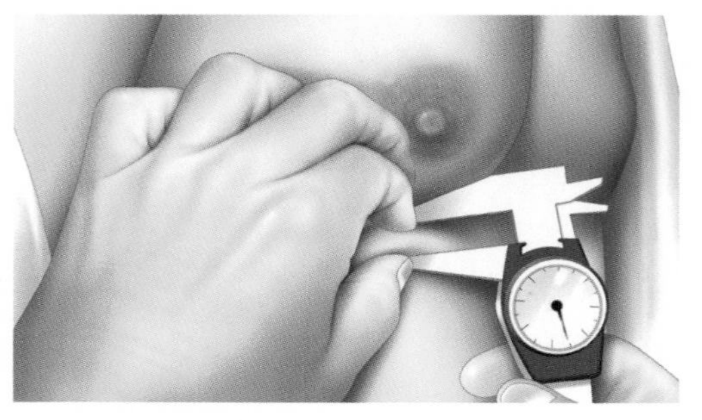

그림 5-7 Pinching test-아랫부분

B Implant choice

1) Volume

a. Patient preference

b. Surgeon's experience

125~150 mL 정도가 브래지어 한 컵 사이즈를 증가시킬 것으로 예상

c. Breast analysis

d. Intraoperative breast sizers

- Breast dimension

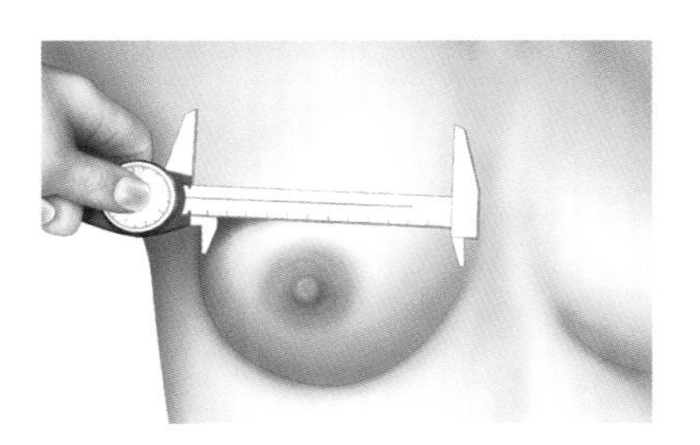

그림 5-8 Breast diameter 체크

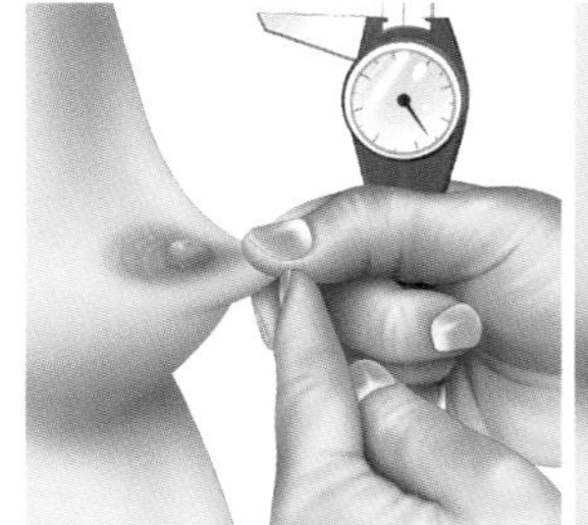

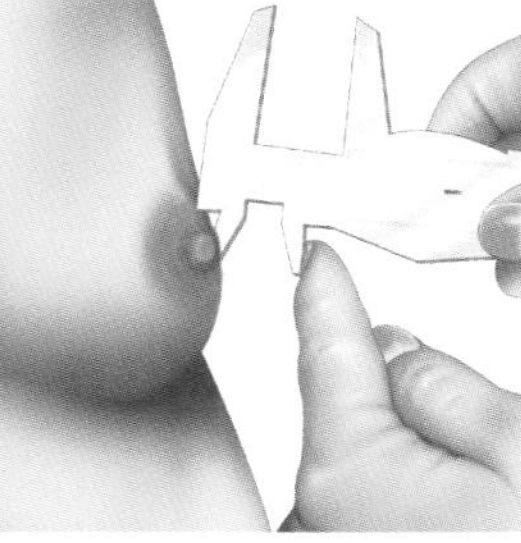

그림 5-9 Nipple 주위를 당겨보고 2 cm가 넘으면 높은 implant, 2 cm보다 작으면 낮은 implant

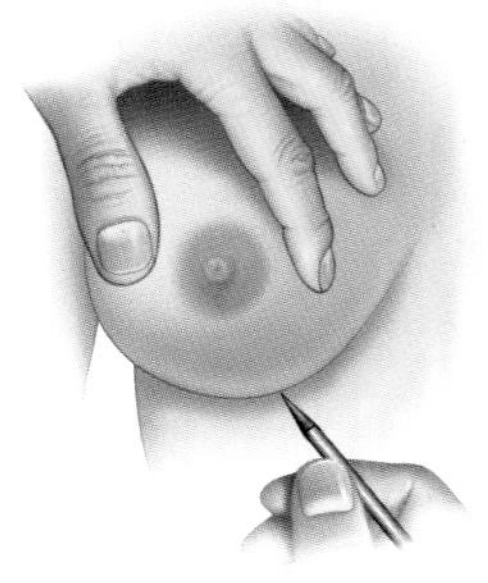

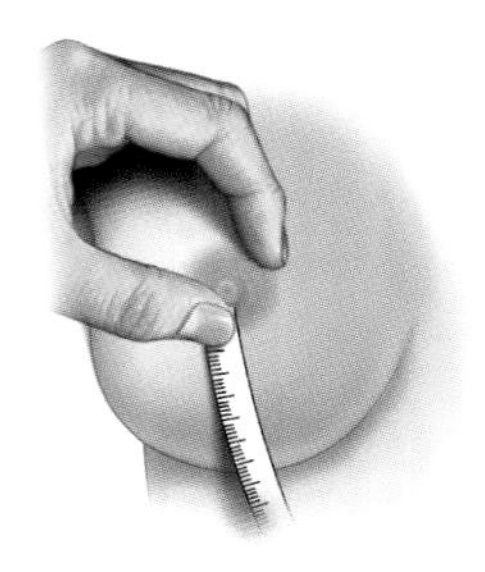

그림 5-10 Nipple에서 infra-mammary told까지 거리측정 9.5 cm보다 길면 높은 implant 사용

측정 결과 이외에 upper pole의 fullness나 prjection의 정도에 대한 환자의 요구에 따라 종합하여 implant의 크기 및 종류를 최종 결정

2) 유방 implant 내에 들어 있는 물질

a. Saline : Silicone 보다 만졌을 때 자연스럽지 못하나 구축 발생률이 적고 누출되더라도 인체에 해가 없다.

b. Silicone : Saline 보다 감촉이 자연스러우나 구축률이 높다.

3) Surface

a. Textured

- Technique
  Implant의 술 중 positioning이 중요(pocket 안에서 이동이나 회전이 잘 되지 않으므로 IMF에 맞추어 base를 적절한 곳에 잘 맞추어 주어야 함)

b. Smooth

- Advantage
  - 덜 만져지므로 피부가 얇은 환자에게 유리

4) Dimention/shape

a. Round (Circular implant)

- High profile
  - Base width에 따라 projection이 증가
  - 적은 volume으로 높은 projection의 효과
  - Constricted lowe pole을 가졌거나 breast base width가 좁은 환자에게 좋은 효과

b. Anatomic (Implant height different than width)

- 유방모양에 따라 implant의 height과 projection이 증가되므로 좀 더 자연스런 유방을 만들 수 있다.
- Upper pole은 낮고, lower pole은 풍만
- Position을 유지시키기 위해서 textured를 사용

C Incision choice

1) Inframammary fold

Technique

예정된 IMF 위치에 incision, incision의 2/3정도가 nipple의 lateral에 있도록 함(시야를 좋게 하기 위함). 단점은 흉터가 눈에 띈다는 것이다.

2) Periareolar

Technique

- Areola의 lower half area에 areola와 skin의 경계를 따라 incision
- Dissection option
  - Direct dissection
    - Through breast parenchyma
  - Stair-step dissection

3) Transaxillary

Technique

- 현재는 endoscopic technique를 많이 사용하며 유방 자체에 흉터를 남기지 않아 좋음
- Axilla의 highest portion에 2~3 cm의 incision
- Pectoralis border뒤 1 cm까지 superficial subcutaneous plane으로 박리, pectoralis의 posterolateral border에서 subpectoral 또는 subglandular plane으로 들어가는 incision을 가함

TIP

Axilla에서는 deep dissection을 하지 않음
intercostobrachial n.와 median brachial cutaneous n.가 손상받기 쉬움

4) Transumbilical

Technique

- Superior umbilical incision을 통하여 접근 - 현재는 별로 사용하지 않음

D Pocket plane and dissection

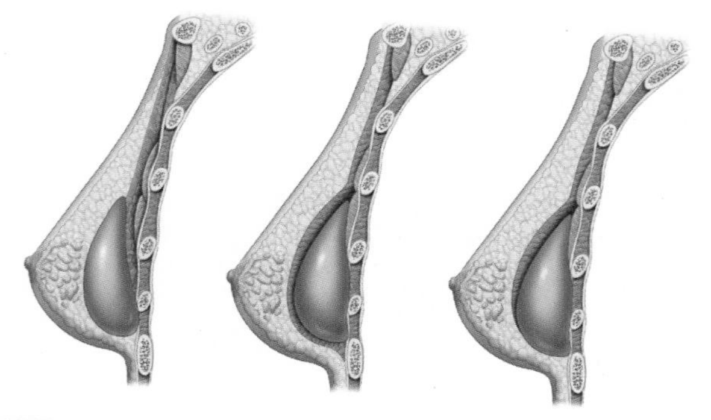

그림 5-11 유방삽입물의 위치.
A. Subglandular, B. Subpectaral, C. Biplanar (dual plane)

1) Subglandular

a. Advantage

- Good projection과 shape(모양이 자연스럽고 좋음)
- 근육이 발달했거나, 활동이 많은 환자에 있어 distortion을 피할 수 있음

b. Disvantage

- 구축률이 높음

- Implant edge가 만져짐
- Mammography에 방해가 될 수 있음

c. Contraindication

- Thin parenchymal coverage (upper pole의 pinch test에서 2 cm 이하)

2) Subpectoral

a. Advantage

- 구축률이 낮음(< 10%)
- Thick soft tissue coverage
- Nipple sensation의 보존이 좋음

b. Disvantage

- Pectoralis 수축에 의한 dancing breasts
- Implant가 lateral displacement 될 수 있음
- Upper pole fill을 조절하기 어려움

c. Relative contraindication

Muscular and active patient

3) Biplanar (dual plane)

a. Advantage

- Upper pole은 subpectoral coverage, lower pole을 subglandular
- Implant가 parenchyma와 접촉면이 많아지는데, 이는 lower pole을 확장시키기 때문. 그러므로 double - bubble deformity를 예방

E Inframammary fold와 implant size와의 관계

- N : IME와 implant volume과의 관계

대략적으로 Nipple Areolar Complex (NAC)와 inframmary fold (IMF)의 거리가 7 cm 이면 250 cc implant가 적당하고, 8 cm : 300 cc, 8.5 cm : 350 cc, 9 cm : 375 cc, 9.5 cm : 400 cc

일반적으로 NAC에서 IMF까지의 거리는 implant의 반지름, breast base width의 절반

F Technical point

- Perioperative antibiotics (수술 30분 전 1세대 cephalosporin)
- Precise dissection
- Meticulous hemostasis
- Hand - switched monopolar cautery
- Talc - free gloves
- Triple antibiotic solution
  50,000 unit bacitracin, 80 mg gentamicin, 2 gm cefazolin in 500 cc saline (soak pocket 5분)
- Deep closing suture placed before implant inserted, with knots away from implant
- Skin wiped with antibiotic solution
- Gloves changed before insertion of permanent implant
- "No tuouch tenchnique" prevent implant contamination from skin
- Sterile saline injected through closed system

G Postoperative care

1) Medications

a. Pain control 약제 사용
b. Pectoralis relax 위해 carisoprodol을 사용
c. Antibiotics

2) Brassiere and dressing

a. 6주간 Steri - Strips
b. Brassiere optional : 6주 동안은 wire가 있거나, push - up bra는 금지

3) Activity

a. 에어로빅은 2주 후부터
b. 무거운 것을 드는 것은 6주 후

H Complications and consent

1) Capsular contracture

a. Baker classification system

- I : normal, soft, nonpalpable implant
- II : palpable, minimally firm, not visible
- III : visible, easily palpated, and moderately firm
- IV : painful, hard, breast distorted

b. Etiologic factor

- Subclinical infection : Staphylococcus epidermidis(most common)
  Hypertrophic scar hypothesis

c. Time course

- 대부분 1년 안에 발생
- 늦게 발생하는 경우는 systemic bacterial seeding에 의하거나, capsular maturation으로 인해 이차적으로 발생

d. Treatment

- Capsulectomy
- Open capsulotomy
- Controlled scoring through capsule, concentric and radial
- Breast massage and displacement exercises
- Pharmacotherapy
- Leukotriene inhibitors : potential for rare liver toxicity
- Papverine hydrochloride
- Oral vitamin E
- Intraluminal steroid : reduced contracture, but higher rate of implant rupture, skin erosion, atrophy, ptosis, Cyclosporine, mitomycin
- 37~89% recurrence

2) Leak or rupture

3) Capsular calcification

4) Nipple sensation

15%의 환자에서 영구적 손상

5) Hematoma

6) Clinical infection of implant

발생 시 대개 implant를 제거 / Implant salvage

7) Asymmetry

8) Migration and tissue changes

A Terminology

Mastopexy

a. Breast ptosis를 교정하기 위한 surgical procdure

b. "Breast lift"

B Classification

1) Regnalt classification

a. Grade Ⅰ ptosis (mild ptosis)

NAC가 IMF level

b. Grade Ⅱ ptosis (moderate ptosis)

NAC가 IMF level보다 아래에 있는 경우(1~3 cm)

c. Grade Ⅲ ptosis (severe ptosis)

NAC가 IMF level보다 완전히 아래에 있으며(〉3 cm), 유두가 lower pole 보다 밑에 위치

d. Pseudoptosis or glandular ptosis

- NAC가 IMF level보다 위에 있으나, 유방조직의 상당부분이 아래로 처져 있는 경우
- Nipple과 IMF 사이의 거리가 길어진 경우

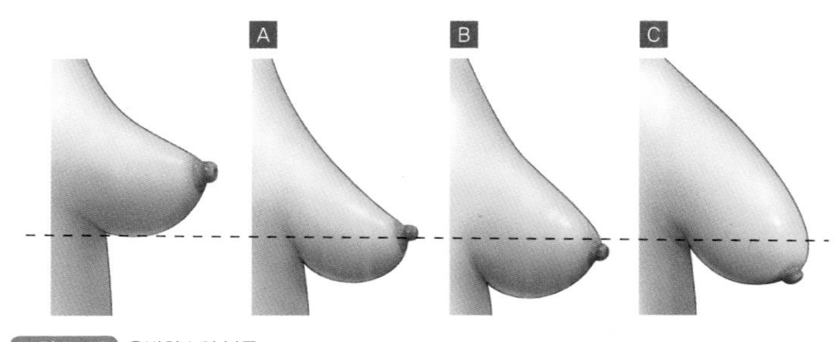

그림 5-12 유방하수의 분류.
A. Grade I, B. Grade II, C. Grade III

C Mastopexy techniques

1) Periareolar technique

a. General

- 절개선은 유륜주위
- Scar는 유륜주위에 해바라기 모양으로 발생

b. Patient selection

- Mild, moderate ptosis 환자
- 피부상태가 비교적 좋은 경우

c. Techniques

- 유륜주위의 탈상피화 후 봉합

- Benelli technique
  - 새로운 유륜의 크기를 결정 후 남는 피부를 절제
  - 유방조직과 피부피판을 박리
  - 유방조직을 절개하고 내측, 외측 피판을 중앙에 교차하여 고정
  - "purse-string" suture로 피부봉합

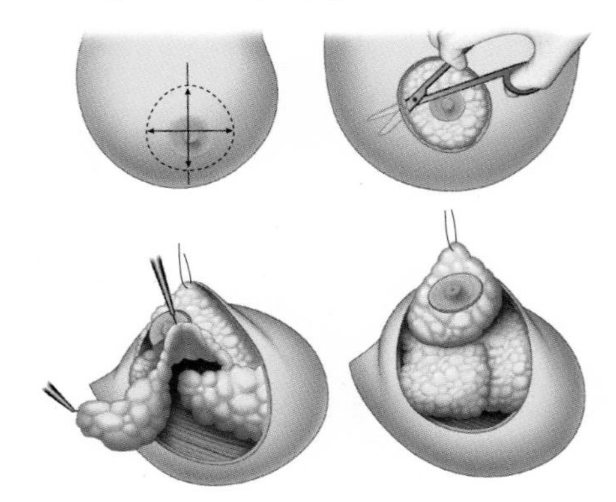

그림 5-13 Periareolar technigue of mastopexy.

2) Vertical scar techinique

a. General

- Vertical reduction mammoplasty의 변형된 방법
- 절개선은 유륜주위에서 IMF방향으로 시행

b. Patient selection

모든 grade의 ptosis에 가능

c. Technique

- Vertical mastopexy without undermining (Lassus)
- Verticla mastopexy with undermining and liposuction (Lejour)
- Short scar periareolar inferior-pedicle mastopexy (Hammond)
- Medical-pedicle vertical mastopexy (Hall-Findlay)

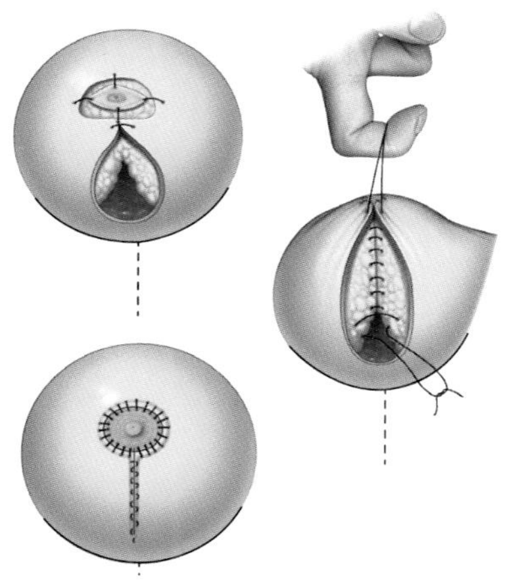

그림 5-14 Vertical mastopexy.

3) Inverted-T scar technique

a. General

유륜주위와 수직 절개 반흔, IMF의 수평반흔이 남게 됨

b. Patient selection

- Severe Ptosis 환자
- 피부 상태가 좋지 않거나 지방성분이 많은 유방환자

c. Technique

주로 wise-pattern skin incision을 이용

D Postoperative care

- 수술 후 1~3일 후 배액관 제거
- 통증 조절
- 수술 후 6주 정도 supportive bra 착용
- 필요하면 수술 후 1년 후 Scar revision 고려

E Complications

1) Hematoma

2) Infections

3) Wound healing problem

4) Nipple and breast asymmmetry

5) Scar deformity

6) Recurrent ptosis

F Special considerations

1) Augmentation-mastopexy

a. Upper pole fullness가 없는 유방에 mastopexy와 동시에 augmentation을 시행하기도 함

b. Moderate 또는 severe ptosis환자에서는 단계적으로 실시할 수도 있음

2) Mastopexy after explantation

a. Implant를 제거한 후 ptosis가 발생

b. 대부분 capsulotomy와 implant 교체 삽입으로 교정 가능

3) Tuberous breast deformity

a. Definition

- 유방의 vertical, horizontal dimension의 발육부족
  - Constricted breast base (narrow base)
  - High imframammary fold
  - 유방실질조직이 유륜부로 herniation 되어 유륜이 상대적으로 큼

b. Treatment

- 유방의 둘레 및 lower pole 피부를 확장
- 유방과 유륜의 유착을 이완
- IMF의 위치를 하향조정
- 유방의 크기를 확장
- 유륜의 크기를 줄이고 herniation 교정
- 유두의 위치와 ptosis 교정
- Inferior skin deficiency가 심할 경우 조직 확장이 필요할 수 있음

SECTION 04

유방축소술 (Breast Reduction)

A Aesthetics(예쁜 유방의 표준치)

- NAC : 지름 38~45 mm
- Sternal notch nipple의 거리 : 21 cm
- Nipple IMF까지의 거리 : 6.9 cm

B Indication for surgery

1) Symptoms

a. Back pain
b. Neck pain
c. Chronic headache
d. Shoulder grooving
e. Infection, rashes, maceration

Ⓒ Surgical options

1) Suction lipectomy

2) Surgical lipectomy

3) Pedicle designs

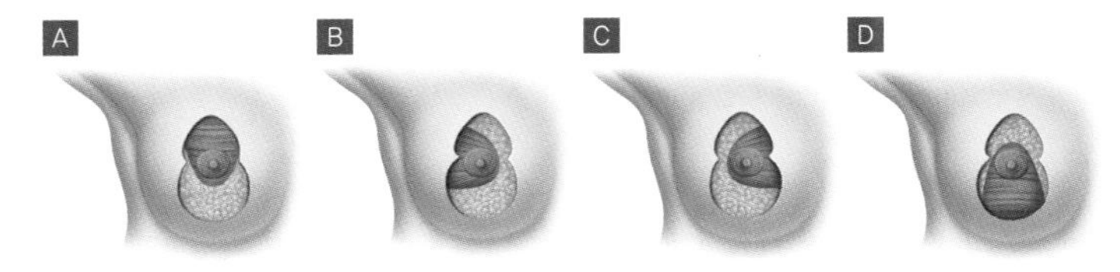

그림 5-15 Pedicle design.
A. sup. pedicle, B. lat pedicle, C. med. pedicle, D. inf. pedicle

a. Inferior pedicle technique

- 2,500 g 정도까지 제거 가능
- 72%에서 수유 가능
- Nipple 감각 보존
- Pedicle width : 약 6~8 cm

b. Superior pedicle technique

- ptosis가 적게 발생
- thin pedicle이 필요
- Skin 감각 보존
- 수유가 힘들 수 있음

c. Central pedicle technique

- Inferior pedicle의 변형
- 혈액공급 자체는 inferior pedicle과 유사하지만, 주된 경로는 glandular component

d. Medial pedicle

- Pedicle이 짧아 insetting이 용이
- 감각 보존
- Reliable pedicle
- 수술 후 pseudoptosis 줄일 수 있음
- Horizontal bipedicle (Strombeck)의 변형
- Dermal 또는 dermoglandular pedicle

4) Skin resection patterns

대개 pedicle design에 따라 skin resection pattern을 정하게 됨

Inverted T pattern	Vertical pattern	Circumareolar pattern
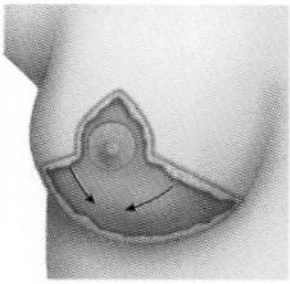	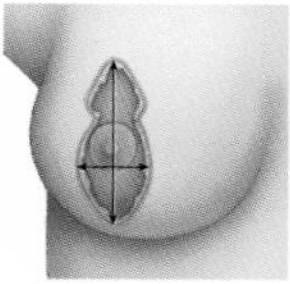	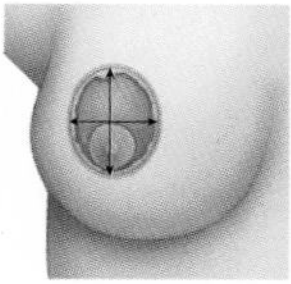

그림 5-16 피부 절제 패턴

5) Free - nipple grafting

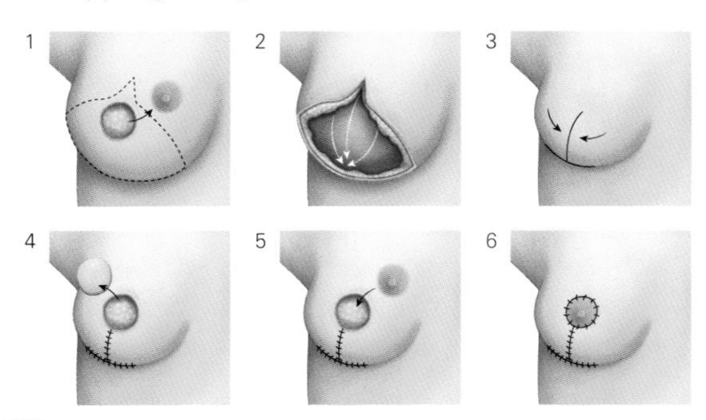

그림 5-17 Free nipple grafting technique

D Complication

- NAC의 괴사
- 유두 감각 변화
- 보기 싫은 흉터
- 상처 치유 지연
- 수유
- 기타 : 지방 괴사, 비후성 반흔, 비대칭, 통증, 축소량의 과다 또는 부족, 감염, 유방 모양의 변형

E Cancer detection

- 25세 이상의 환자에게서 수술 전에 mammogram 시행
- 수술 시 잘라낸 조직은 병리조직검사 시행
- 술 후 3~6개월 후 mammogram 시행

A Definition

남성에 있어서 유방부위의 지방축적이나 유방의 실질 또는 섬유성 간질조직의 증식

B Epidemiology

- 32~36%의 incidence
- 사춘기 소년의 65%
- 75%에서 양측성

C Etiologic factor and classification

1) Clincal classification

a. 원인불명

b. Physiologic

- Neonatal : 모체의 estrogen이 태반을 통해 전달
- Pubertal : estradiol이 testosterone에 비해 상대적으로 과도하게 존재
- Elderly : testosterone의 감소, testosterone의 estrogen으로의 전환

c. Pathologic

간경화, 부신종양, 갑상선 기능항진증, 부신증식, 정소종양, 성선기능 저하증

d. Pharmacologic

마리화나, Ca-channel blocker, spironolactone, cimetidine, ketoconazole, anabolic steroids

2) Histologic classification

Stromal & ductal classification에 따라 fluid, intermediate, fibrous type으로 분류

D Risk of malignant transformation

Klinefelter's syndrome일 경우 일반적인 경우의 60배 발생 위험

E Preoperative examination

1) History

a. 발생시기
b. 기간
c. 증상
d. 약물복용
e. 과거 병력

2) Physical examination

a. 유방 : 지방과 유방조직의 비율, 하수, 과도한 피부의 정도, 종괴 유 · 무
b. Testicular exam
c. 갑상선, 간, 기타 복부 장기의 종괴 소견
d. 탈모
e. 여성적 특징
f. 핵형 분석: 47XXY
g. 호르몬 검사 : FSH, LH, serum testosterone, estradiol, β-HCG

F Staging

- Grade Ⅰ : minimal hypertrophy (< 250 g), no ptosis
- Grade Ⅱ : moderate hypertrophy (250-500 g), no ptosis
- Grade Ⅲ : severe hypertrophy (> 500 g), grade I ptosis
- Grade Ⅳ : severe hypertrophy. Grade Ⅱ, Ⅲ ptosis

G Management

1) Idiopathic

a. 경과관찰
b. 비만할 경우 체중 감량
c. 수술

2) Physiologic

a. Tamoxifen을 사용해 볼 수 있음
b. Testosterone, antiestrogen이 일부에서 효과

3) Pathologic

원인 질환 치료

4) Pharmacologic

유발 약물 제거 또는 교체

H Surgical options

Technique

a. 유륜주위 또는 유륜하 절개
b. 유두 재위치 시키기 위해 적절한 dermal 또는 glandular pedicle 사용
c. Free nipple grafting
d. Liposuction
- IMF의 inferolateral aspect에 절개
- 방사선방향으로 전체 가슴에 걸쳐 시행
- IMF는 파괴시킴
- Upper lateral pectoral region은 피하도록 함

I Result and complications

- Overcorrection / undercorrection
- 흉터
- 혈종, 장액종
- 피부괴사, NAC 괴사
- 감염
- 유두 감각 이상
- 재발

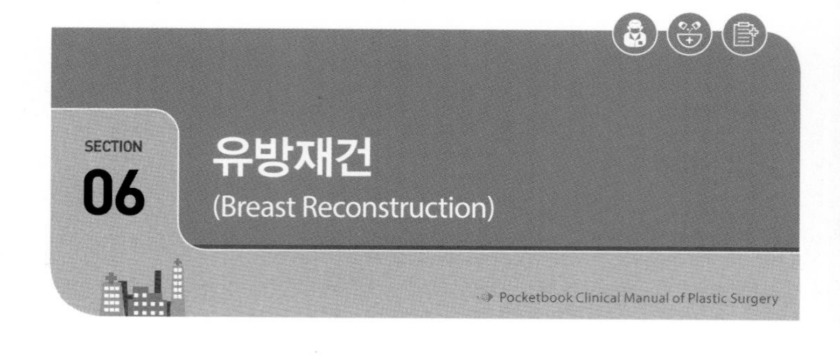

A Timing

1) Immediate reconstruction

a. Advantage

- Body image 변형에 대한 충격이 적음
- Single stage procedure이므로 경제적
- 자연스러운 피부 피판을 유지하여 사용
- 본래의 breast landmark를 그대로 사용하므로 미용적 결과가 우수
- 유리 피판을 할 경우 수혜부 혈관박리가 용이
- Stage I, Ⅱ 환자에게 주로 적용:술후 방사선 치료 불필요

b. Disadvantage

- 술후 방사선 치료를 하게 될 경우 피판의 지방괴사 및 변형이 올 수 있음
- 술후 합병증으로 인해 항암치료가 지연

2) Delayed reconstruction

a. Advantage

- 술 후 항암치료나 방사선 치료에 영향을 주지 않음

- 병기가 진행된 경우 (stage Ⅲ, Ⅳ)의 경우 병의 경과를 추적관찰

b. Disadvantage

- 유방조직을 덮는 피부와 breast landmark (IMF 등)가 소실
- Axilla와 chest의 섬유화로 수혜부 혈관 박리에 주의
- Immediate reconstruction 보다 큰 부피의 피판이 필요

B Considerations

- 적절한 환자의 선택
- 추가적인 항암치료 및 방사선치료 유·무
- 공여부 이환율
- 수술자의 경험 및 선호도
- 반대편(정상) 유방의 크기 및 모양
- 예상되는 피부 결손의 크기

C Implants and tissue expanders

1) Advantage

a. Autologous reconstruction보다 경제적
b. 술기가 비교적 쉬움
c. 유방절제술 절개선을 그대로 이용, 공여부 이환율이 없음
d. 짧은 수술시간과 회복기간

2) Disadvantage

a. 경과가 지남에 따라 이차수술 등이 필요할 수 있음
b. 피막 구축

c. Implant 파열 및 valve failure 가능성
d. 감염 시 implant 제거
e. 자연스러운 유방 하수 및 IMF를 만들기 어려움
f. 비대칭이 오기 쉬움

3) Two-stage immediate breast reconstruction with tissue expander and implant

a. 유방절제술 후 피부 피판의 긴장을 최소화하기 위해 시행
b. 최종 유방 크기를 적절하게 조절할 수 있음

4) Implant and tissue expander size and shape

a. 유방의 base 크기를 고려
b. Tissue expander의 높이는 upper pole expansion 필요량에 따라 결정
c. 술전 또는 반대측 유방의 크기, 모양, 돌출 정도를 고려

D Latissimus dorsi flap

1) Advantage

a. Small-medium size의 유방
b. Tissue expander와 implant를 이용할 경우 더 좋은 미용적 결과를 얻을 수 있음
c. 신뢰할 수 있는 혈관경(thoracodorsal artery & vein)
d. 공여부 이환율이 적은 편

2) Disadvantage

a. 높은 장액종 발생률 : 79% 이상의 환자, progressive tension suture 사용
b. 유방의 돌출 및 크기를 위해 expander나 implant가 필요할 수 있음

3) Variation

a. Extended latissimus dorsi musculocutaneous flap
b. Muscle - sparing latissimus dorsi flap
c. Thoracodorsal artery perforator flap

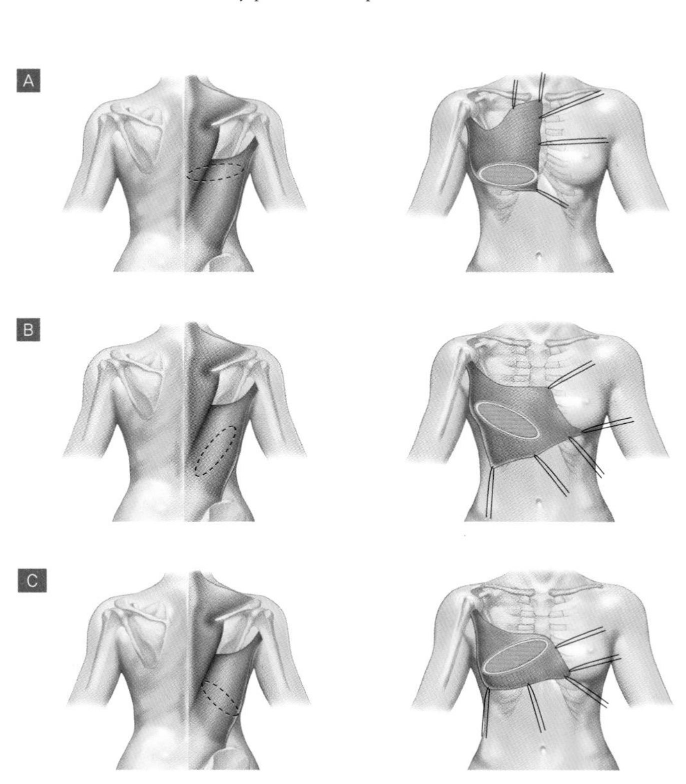

그림 5-18 Latissimus dorsi flap

Pedicled transverse rectus abdominis muscle (TRAM) flap

1) Advantage

a. 대부분의 환자에서 자가조직만으로 재건 가능

2) Diasdvantage

a. 공여부 이환 : 탈장, 흉터, 장액종 등
b. 회복기간이 비교적 김
c. 복벽 약화
d. Free TRAM flap 보다 높은 지방괴사

3) Perfusion zone (Hartrampf's zone)

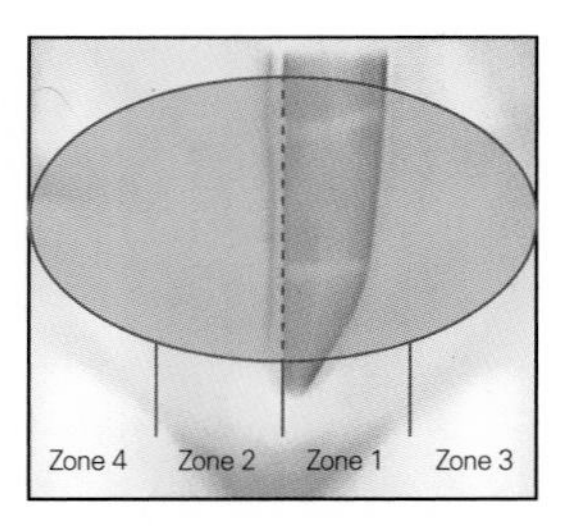

그림 5-19 TRAM 피판의 구역. 편측피판의 경우 Zone1이 가장 혈액공급이 좋으며 2, 3, 4 순이다.

4) Complication

a. 지방 괴사 : 1.6~28%
b. 복부 탈장 : 0.8~10%
c. 피판 괴사 : 0.6~5%
d. 피부의 부분 괴사 : 3~25%

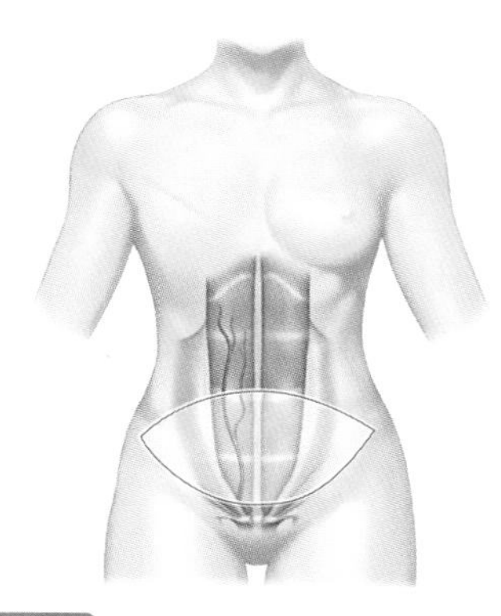

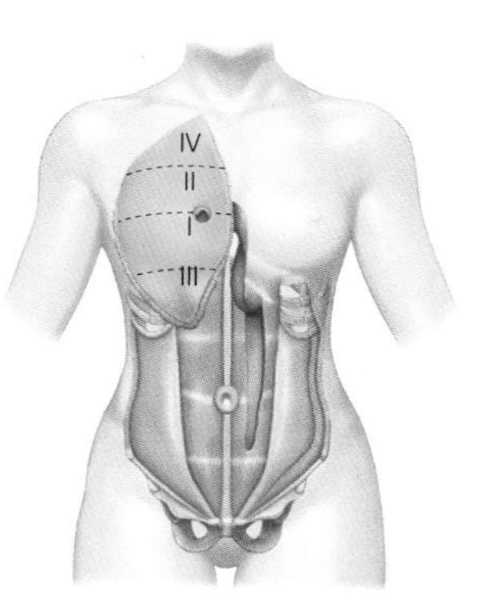

그림 5-20 Zone 1, 2는 유방 돌출부 재건에 사용되며 Zone 3은 탈상피화하여 유방 하부돌출을 유도하고 Zone 4는 절제하거나 탈상피화하여 쇄골하 함몰부위를 메꾼다.

F Free TRAM flap

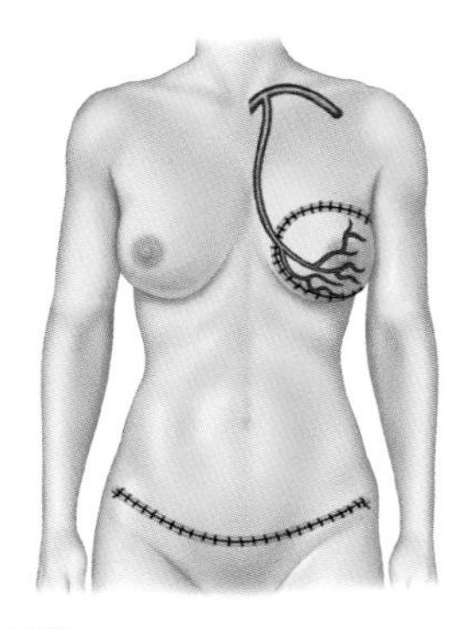

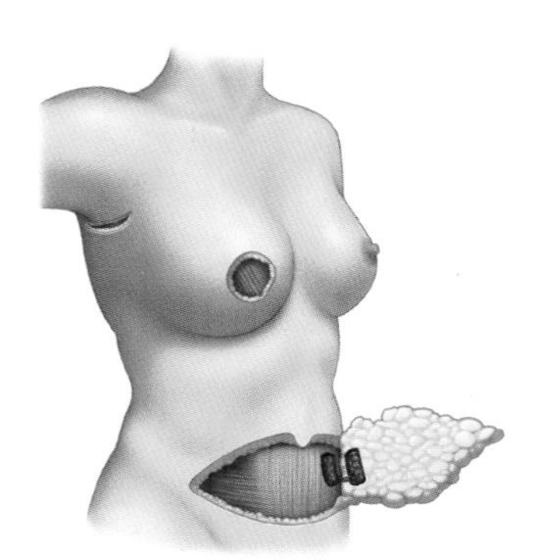

그림 5-21 Free TRAM flap을 이용한 유방 재건

1) Advantage

a. 피판의 혈류 상태가 좋음(main pedicle 사용 DIEA)
b. Epigastric fullness가 없음
c. 유방모양을 만들기 쉬움

2) Recipient vessel

a. Internal mammary a
b. Thoracodorsal a
c. 그 밖의 가능한 수혜부 혈관: int. mammary a. perforator, thoracoacromial a, circumflex scapular a, lat. thoracic a, axillary a, ext. jugular v., cephalic v.

3) Tram flap reconstruction in obese patients

피판 괴사, 혈종, 장액종, 공여부 감염 및 탈장 발생률이 높아짐

4) Other free TRAM options

Muscle-sparing free TRAM flap

G Perforator flaps

1) Type of perforator flaps

a. Deep inferior epigastric artery perforator (DIEP)
b. Periumbillical artery perforator (PUAP)
c. Superior gluteal artery perforator (SGAP)
d. Inferior gluteal artery perforator (IGAP)
e. Thoracodorsal artery perforator (TDAP)
f. Anterolateral thigh (ALT)

2) Advantage

a. 공여부 이환률이 적음
b. 근육을 보존하므로 복부 탈장 등의 합병증 발생 감소
c. 수술 후 통증 감소
d. 회복기간의 단축

3) Disadvantage

a. 술기를 익히는 시간이 소요
b. 박리가 까다로워 수술시간이 김

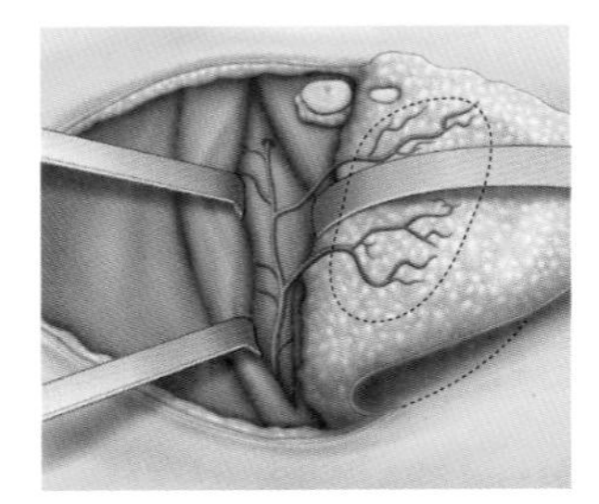

그림 5-22 Deep inferior epigastric arter perforator (DIEP)

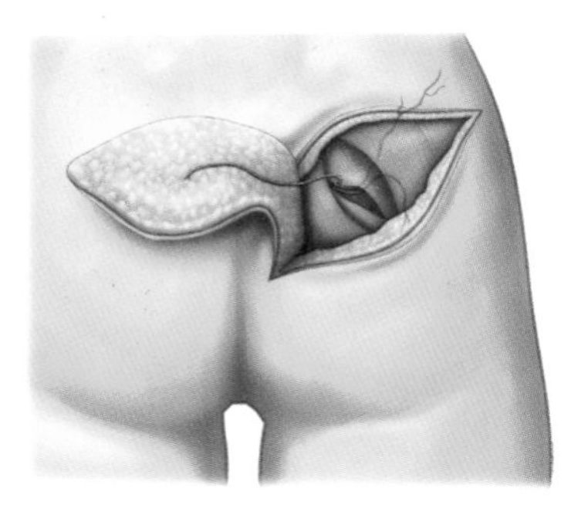

그림 5-23 Superior gluteal artery perforator (SGAP)

Alternate flaps

Type of alternate flap

a. Superficial inferior epigastric artery (SIEA)
b. Transverse upper gracilis myocutaneous (TUG)
c. Rubens (based on cutaneous perforators of deep circumflex iliac a. v.)

Nipple - areola reconstruction

피판법	
Skate flap	
Star flap	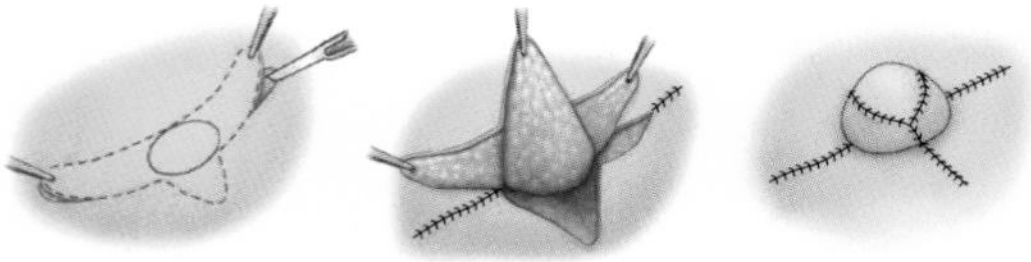
CV flap	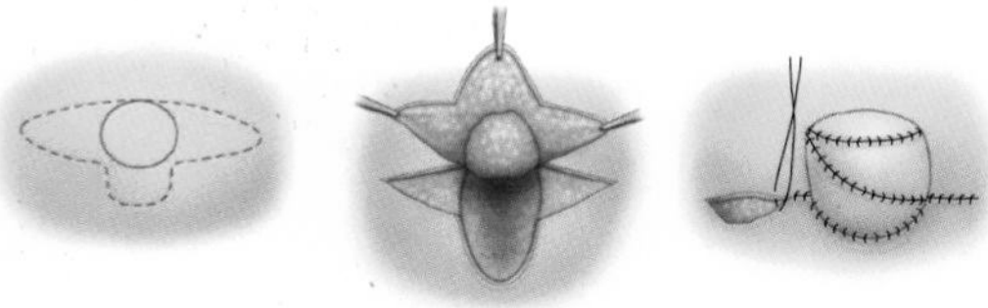

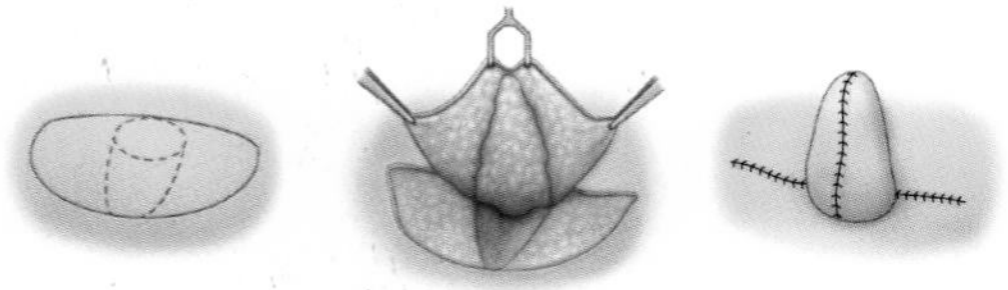

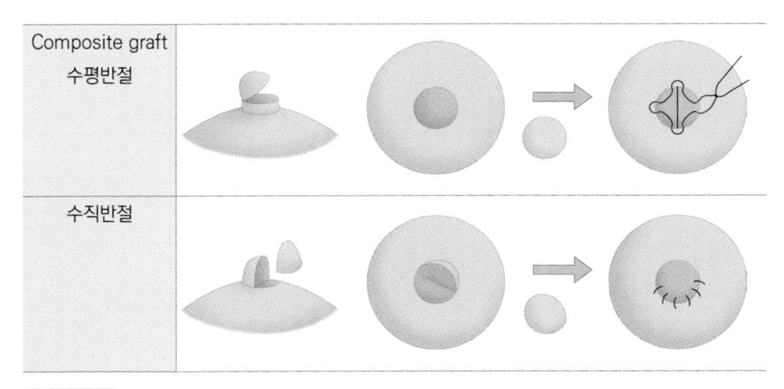

그림 5-24 유두재건방법

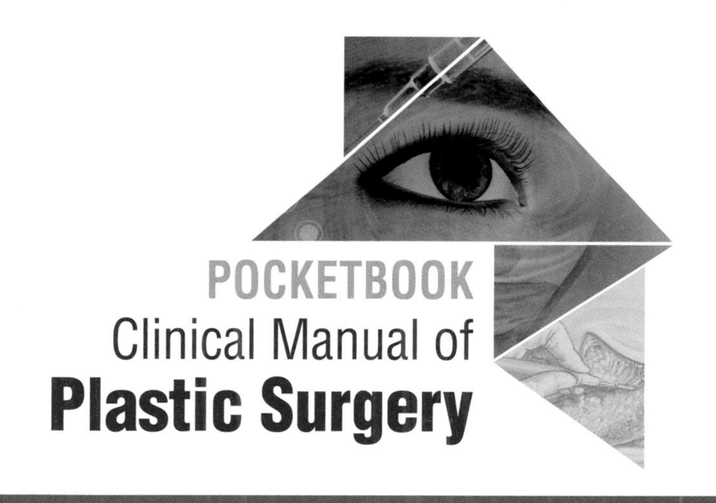

POCKETBOOK Clinical Manual of Plastic Surgery

Body and Lower Extremity

PART 06

Written by J. S. Shim MD PhD

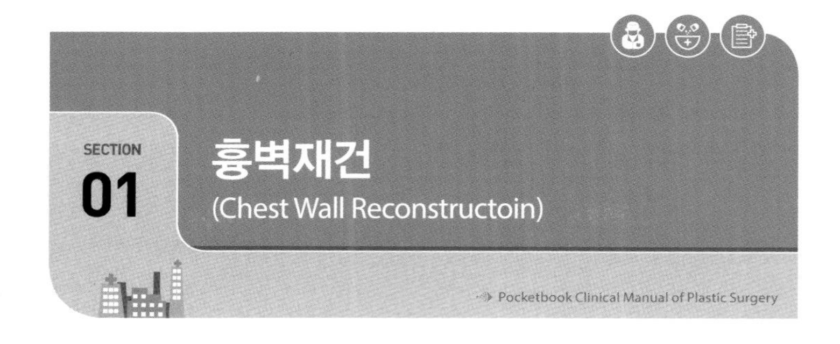

SECTION 01

흉벽재건 (Chest Wall Reconstructoin)

A Chest wounds

1) Reconstruction goals

a. 괴사된 조직의 debridement

b. Stability와 structure의 재건
- 정상적인 호흡 기능의 회복
- vital structure & organ의 보호

c. Dead space의 폐쇄

d. 견고한 피복

e. 미용적인 면도 충분히 고려

B Reconstruction of pleural cavity

Pleural cavity를 local muscle flap이나 omentum으로 채워 줌

- Latissimus dorsi
- Serratus anterior
- Pectoralis major

- Rectus abdominis
- Omentum

C Reconstruction of thoracic skeleton

1) Indication for reconstruction

a. 4개 이상의 연속된 늑골의 결손
b. 5 cm 이상의 결손

2) Reconstruction option

a. Alloplastic reconstruction

- Polypropylene (Marlex)
- e - PTFF (Gore-Tex)
- Methylmethacrylate

b. Autogenous tissue reconstruction

Locoregional flaps (pectoralis major & minor, LD, SA, RA, omentum)

D Chest wall deformities

1) Poland's syndrome

- Pectoralis major의 sternal head의 부재
- Costal cartilage의 부재
- 유방 및 피하조직의 hypolasia 또는 aplasia
- Ipsilateral extremity의 syndactyly 또는 hypoplasia

〈Additional findings〉

- Pectoralis minor의 부재
- 전완부의 저성장
- Serratus, infraspinatus, supraspinatus, latissimus dorsi, EOM 등의 이상이 동반 될 수 있음
- Anterolateral rib의 부재로 lung herniation도 가능
- Symphalangism
- Möbius syndrome (facial palsy, abducens oculi palsy), childhood leukemia와 연관

〈Indications for treatment〉

- Rib이 없을 경우
- 여성 환자에 유방이 없을 경우

〈Timing of surgery〉

여성 환자의 경우 유방 발육이 끝나는 사춘기 이후

〈Surgical technique〉

- LD with implant
- Alloplastic mesh

2) Depression deformities (pectus excavatum) funnel chest

- 30% 이상에서 가족력
- 20% 정도에서 Marfan's syndrome, scoliosis 등과 관련
- 1.5%에서 congenital heart disesase
- Lower costal cartilage의 과도한 성장으로 발생, posterior sternal depression을 발생시킴
- Pulmonary abnormality를 야기 시킬 수 있음

〈Indication for reconstruction〉

- 미용적 목적
- Psychosocial factor

- Respiratory 또는 cardiovascular insufficiency의 발생 시
  〈Timing of reconstruction〉: 2~5세
  〈Surgical technique〉
  Sternum에 multiple osteotomy를 시행 후 reposition시켜 normal contouring

3) Protrusion deformities (pectus carinatum)

Pigeon chest Sternum 과 costal cartilage의 anterior protruding deformity

- 30%에서 가족력
- 15%에서 scoliosis, 20%에서 congenital heart disease
- Chondrogladiolar protrusion
- Sternum의 한쪽 또는 양쪽 늑골의 lateral depression
- Pouter pigeon chest
  〈Surgical technique〉
  비정상적인 costal cartilage를 잘라내고, sternum을 repositioning
  Strut를 사용하기도 함

복벽재건
(Abdominal Wall Reconstruction)

Ⓐ Anatomy

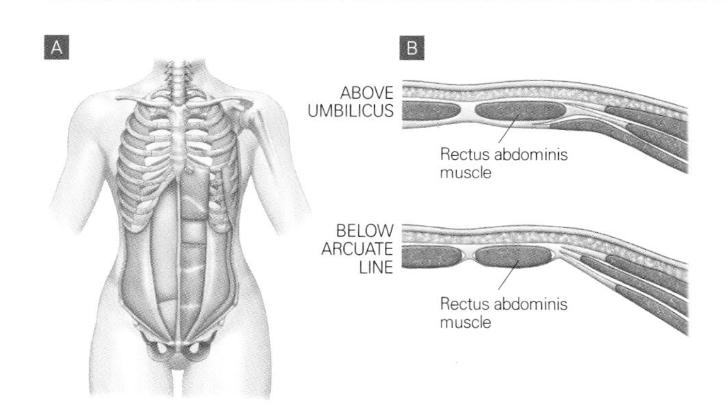

그림 6-1 복부의 해부학적 구조.
A. 해부학적 경계, B. 단면도 (1) arcuate line 위, (2) arcuate line 아래

a. Skin
b. Subcutaneous tissue
c. Scarpa's fascia
d. Rectus sheath : ant. Rectus sheath, post. Rectus sheath
(arcuate line을 경계로 구성 성분이 바뀜)

e. Preperitoneal fat
f. Peritoneum

B Goal of reconstruction of abdominal wall defects

a. 복강 내 장기들의 보호와 탈장을 방지하기 위한 복벽의 재건
b. 미용적인 면을 고려

C Reconstruction options of abdominal wall defects

a. Secondary intention
b. Primary closure
c. Prosthetic (alloplastic) materials
d. Skin graft
e. Tissue expander
f. Local flap : rectus abdominis, external oblique
g. Regional flap : LD, groin flap, tensor fascia lata, rectus femoris, vastus lateralis, gracilis, anterolateral thigh, omentum
h. Free tissue transfer
i. 기타 : Alloderm

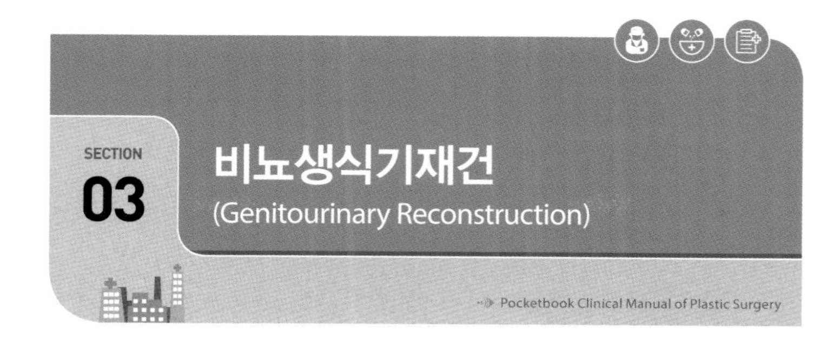

A Congenital vaginal defects

1) Vaginal agenesis (mayer-rokitansky-kuster-haunser syndrome)

a. 선천적으로 vagina의 결손 1:5,000 발생률

b. 25~50%에서 urinary abnormality가 동반

c. 진단

- Pelvis /rectal examination
- Intravenous pyelogram (IVP) (urinary abnormality를 확인하기 위함)
- Karyotype screening
- Spinal radiograph(관련 척추 질환의 여부를 알기 위해)

d. Reconstruction

- Frank's technique : nonsurgical autodilation
- Malaga flap : vulvoperineal fasciocutaneous flap
- McIndoe procedure : perineum에 tunnel을 만들고 skin graft

- Vascularized bowel segment
- 기타 : rectus abdominis flap, gracilis flap, pudendal thigh flap, ureter method

B Congenital penile/scrotal defects

1) Hypospadias

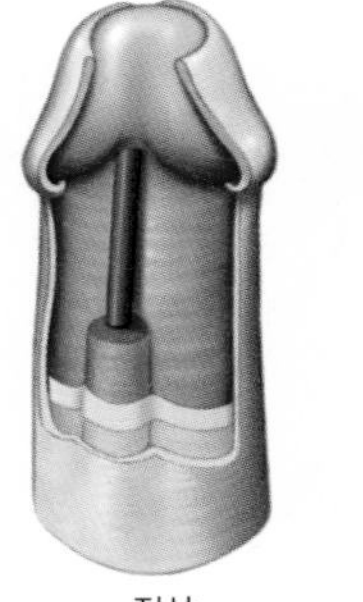

그림 6-2 Hypospadia.

a. Male urethra의 선천적 발육 부전
b. 1 : 350 비율로 발생
c. Urethra의 출구(meatus)가 근위부로 위치할수록 굴곡변형이 심해진다.
d. 수술시기 : 생후 6~18개월
e. Meatus location
   - Distal 1/3 : 50%
   - Middle 1/3 : 30%
   - Proximal 1/3 : 20%

f. Reconstruction

- Meatal advancement and glanuloplasty
- Urethral advancement
- Tubularizaed incisied plate urethroplasty
- Flip-flap technique
- Full thicknedd graft urethroplasty
- Preputial flap urethroplasty
- Onlay grafts of bladder

2) Epispadias

a. Urethra의 opening이 penis의 dorsal aspect에 있는 선천성 기형

b. Bladder exstrophy와 동반하여 발생하는 경우가 많음

c. 1 : 30,000 발생률

d. Reconstruction

- Penile lengthening
- Correction of dorsal chordee
- Urethroplasty
- Penile skin coverage
- Technique
  - Young technique
  - Cantwell - Ransley technique
  - W - flap technique

Ⓒ Acquired vaginal/vulvar defects

1) Vaginal defect 재건 방법

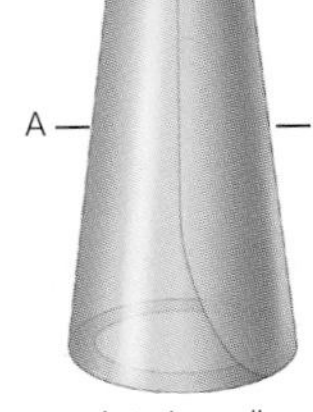

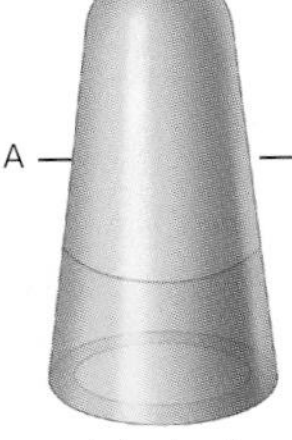

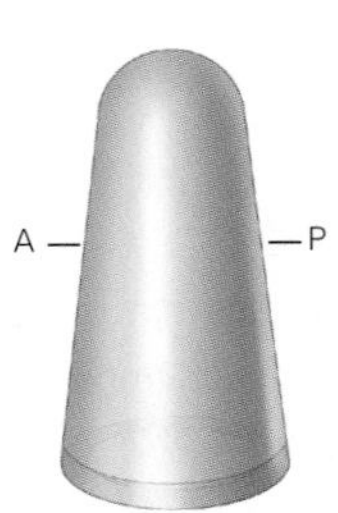

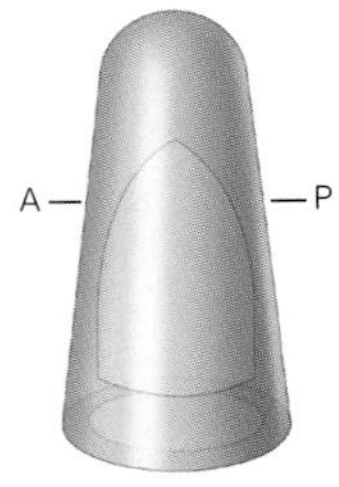

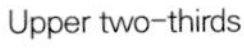

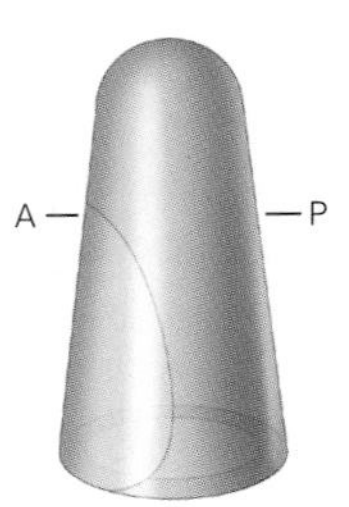

그림 6-3 (A, B) Classification system of acquired vaginal defects.
(A) Type I: partial defect; (B) type II: circumferential defect. A, anterior; P, posterior.

표 6-1 Previously described flap options for vaginal reconstruction

Defect type	Flap option
IA	Singapore flaps (Aka pudendal fasciocutaneous flap)
IB	Pedicled rectus myocutaneous flap Pedicled rectus musculoperitoneal flap Muscle-sparing rectus myocutaneous flap
IIA/B	Vertical rectus abdominis myocutaneous Gracilis Singapore flaps Pedicled jejunum Sigmoid colon

2) Perineal reconstruction 재건 방법

표 6-2 Benign and malignant processes requiring reconstruction of the perineum

Process	Etiology	Complicating factors	Reconstructive options
Benign (simple)	Hidradenitis suppurativa Necrotizing fasciitis Fournier's gangrene Trauma Autoimmune ulcers	Usually none	Secondary healing Negative pressure therapy Skin graft
Malignant (complex)	Colorectal cancer Vulvar cancer Vaginal cancer Uterine cancer Bladder cancer	Radiation Ostomies Contamination Dead space Pelvic hernia	Rectus abdominis flap Gracilis flap Anterolateral thigh flap Singapore flap Free flap

D Acquired penile/scrotal defects

1) Peyronie's disease

a. 특징

- Painful erection
- Erection 시 penile curvature
- Penile shaft에 firm palpable nodule 또는 inelastic plaque
- 10%에서 Dupuytren's contracture가 동반

b. 재건방법

- Placation procedure
- Dermal graft procedure

2) Other

a. Radial forearm flap
b. Scapular flap
c. Groin flap
d. Gracilis flap
e. Free fibular osteocutaneous flap
f. Ulnar forearm flap
g. Dorsalis pedis flap
h. Lateral arm flap
i. Abdominal flap

3) Fournier gangrene

a. Polymicrobial infection으로 인한 perineal tissue의 necrosis
b. 치료
  - Wide debridemet
  - Broad spectrum antibiotics
  - Local wound care
  - Reconstruction (skin graft, flap)

E Urologic defects

Bladder exstrophy

a. Lower abdominal wall과 ant. Bladder wall이 없는 선천성 기형

b. 1 : 25,000 ~ 1 : 40,000

c. 남 : 여 2 : 1

d. 재건방법

- Diversion of urinary stream
- Exstrophic bladder의 closure
- External genitalia의 재건

F Transgender surgery

Transsexualism

a. Male to Female

- 호르몬 치료
- Breast augmentation
- Male pattern hair removal
- Thyroid cartilage의 reduction
- Rhioplasty
- Feminizing genital surgery

b. Female to Male

- 호르몬 치료
- Breast amputation 또는 reduction
- Hysterectomy, oophrectomy
- Phallus reconstruction
- Neoscrotum

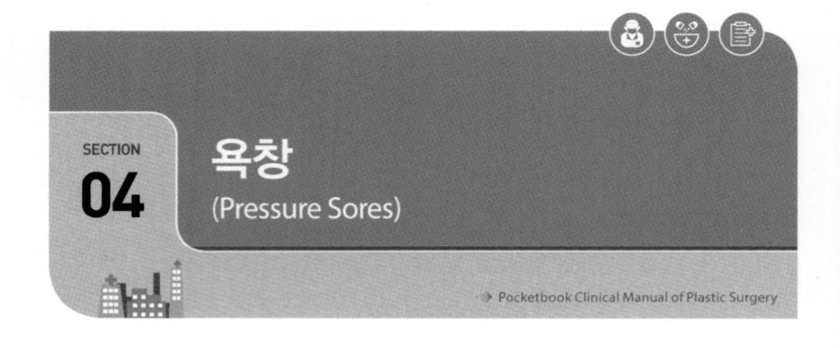

Ⓐ Etiologic factors

1) Extrinsic factor

a. Pressure(압력)
b. Shear(쏠리는 힘)
c. Friction
d. Moisture

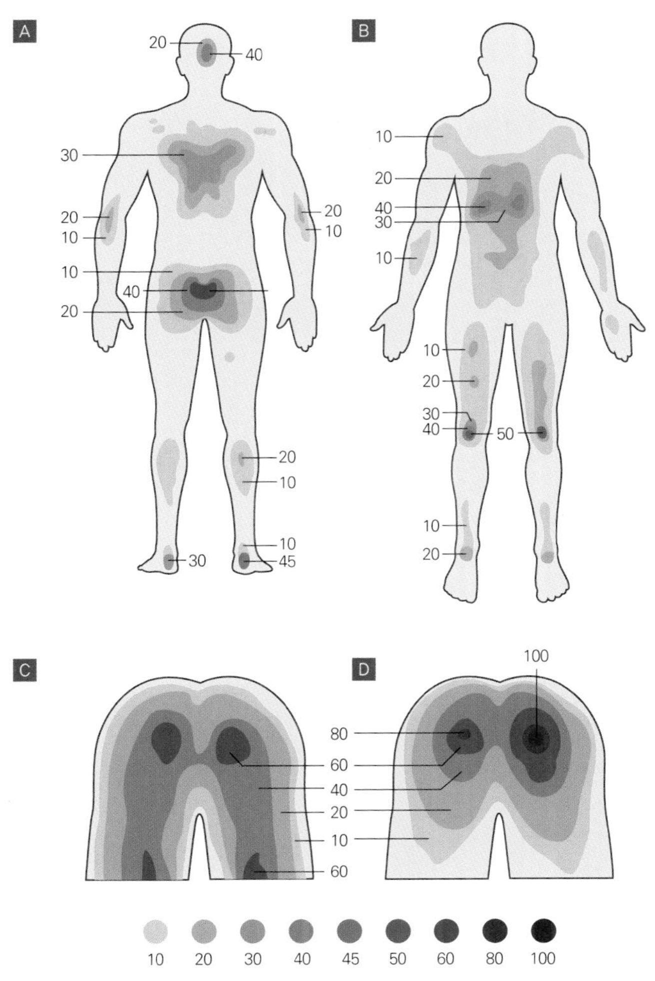

면에 닿는 때, D. 발이 지면과 떨어졌을 때

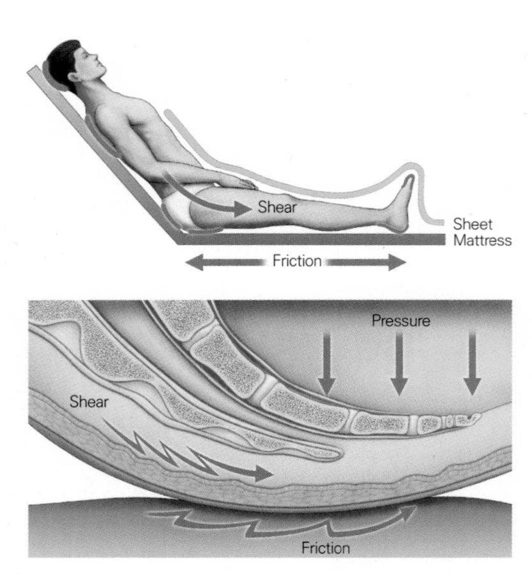

그림 6-5 Pressure, shear, and friction are related but distinct forces which contribute to pressure sore development.

2) Intrinsic factor

a. Malnutrition
b. Neurologic injury
c. Inflammatory milieu

Classification

표 6-3 Stage of pressure sore

단계	내용
Stage I	Intact skin with nonblanchable redness of a localized area usually over a bony prominence. Darkly pigmented skin may not have visible blanching.
Stage II	Partial-thickness loss of dermis presenting as a shallow open ulcer with a red pink wound bed, without slough. May also present as an intact or open/ruptured serum-filled blister.
Stage III	Full-thickness tissue loss. Subcutaneous fat may be visible but bone, tendon, or muscle is not exposed. Slough may be present but does not obscure the depth of tissue loss. May include undermining and tunneling.
Stage IV	Full-thickness tissue loss with exposed bone, tendon, or muscle. Exposed bone is sufficient, but not necessary to define a stage IV pressure sore. Slough or eschar may be present on some parts of the wound bed. Often includes undermining or tunneling. May extend into muscle and/or supporting structures.
Supected deep-tissue injury	Purple or maroon localized area of discolored intact skin or blood-filled blister due to damage of underlying soft tissue from pressure and/or shear. The area may be preceded by tissue that is painful, firm, mushy, boggy, warmer, or cooler as compared to adjacent tissue.
Unstageable	Full-thickness tissue loss in which the base of the ulcer is covered by slough (yellow, tan, gray, green, or brown) and/or eschar (tan, brown, or black) in the wound bed. Until the base of the wound is exposed, the true depth, and therefore stage, cannot be determined.

C Patient evaluation

1) 병력 및 이학적 검사

2) Laboratory studies & imaging

3) MRI : osteomyelitis를 평가하기 위해

D Medical management

- Relieve pressure
- Control infection
- Control extrinsic factor (shear, friction, moisture)
- Debridement
- Dressing

E Surgical management

1) Stage Ⅰ, Ⅱ : 비수술적 치료

2) Stage Ⅲ, Ⅳ : 수술적 치료

3) 수술적 치료의 원칙

- 변연절제술
- Pseudobursa의 complete excision
- Ostectomy
- 철저한 지혈
- 혈관이 풍부한 조직으로 dead space없이 padding
- Tension-free closure

Reconstruction by anatomic site

표 6-4 해부학적 부위에 따른 압박 궤양 재건 방법

Location	Reconstructive option
Sacrum	Lumbosacral flap Gluteal fasciocutaneous flap/musculocutaneous rotation flap Gluteal musculocutaneous V-Y advancement flap
Ischium	Gluteal fasciocutaneous/musculocutaneous flap Post. Hamstring musculocutaneous V-Y advancement flap Post. Thigh flap Tensor fascia lata flap
Trochanter	Tensor fascia lata flap Vastus lateralis
Multiple	Total / subtotal thigh flap Hip disarticulation, hemipelvectomy, hemicorporectomy 등이 필요할 수 있음

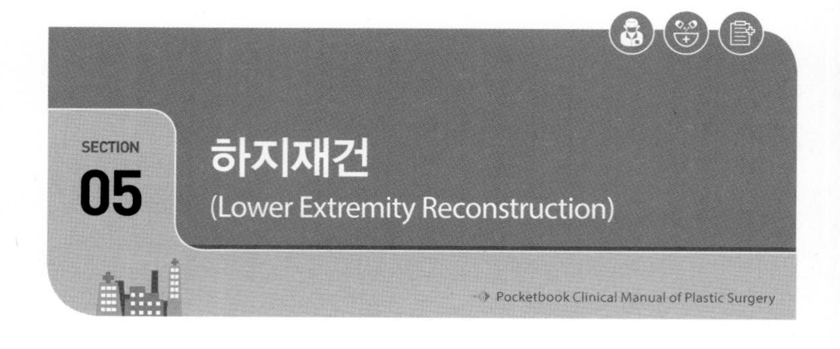

A Reconstruction goal

a. Stability, structure, vascularity, function의 restore
b. Dead space의 obliteration
c. Vital structure의 coverage
d. 미용적 결과 고려

B Reconstruction by location (local flap)

Soft tissue reconstruction

표 6-5 부위에 따른 하지 재건 방법

Location		
Thigh		Tensor fascia lata, gracilis, rectus femoris, vastus lateralis, biceps muscle flap
Leg	upper 1/3	Gastrocnemius의 med. & lat. Head Bipedicled tibialis anteior
	middle	Soleus Flexor digitorum longus Extensor digitorum longus Extensor digitorum hallucis Flexor hallucis Tibialis anterior
	lower	Local flap Cross leg flap Reverse sural flap Free flap
Foot		Skin graft Island instep fasciocutaneous flap Toe fillet Plantar digital web space island flap

1) Free tissue transfer guideline

- Anastome the vessel outside the zone of injury
- Make end-to-side arterial anastomosis
- Reconstruct the soft tissue first and then restore the skeletal support

D Tissue expansion in the lower extremity

- Leg보다는 thigh나 buttock에서 결과가 더 좋음
- 박리된 pocket이 불충분할 경우 implant가 exposure되는 경우가 많음
- Lower extremity에서의 tissue expansion은 scalp나 breast만큼 성공적이지 못함
- ankle과 foot에는 적용하지 말 것
- Suprafascial pocket, transverse expansion

E Treatment approach

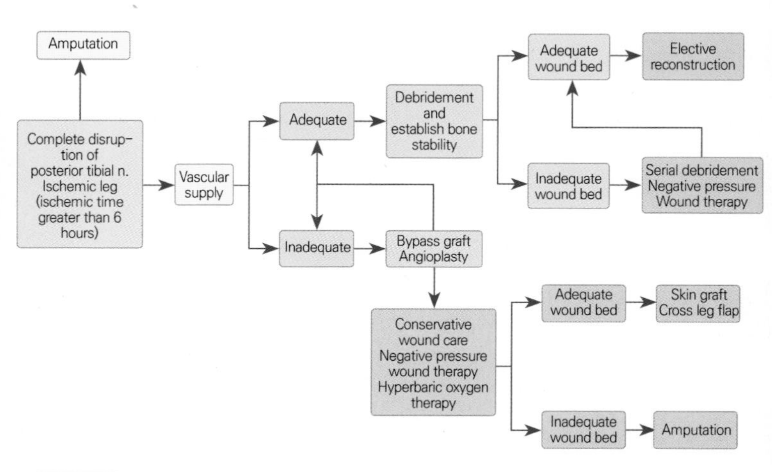

그림 6-6 Algorithm of approach for soft tissue reconstruction of lower extremity.

Special considerations

표 6-6 하지재건에서 특별히 고려해야 할 점

Osteomyelitis	Complete debridement & flap coverage (muscle flap 〉 fasciocutaneous flap)
Diabetes	Multidisciplinary approach 재건 전에 필요함 Vascular status evaluation
Coverage after tumor ablation	Radiation therapy 시에는 flap surgery 고려
Exposed prosthesis	Hardware 노출 시 기간이 2주 이하인 경우 제거하지 않고 salvage 하도록 함. Vascular graft 노출 시 반드시 조기 치료 시행 : gracilis, sartorius, TFL, flap

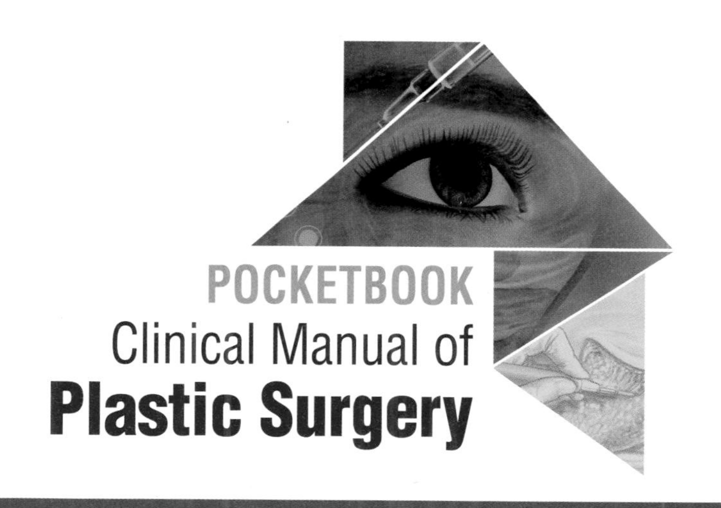

POCKETBOOK
Clinical Manual of
Plastic Surgery

Hand Surgery

Written by Y. J. LEE MD PhD

SECTION

01

손의 표면 해부 (Hand Surface Anatomy)

A 손의 표시선과 심부 조직의 관계

1) 신경

- Emanuel Kaplan의 Cardinal line(제1수지 간 꼭지점[apex]에서 pisiform의 원위부 말단 가장자리로 그은 손바닥 가상선)이 제3수지와 제4수지의 척측면에서 세로로 그은 가상선들과 만나는 점
  - 순서대로 정중 신경의 운동분지의 주행경로, 척골 신경의 운동분지의 주행 경로를 의미.
  - 척골신경의 운동분지 주행경로는 pisiform과 hook of hamate의 중간 지점.

2) 힘줄

- 천수지굴곡건은 수지수장관절의 두갈래로 나뉘어지는 지점(A2 Pulley가 있는 부위)까지는 심수지굴곡건보다 표면에 있음.
  → 그 지점부터 원위로는 심수지굴곡건보다 깊게 위치.
- 두 갈래로 갈라지는 천수지굴곡건은 A2 pulley와 함께, 심수지굴곡건을 감싸 pulley와 비슷한 역할을 함.
- 심수지굴곡건 아래로 들어간 천수지굴곡건은 섬유성 연결인 Camper's chiasm을 형성하면서 만나고, 원위부로 가면서 두 개의 분리된 상태로

중위지골의 근위부 및 중간 부위에 부착.

- 제2, 3, 4, 5수지의 수지굴곡건 pulley시스템은 3가지 종류 구성.
- 5개의 annular pulley와 3개의 cruciate pulley, 그리고 1개의 palmar aponeurosis
- A1, A3, A5는 각각 관절에서 기시하며, A1는 수지수장관절, A3는 근위지관절, A5는 원위지관절로부터 기시.
- A2는 근위지골의 중간부분과 A4는 중위지골의 중간3분의1지점에서 기시.
- 가장 넓은 A pulley는 A2로서, 근위지골의 근위3분의2를 덮고, 천수지굴곡건이 두갈래로 나눠지는 것과 합쳐짐.
- A pulley 중 A2(길이: 약 1.5~1.7 cm)와 A4(길이: 약 0.5~0.7 cm)가 가장 크고, 힘줄이 뼈와 관절에 가깝게 힘줄의 통로를 통해 움직이면서 자리를 유지할 수 있도록 하는 중요한 역할을 함.
- Cruciate pulley는 콘서티나 악기처럼 굴곡건의 안쪽에 있는 섬유골성 막과 함께 굴곡건을 쪼그라뜨려지도록 하는 역할(concertina effect)을 함.
- 엄지손가락에는 3종의 pulley (A1, oblique, A2)가 있음. A1과 oblique pulley가 중요한 기능을 보임.
- 굴곡건의 영양은 건초와 혈관으로부터 공급.
  - 건초의 바깥에서 받는 영양은 paratenon을 통해 분절된 혈관네트워크에 의해 공급받으며, 건초막 안에서는 대개 하나의 혈관네트워크로부터 공급을 받고 힘줄과 뼈 사이에서는 vincula부위를 통한 혈관공급으로 제한.
- 건초내 굴곡건이 치유되는 관정은 2가지 기전(내적 그리고 외적 기전)을 통함.
  - 내적 기전에 의한 치유는 힘줄세포(tenocytes)의 증식과 세포외기질의 증식을 통해 일어남.
  - 외적 기전은 힘줄 밖에서 온 세포나 조직의 성장에 의함.
  - 임상적으로 건 열상은 이 두 가지 기전의 조합을 통해 힘줄과 주변 조직의 상태에 따라 균형을 이루면서 치유됨.
- 손바닥에서 굴곡건 구획(원위부 1~4구획 근위부)을 분류하는 것은 손상 유형과 관련을 보임.
  - 제1구획(얕은굴곡건힘줄의 부착점의 원위부로 깊은굴곡건힘줄이 주행하는 부분)

- 제2구획(fibrous pulley로 덮여 있는 부분) = No man's land
- 제3구획(fibrous pulleys가 없는 손바닥에 굴곡건들이 주행하는 부위)
- 제4구획(transverse carpal ligament로 싸여 있는 부분) carpal tunnel
- 제5구획(전완부)

■ 신전건의 구획은 손목관절의 extensor retinaculum 부위에서 요측에서 척측으로 번호를 붙여 표시를 한다.

- 1구획 AbPL / EPB
- 2구획 ECRL / ECRB
- 3구획 EPL
- 4구획 EDC / EIP
- 5구획 EDM
- 6구획 ECU

■ 신전건의 zone은 zone 1~zone 8까지 있으며, 관절부위를 홀수 zone으로 표시.

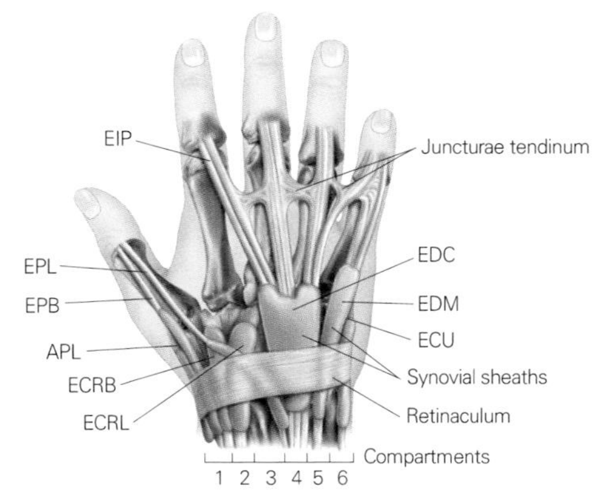

그림 7-1 Six dorsal wrist compartments.

- 원위지관절은 zone 1
- 근위지관절은 zone 3
- 수지수장관절은 zone 5

- 손목관절은 zone 7
- 전완부는 zone 8

■ Transverse carpal ligament

- flexor retinaculum이라고도 함. 이것은 손목에서 모든 굴곡건을 감싸고 있는 pulley의 일종이며 A0 pulley라고 부르기도 함.
- transverse carpal ligament는 손목 안쪽의 pisiform 및 hook of hamate에서 손목 바깥쪽의 tubercle of scaphoid 및 trapezium으로 연결되어 손바닥면을 만들어, carpal bone의 arch를 형성.
- 손목 관절내의 9개 외재굴곡건들 및 정중 신경을 감싸고, 손목에서 굴곡건의 bowstringing되는 것을 방지.
  (cf 척골신경과 척골동맥은 palmar carpal ligament로 덮여 있음.)

■ 요골신경의 표면감각분지-전완부에서 요골신경 부지로부터 나옴. brachioradialis 바로 아래로 해서, 전완부를 따라 주행.

■ Brachioradialis와 ECRL사이를 지나면서 radial styloid의 9 cm 근위에서 바로 피하조직plane으로 나옴.

■ 후골간신경은 전완부에서 요골신경에서 갈라져 나옴.

■ 후골간신경은 순수운동신경으로 신전건들과 AbPL을 지배. 다만, ECRL, brachioradialis, anconeus는 근위부의 요골신경 지배를 받음.

■ 후골간신경은 radial tunnel을 주행.

- radial tunnel은 radiocapitellar joint capsule (dorsally)과, ECRL/ECRB근육들(laterally)과, biceps와 brachialis근육들(medaillY)과, brachialis근육(volarly)에 의해 둘러싸여 있음.
- 이 요골관 속에는 잠재적으로 5군데의 압박이 잘 되는 부위가 있다.
  (1) fibrous bands to the radiocapitellar joint between the brachialis and brachioradialis;
  (2) the recurrent radial vessels, or so-called leash of Henry;
  (3) the proximal edge of the ECRB;
  (4) the proximal edge of the supinator, or so-called arcade of Fröhse; and (5) the distal edge of the supinator. → 가장 잘 눌리는 자리.

- 척골신경은, 상완부에서 medial intermuscular septum의 뒤쪽, 그리고 triceps의 medial head의 앞으로 주행.
- The arcade of Struthers라는 intermuscular septum과 만나는 deep brachial fascial band 건막밴드인 arcade of Struther가 있어 척골신경을 medial epicondyle의 근위 8 cm에 있도록 둘러쌈.
  - 이 곳이 첫번째 잠재적인 압박 포인트.
  - Medial antebrachial cutaneous nerve가 epicondyle의 바로 근위부 혹은 그 자리에서 척골신경 뒤로 근접해서 지나는데, 이런 이유로 수술 중 주의가 필요. medial epicondyle 뒤로해서 olecranon의 내측으로 주행해서 cubital tunnel로 들어감.

3) 신경에 따른 지배부위

a. 요골신경

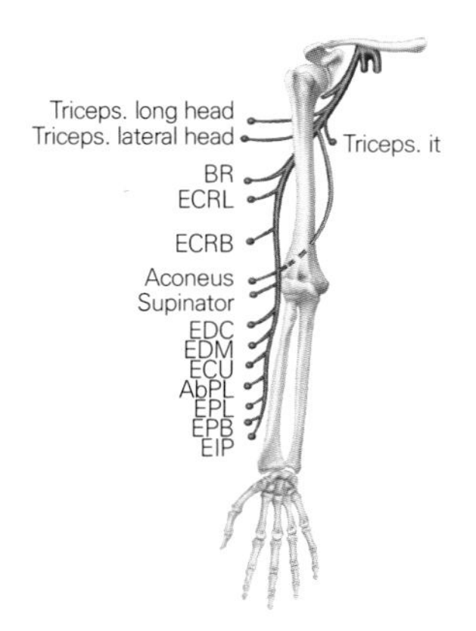

그림 7-2 Radial nerve and its innervated muscles.

- 근위 전완부에서 2분지로 나뉘어짐.
- 얕은 요골신경[dorsal or superficial branch of the radial nerve]-EPB와 EPL사이인 "anatomic snuffbox"를 가로지르며 주행.

- 다음 부위에 감각지배
  → 손등의 요측 3분의 2의 감각 / 엄지손가락 등부위의 감각 / 원위 수지간관절보다 근위부의 제2수지, 제3수지, 제4수지의 반에 해당하는 등부위 감각.
- 깊은 요골신경(전완부의 골간막 후면에 위치하는 깊은 후골간신경)
  → 모든 신전근의 근육들[ECRB / ECU / EDM / EDC / EIP / EPL, EPB, AbPL]과 손목관절의 감각을 담당.

b. 정중신경

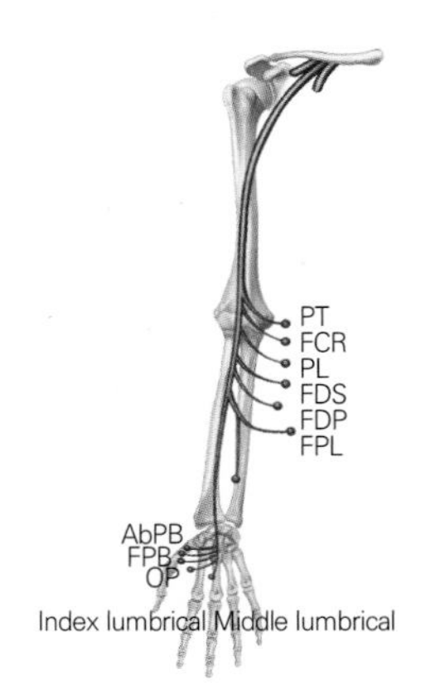

그림 7-3 Median nerve & its innervated muscles.

- 전완부에서 나뉘는 근육분지-PT/FCR/PL/FDS을 지배한다.
- 전완부의 전골간분지-FPL/FDP (제2수지,제3수지)/PQ들을 지배하며, 손목 감각을 담당.
- 손바닥표면분지(FCR과PL사이로 주행하는 분지)는 손바닥의 외측감각을 담당.
- 수근관을 통과하면서, 엄지손가락두덩근육들(AbPB, OP, FPB의 얕은부착부)의 움직임을 담당하는 recurrent motor branch가 있음. 또한 엄지손가락, 제2수지, 제3수지 및 제4수지의 요측 반을 담당.

c. 척골신경

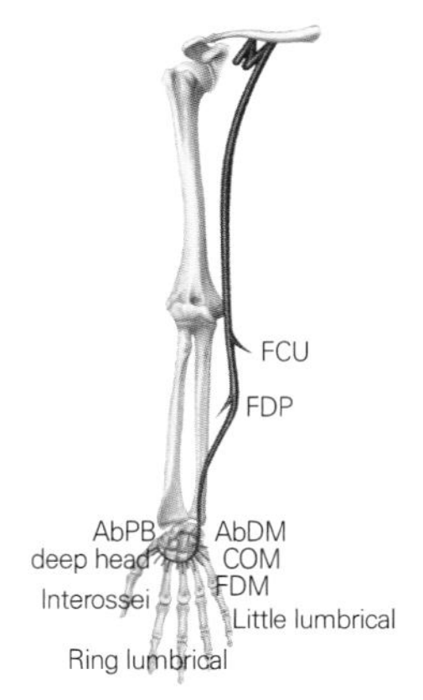

그림 7-4 Ulnar nerve & its innervated muslces.

- 근육분지[muscular branch]-FCU/FDP(제4수지/제5수지)
- 수장측 피부분지[palmar cutaneous branch]-소지두덩 부위와 손바닥 내측부 감각을 담당.
- [dorsal branch]-손등의 척측부 / 제5수지의 손등쪽 피부 / 제4수지의 손등쪽 피부 일부에 대해 감각을 담당.
- 주요감각분지-제5수지의 척측수지감각신경 / 제5수지의 요측수지감각신경 및 제4수지의 척측수지감각신경으로 나뉘어지는 공통감각신경
- 심부운동분지-소지두덩근육4종[AbDM / ODM / FDMB / PB], 골간근육 모두, 충양근[lumbricalis] 중 척측2종, FPL의 척측에 위치한 AdPB와 FPB(deep head)의 움직임을 담당.

4) 내재근(Intrinsic muscle)-손 영역 안에 기시부와 부착부가 모두 있는 근육

- 4종류의 내재근이 있음- 무지두덩근육들 / 소지두덩근육들 / 골간근들 / 충양근들

a. 무지두덩근[thenar muscles]-4종-AbPB/FPB (superficial head+deep head)/OPB/AdPB. 이들은 정중신경[AbPB/OPB/superficial head of FPB]과 척골신경[AdPB/deep head of FPB]의 지배를 각각 받음.

b. 소지두덩근[hypothenar muscle]-4종-PB/AbDM/FDMB/ODM-모두 척골신경의 지배를 받음.

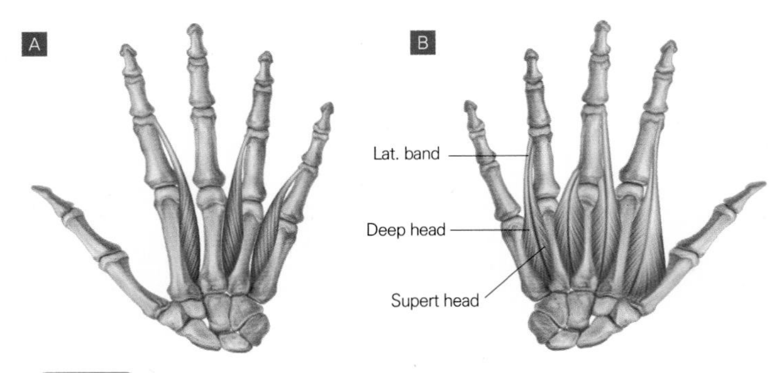

그림 7-5 A: palmar interossei muscles, B: dorsal interossei muscles.

c. 골간근[interossei]은 모두 척골신경의 지배를 받음. 손바닥쪽 3종과 손등쪽 4종으로 구성됨. 수지수장골에서 기시하여 충양근과 함께, 신전건메커니즘의 외측대(lateral band)를 이룸.

- 골간근은 수지관절의 신전 / 수지수장관절의 굴곡 / 손가락들의 척측 및 요측 deviation을 일으킴.
- 손등쪽 4종의 골간근은 제3수지를 기준으로 Abductor의 역할을 함.
- 제2 손등쪽 골간근 및 제3 손등쪽 골간근이 제3수지의 요측 및 척측 움직임에 관여.
- 제5수지의 경우, 척측 움직임에 AbDM가 역할을 함.
- 손바닥쪽 3종의 골간근은 손가락들을 제3수지 방향으로 모으는 역할[adductor]을 함.

d. 충양근[lumbricalis]

(1) 척측2종(제4수지, 제5수지)은 척골신경 지배를 받음.

(2) 요측2종(제2수지,제3수지)은 정중신경 지배를 받음.

- 충양근-FDP에서 기시하여 수지수장관절 원위부의 신전근메커니즘의 요측에 부착됨.
- 충양근-수지수장관절의 굴곡과 수지관절의 신전에 관여.
- 심수지굴곡건이 수축할 때, 충양근의 기시부가 근위부로 움직이고 동시에 충양근의 부착부는 원위부로 이동하게 되는데, 이는 신전근메카니즘이 수지관절에 의해 전진되기 때문.
- 이 때, 충양근의 기시부와 부착부가 멀어지는 상태가 되고 이로 인해 수지관절의 굴곡이 더 잘 이뤄지게 됨.
- 반대로, 힘의 균형이 변화하게 되면 충양근이 심수지굴곡건을 원위부로 당기려는 경향을 보이고, 동시에 신전건메커니즘으로 연결되는 외측대[lateral band]를 당겨지게 되며 이 두 가지(심수지굴곡건의 이완과 외측대의 당겨짐)에 의해 수지관절이 펴지게 됨.
- 손가락 내재근의 기능에 대한 평가를 위해서는 해부학과 그와 관련된 기능을 이해하는 것으로 충분합니다.

e. 골간근의 기능을 평가

- 환자에게 손을 편 상태에서, 제3수지를 기준으로, 나머지 손가락들을 펼치고 모으는 것을 (능동적으로) 해 보라고 요청해 보면 됨.
- intrinsic plus 자세를 취해 보라고 함으로써, 골간근의 기능을 확인.
- 수지수장관절 축의 손바닥쪽 및 수지관절 손등쪽의 모든 골간근이 당겨지는 것은 수지수장관절을 굽히고, 수지관절을 펴게 함
  → 이 자세를 intrinsic plus posture라 함.
- 척골신경의 지배를 받는 골간근의 마비의 경우, 환자가 손가락들을 능동적으로 펴고자 시도할 때, 즉 골간근의 수축이 일어나야 하는 상황이지만, 수축되지 못함으로써, 수지수장관절은 과신전이 되면서, 수지관절에는 굴곡이 되는 현상이 생기게 됨.
  → 이를 intrinsic minus posture라고 하며, claw hand를 보임.

f. 충양근의 기능은 내재굴곡기능을 완전 발휘한, 손가락을 꽉 굽힌 상태에서 잘 살펴볼 수가 있음.

→ 수지수장관절에서 능동적으로 굽힌 상태를 유지한 채로 손가락을 슬슬 지관절들만 펴도록 해봄.

- 지관절의 신전구축(extension contracture of interphalangeal joint)에는 2가지 원인이 가능
  - 감별검사는 수지수장관절을 수동으로 편 후, 수동적으로 굽히는 걸로 확인 가능.
  - 검사 중 지관절의 수동적 신전각도로 평가 가능.
  - 수지수장관절을 수동으로 펼 때, 지관절이 펴진다면, 골간근과 힘줄에 단축이 있다는 뜻.
    → 골간근의 단축 혹은 구축이 있을 때에는, 수지수장관절 신전상태에서는 지관절을 능동적이든 수동적이든 굴곡시킬 수 없음.
  - 수지수장관절을 "수동으로" 폈다가 굽힐 때, 지관절이 펴진다면, 수지수장관절 근위의 외재신전건이나 근육에 유착이 있다는 것.

5) 압박성 신경 장해

- 정중신경 마비 - 수근관증후군 / 회내근증후군 / 전골간신경마비
- 많이 진행된 경우에는 무지두덩근육 위축이 관찰됨.
- 무지(엄지)대립[opposition]이 어려움.
- 엄지의 수지수장관절에서의 외전이 어려워짐.

a. 수근관증후군

- 상지에 생기는 포획성신경증후군 중 빈도가 높은 것 중 하나
- 남성보다 여성에 호발하고, 40~50대 여성에서 잘 나타남.
- 쓰는 손에 잘 생기지만, 양측성으로 생기기도 함.
- 수근관 안에 있는 구조물
  - 정중신경(가장 표면에 있는 구조물임), 천수지굴곡건, 심수지굴곡건, 장무지굴곡건
- 요측수근굴곡건, 척골신경 등은 수근관 속 구조물이 아님.

■ 수근관증후군 초기에 제3수지와 제4수지에 감각이상증이 보이는 것은 이들 감각신경다발들이 정중신경의 표면에 위치하고 있음을 시사.

■ 수근관증후군의 6가지 진단기준

(1) 야간감각저하

(2) 정중신경분포 피부영역의 감각저하와 찌릿찌릿함

(3) 엄지손가락두덩근육들의 근력저하 혹은 위축

(4) Tinel sign

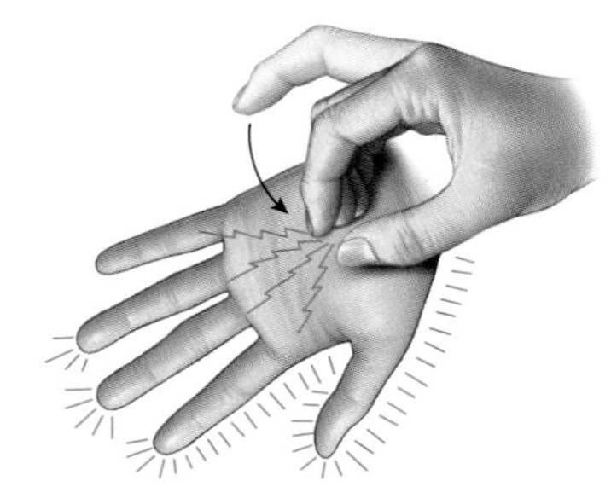

그림 7-6 Tinel sign.

(5) Phalen's test

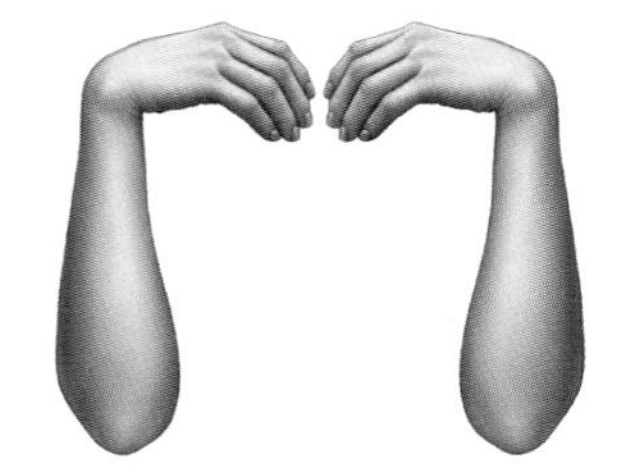

그림 7-7 Phalen's test

(6) 2점 분별능(loss of two point discrimination)의 소실

- 콩팥 부전, 갑상선질환, 류마토이드관절염, 당뇨와 같은 전신질환이 영향을 미치기도 하며, 임신여성의 45%에서 3기에서 나타나기도 한다고 하며, 임신성 수근관증후군의 경우 대개 분만후 자연소실 된다.

- 소아에서 나타날 경우의 수근관증후군의 가장 흔한 원인은 mucopolysaccharidoses. 잘 생기지는 않지만, 정중동맥, 결정낭종. 혈관종이 원인으로 발견되는 경우도 있다고 함.
- 치료로는 부목치료, 비타민B12투약, 소염진통제투약, 스테로이드주사요법, 수근관개방술을 들 수 있음.
- 회내근증후군-전완부의 근위부분 손바닥쪽의 통증이 있으면서 정중신경 감각지배되는 손가락쪽으로 방사통이 동반되는 특징이 있음.

b. 전골간신경마비

- 전골간신경은 장무지굴곡건/제2,3수지 심수지굴곡건/PQ에 신경지배를 함.
- 완전마비의 경우에는 이 세 근육의 운동기능이 불가능한 것으로 나타남.
- 불완전 마비라면, 장무지굴곡건에만 침범되는 경우가 흔히 나타남.
- 장무지굴곡건과 제2수지의 심수지굴곡건의 심한 근력저하는 OK사인을 손가락으로 만들지 못하게 함.
- Guyon‘s canal에 척골신경이 포획된 경우를 ulnar tunnel syndrome이라함.
- Guyon’s canal은 요측으로는 hamate, 손바닥면은 volar carpal ligament, 손등쪽면은 transverse carpal ligatment, 척측은 pisiform과 FCU로 둘러싸여 있는 공간.
- 조금 더 원위로 가면 신경분지들이 hypothenar muscle 깊이 들어감.
- 압박되는 부위에 따라, 증상이 운동신경과 감각신경 혼합된 증상(zone I)이 생기거나, 순수 운동신경 증상(zone I), 혹은 순수 감각신경 증상(zone III)가 생길 수 있음.
- 전형적인 증상은 제5수지와 제4수지의 감각이상, 손 척측면의 통증, 혹은 악력의 감소되는 병력.
- 손목의 척골신경포획(척골관증후군) 환자의 경우, 수근관 증후군을 겪고 있는 경우가 자주 있음.
- 수근관증후군의 수술적 감압술을 통해 간접적으로 Guyon’s tunnel도 감압이 되어 증상이 없어지는 경우 역시 종종 볼 수 있음.
- 고위의 팔꿈치(주관절)증후군에도 척골관증후군이 있다. claw hand - 손 내재근 마비 - 제4, 5수지 - 원위지관절 굴곡장해 & 근위지관절 신전장해 / 손등쪽 골간근육의 위축 / 엄지손가락의 내전 불가(Froment‘s sign) / 정중신

경 마비가 동반될 경우에는 모든 손가락의 굴곡장해가 되어 intrinsic minus position이 됨.

- 척골관 증후군에서 가장 잘 침범되는 근육들에는 제1 손바닥 및 손등의 골간근육들, 제4수지 및 제5수지의 충양근들, 그리고 무지내재근이 있음.
- Allen test를 함으로써, 척골동맥에 혈전증이 있는(hypothenar hammer syndrome) 것은 아닌지에 대해 검사.
- 결절종(ganglion)이나 종양, 동맥류나 골절이 있는 경우는 아닌지 촉진해 봐야 함.

c. 요골신경마비

- 얕은요골신경-Wartenberg's syndrome
  - 손등의 요측부위에 통증 혹은 이상감각증을 호소.
  - 운동의 약화가 있다면, 그것은 압박부위가 조금더 근위부라는 것을 의미할 수 있음.
  - 수갑을 했다거나 전완부 골절이 있었다거나 하는 선행병력이 있을 수도 있다.
  - 가만히 있어도 통증이 있으며, 회내운동(pronation)시 악화된다.
  - 6개월간의 비수술적 치료에 반응이 없는 경우, 수술적 감압술을 고려해 볼 수도 있다.
  - 해당신경위에 타진을 해서 Tinel's sign이 생기는 것이 가장 흔한 검사법이긴 하지만, lateral antebrachial cutaneous nerve에 신경염이 있는 경우에도 증상이 생길 수 있다.
  - De Quervain's tenosynovitis의 경우에는, 통증의 위치가 비슷하여 감별이 필요한데, 엄지와 손목을 움직일 때, 통증이 유발되는 감별점이 있다.

d. 후골간신경-후골간신경증후군/요골관증후군

- 손목은 침범되지 않고, 손가락의 배굴(dorsiflexion)이 안됨.
- Drop hand

B 선천성 이상

1) Malformations

a. Failure in axis formation & differentiation – entire upper limb

- Proximal – distal outgrowth
  Symbrachydactyly
- Radial – ulnar (anterior – posterior) axis
  Radial longitudinal deficiency
  무지저형성증 thumb hypoplasia
  1형 mild hypoplasia 무지두덩근육 저형성
  2형 moderate hypoplasia 무지두덩근 저형성 + 무지내전구축
  3형 severe hypoplasia 제1 수지수장관절(CMC) 기저부결손
  3A 관절안정 / 3B 관절불안정
  4형 floating thumb 부유무지
  엄지손가락과 손의 연결부위에 있는
  연부조직 속에는 신경혈관조직들이 있으며,
  간혹 저형성 힘줄과 건막이 들어 있기도 하지만, 뼈는 없다.
  5형 aplasia 무지결손
  3B~5형 : 제2수지 전이를 통한 무지화수술
  Ulnar longitudinal deficiency
  Radioulnar synostosis
  Humeroradial synostosis
- Dorsal – ventral axis

b. Failure in axis formation & differentiation – hand plate

- Radial – ulnar (anterior – posterior) axis 다지증
  X선소견에 따른 분류 – Wassel 분류법
  Wassel type IV가 가장 많은 유형
  수술시기는 생후 18~24개월에 주로 시행됨.

절골술이 필요한 경우라면, 생후 3~4세까지 기다리는 경우가 많고,
Wassel type IV이상의 경우에는 AbPB전이가 필요한 경우가 많음.
Radial polydactyly
Triphalangeal thumb
Ulnar polydactyly

- Dorsal – ventral axis
  Hypoplastic/aplastic nail

c. Failure in hand plate formation & differentiation – unspecified axis

- Soft tissue
  Syndactyly 합지증
  수지간의 간엽세포의 세포사멸 장해로 생기는 것으로 추정
  Apical ectodermal ridge가 분리되는 과정의 문제
  손 : 제3~4수지 사이에 호발
  발 : 제2~3족지 사이에 호발
  수술(지간 성형술)
  18개월~24개월 즈음 시행하는 게 보통이나
  골성유합 동반된 경우 : 3~4세까지 기다렸다가 하기도 함.
  Camptodactyly
  Trigger digits
- Skeletal deficiency
  Brachydactyly
  Clinodactyly
- Complex
  Cleft hand
  Synpolydactyly
  Apert hand

2) Deformations

- Constriction ring syndrome

3) Dysplasias

a. Macrodactyly 거지증

수지신경유래 양성신경섬유증으로 불리기도 한다.
(digital-nerve orientated benign neurofibroma)
태어날 때 바로 보이는 경우도 있고, 성장하면서 커지기도 함.
수지신경 주변의 연부조직을 최대한 제거하고,
골절제가 필요할 수도 있으며, 수차례 수술을 요하는 경우가 많음.

b. Limb hypertrophy

c. Tumorous conditions

C 건손상

1) 굴곡건 봉합법

a. 수술 후 손목관절은 30°, 수지수장관절은 45~70°로 유지해서 부목을 손등쪽에 댐.
수술 후 0~3주는 손등쪽에 부목을 대어 고정상태를 유지.
b. 3주~능동관절운동을 시작.
c. 6주~손목고정 역동적손가락관절운동을 dynamic splint로 시작.
d. 봉합법을 충분히 강하게 한 경우에는 수술 후 3일째부터 제한적이지만 조기운동을 시행해 주기도 함. 건유착이 생긴 경우에는 3개월 후 건박리술을 시행할 수 있음.

2) 신전건 봉합법

a. 수술 후 손목관절은 30°로 손등쪽으로 굴곡시키고, 수지수장관절은 0° 상태로 부목고정.

b. Zone I인 원위지관절에서의 손상의 경우에는 부목고정을 5~6주간 그대로 유지.
c. 그외의 경우에는 굴곡건봉합 후와 같이 0~3주간은 고정유지, 3주 후부터 능동관절운동 제한적 허용, 6주 후부터 dynamic splint를 사용하는 흐름을 따른다.

D 절단 손상

1) 접합수술 혹은 혈관재문합수술의 성공을 위해서는 절단 부분의 관리 및 환자의 절단부위에 대한 관리가 중요.
2) 절단 부분의 이송은 얼음에 담아 이송하는 것이 중요.
3) 물론 절단 부분 자체가 얼음에 닿이는 것은 피하는 것이 → 절단 부분을 얼음 용기에 담기 전에 방수 비닐 봉투 혹은 봉지에 넣어 준다(이 때, 절단 부분의 조직이 마르지 않도록 생리 식염수로 적신 거즈 혹은 깨끗한 섬유로 감싸 주도록 한다).
4) 물론, 환자의 절단부위도 마르지 않도록 생리 식염수로 적신 거즈로 싸두는 것이 좋다.
5) 충분한 지혈 조치 및 실혈량에 따른 저혈압 상태에 대한 확인 및 치료 역시 필요할 수 있다.
6) 손가락 끝 절단(수지첨부절단 손상)
   - 수지첨부 절단상(fingertip[zone I] amputation) - 예후와 관련된 분류법은 다양.
   - 제2, 3, 4, 5수지의 첨부 - 심수지굴곡건[FDS] 붙는 부위보다 원위부를 가리킴.
   - 무지[thumb]의 첨부 - 근위지골의 체부 중간 부위보다 원위부를 가리킴. 즉 제1수지간 보다 원위부[distal to first web]를 가리킴.
   - Zone I distal amputation : 심수지굴곡건 부착부 원위부 [at the root of nailbed]의 절단
     ▶ Zone IA : lunula원위부, sterile matrix

▶ Zone IB : lunula와 root of nailbed 사이, germinal matrix

- Zone I proximal amputation : 심수지굴곡건 부착부와 천수지굴곡건 부착부 사이의 절단

▶Zone IC : 심수지굴곡건 부착부와 중위지골 경부 사이, periarticular

▶Zone ID : 중위지골 경부와 천수지굴곡건 부착부 사이

- 접합문합술의 순서 : 뼈 ▶ 힘줄 ▶ 동맥 ▶ 신경 ▶ 정맥 ▶ 피부(±피부이식)
- 불완전절단의 경우에는 정맥문합이 필요하지 않을 수도 있음.
- 문합술의 절대적응증
  - 여러 손가락 절단
  - 엄지(무지) 절단
  - 전체 손의 절단
  - 수지수장골 부위를 가로지르는 손의 부분 절단
  - 소아의 절단(부위에 관계없이)
  - 천수지굴곡건 부착부위의 원위부 절단된 손가락이 하나일 경우
- 문합술의 상대적응증
  - 근위전완부, 팔꿈치의 절단
  - 상완부의 절단
- 문합술의 금기증
  - 고령이라고 해서 절대 금기증인 것은 아님.
- 상대적 금기증
  - 생명을 위협하는 동반 손상 / 전신 질환 / 마취위험이 높은 경우 / 성인에 있어 천수지굴곡건 부착부보다 근위부에서 절단된 손가락이 하나일 경우 / 절단부위에 다발성 분절 손상이 있을 경우 / 조직의 심각한 압궤[crushing] 혹은 전열[뜯겨진, avulsion] 손상이 있는 경우 / 매우 심한 오염이 된 경우 / 절단되 부위에 수술 혹은 손상의 병력이 있는 경우 / 대부분의 제2수지 절단의 경우 / 절단 부위 동맥에 Ribbon sign, red line sign이 있는 경우

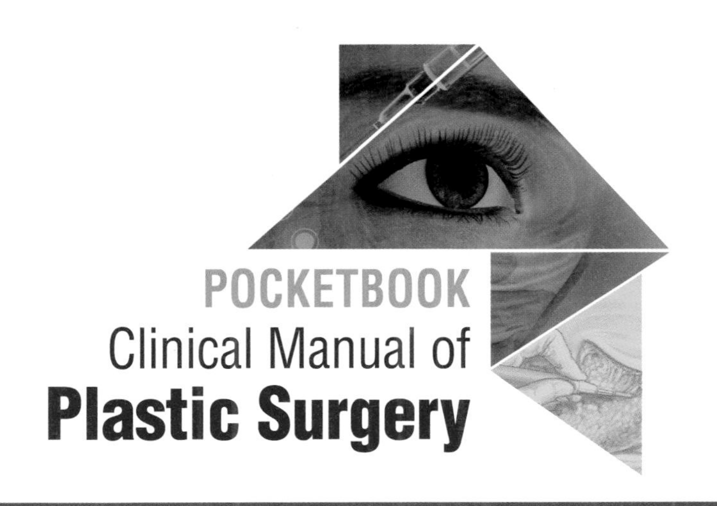

POCKETBOOK

Clinical Manual of

Plastic Surgery

Aesthetic Surgery

Written by D. H. Park MD PhD FACS
Peter C. W. Kim MD PhD MBA
J. S. Shim MD PhD
Y. G Lee MD PhD

SECTION

01

눈성형
(Oculoplasty)

A Anatomy

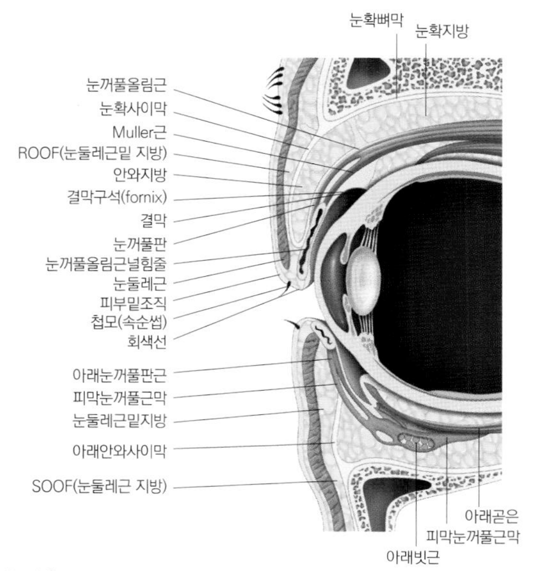

그림 8-1 눈꺼풀의 층구조.

B Preoperative assessment

1) Historty

a. 환자의 기대

- 기능적 vs 미용적
- 비현실적인 기대감에 대한 평가
- 응고 질환 check
- 갑상선 기능장애
- 고혈압 check
- 부종을 유발할 수 있는 신장 혹은 심장 기형
- 알러지 check
- 항응고 혹은 항혈소판 제제 사용

2) 이학적 검사

a. 이마와 눈썹

- Frontalis 주름 : 눈썹을 올리려는 무의식적인 노력을 시사
- 눈썹 처짐
  감고 눈썹을 편하게 한 상태에서, 가벼운 압력을 주어 이마의 frontalis 근육을 움직이지 못하게 해야 함 환자가 눈을 뜨게 함
- 미간 찡그림 선 : 눈썹주름근 과다행동을 암시

b. 위쪽 눈꺼풀

- 과다한 피부 : lateral hooding
- 위 눈꺼풀판 주름의 위치
  속눈썹으로부터 7~11 mm
- 지방 탈장(거짓탈장)
- Soft tissue 과다
  피하지방

preseptal fat
눈물샘 처짐

c. 안구 위치

- Proptosis : 갑상선 질환
- Enophthalmos : 외상 후
- Negative vector : 만약 안구의 앞쪽 부분이 광대뼈의 가장 돌출된 부분보다 앞에 있다면

d. 눈 검사

- 각각의 눈의 최고의 교정시력을 기록
- 만약 시야 결손이 있다면, 안과전문의나 검안사에게 의뢰
- Bell's phenomenon : 만약 환자가 눈꺼풀을 닫으려는 시도가 있음에도 불구하고 눈꺼풀이 강력하게 열려있으면, 안구를 위로 돌려야 함
- 눈꺼풀 처짐에 대한 평가

3) 아래 눈꺼풀성형술 수술 전 평가

a. 전신적 질환이나 안구, 눈꺼풀의 해부학적 및 기능적 이상유·무를 검사

b. 전신질환- 갑상선 기능항진증(Hyperthyroidism)

c. 눈 검사

- 눈의 대칭 및 크기
- 근시의 유 · 무 등과 늘어진 눈꺼풀(sagging)
- 경미한 눈꺼풀겉말림

d. 눈꺼풀의 신축성 및 긴장도(Elasticity and tone)를 검토

- 눈둘레근의 이완에 의한 것인지, 피부의 이완에 의한 것인지를 알아보는 pinch test
- 아래 눈꺼풀의 수평적 단축의 필요성 유무를 알아보는 snap-back test

e. 눈물 기능 검사

- 노인과 안구 건조 증상이 있는 모든 환자들에게서 유용 안과적 진찰을 고려
- Schirmer's test 1 : 기본적이고 반사적인 분비
  가쪽 공막에 놓인 Whatman filter paper : 5분 후에 1 mm 이상 젖는 것이 정상
- Schirmer's test 2 : 기본적 분비 국소 마취 후 행한다 보통 Schirmer's 1의 40% 이하
- Advanced test : Tear film breakup, rose bengal 염색, 눈물 lysozyme 전기 영동

C Double fold operatoin

1) 비절개식 쌍꺼풀 수술

표 8-1 비절개 쌍꺼풀수술

	2점 고정
수술식	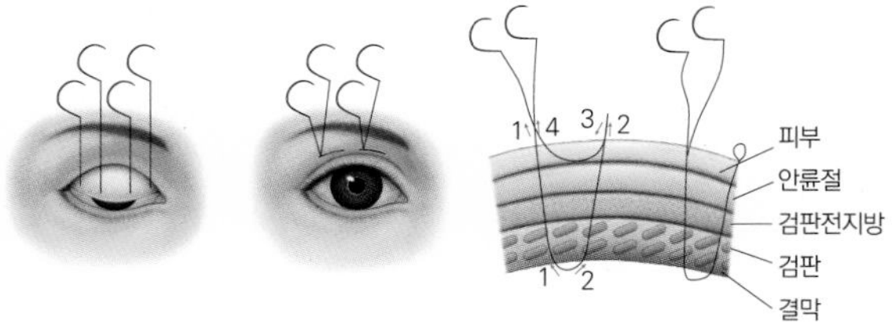 1 4 3 2 1 2 피부 안륜절 검판전지방 검판 결막 통상은 7-0 또는 8-0의 둥근바늘 쌍꺼풀 전용 나일론사를 사용한다.
결막측의 고정	검판 고정, 거근건막 고정 (쌍꺼풀 폭이 5~6 mm로 좁은 경우에는 검판고정으로 한다.)
이점	• 수술시간이 짧고 간편하다. • 수술 후의 종창이 비교적 적다.
결점	• 수술 후 되돌아가는 경우가 다소 많다. • 처짐이 심한 경우에는 쌍꺼풀라인이 모나거나 피부가 덮어서 바깥쪽 라인이 잘 나타나지 않는다.

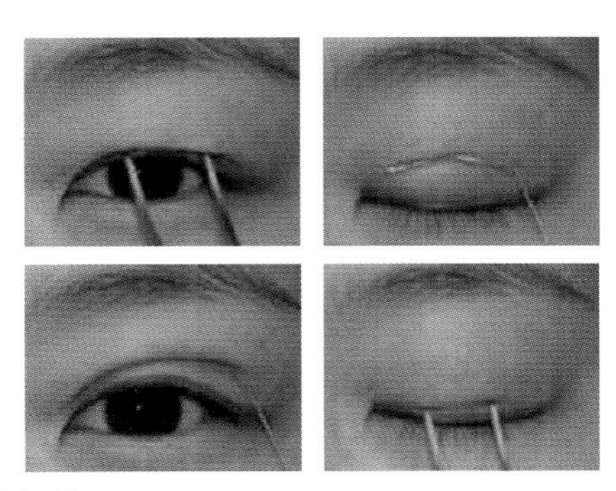

그림 8-2 쌍꺼풀의 도안.

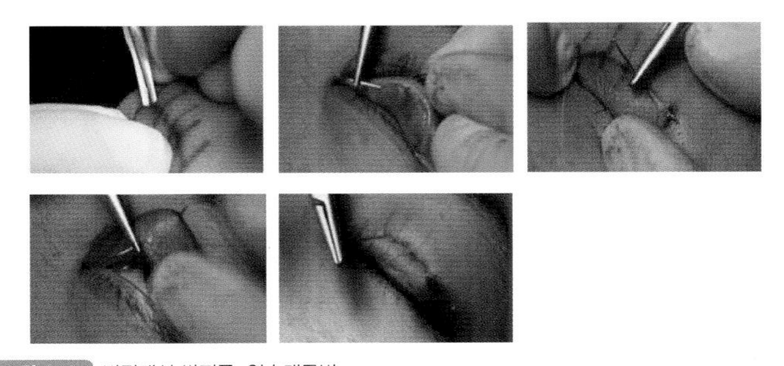

그림 8-3 비절개식 쌍꺼풀-연속매몰법.

- 합병증
  - 쌍꺼풀이 풀리는 경우
    - 위눈꺼풀 자체의 지방층이 많은 경우도 잘 풀리는 수가 있음
    - 매몰봉합사의 묶음이 너무 강해 풀리는 수도 있음
    - 혈종이나 봉합사의 흡수로 봉합사가 분해되어 풀리는 경우가 많음
    - 풀린 원인의 대부분은 make-up을 할 때 문지르는 데에 있으므로 잘 설명하여 주의를 기울여야 함
    - 풀렸을 때는 묶음수를 늘리거나 실의 꿰매는 폭을 증대하여 재수술
    - 피부가 매우 두껍거나 지방이 과다하다고 생각되면 절개법을 검토

- 쌍꺼풀이 너무 넓은 경우,
  - 위눈꺼풀이 눈썹보다 앞으로 돌출되거나 안구돌출이 있는 경우나피부가 얇은 사례 등에서는 쌍꺼풀 폭은 넓어지기 쉬움
  - 처음부터 도안할 때 필요 이상으로 폭 넓은 도안을 해서는 안됨
  - 6개월 이상 지나도 여전히 너무 넓을 때는 재수술
- 좁은 경우
  - 쌍꺼풀 폭이 좁아진 경우에는 폭이 너무 넓은 경우보다는 쉬움
  - 수정법은 기존보다 위에서 재수술하면 해결

2) 절개식 쌍꺼풀 수술

- 절개식 이중검 성형수술(Double fold operation)은 동양인에게 있어 가장 흔히 시행되는 미용성형수술의 하나
- 쌍꺼풀 예정선의 도안
  - 도안은 반드시 앉은 상태에서 함
  - 보통 쌍꺼풀의 폭의 20~30% 정도가 눈을 떴을 때 보이는 것이 가장 균형 잡힌 폭
  - 눈을 감았을 때 쌍꺼풀의 폭은 1.0cm 이내
  - 방법 선택의 원칙은 환자의 피부두께 안검하수 정도, 수술자와 환자의 선호도를 알아보고 해야 함

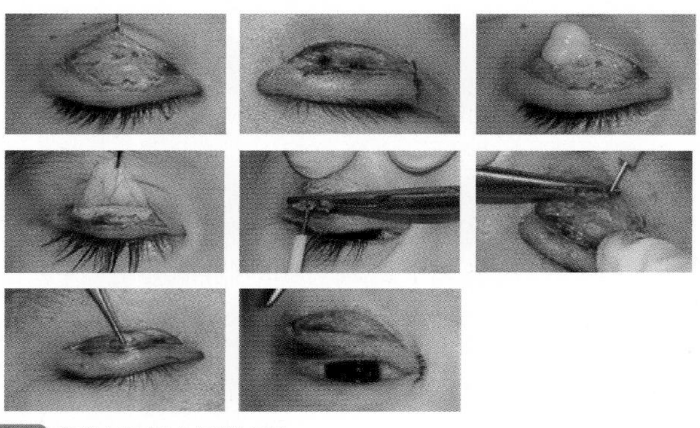

그림 8-4 절개식 쌍꺼풀 수술방법 도해.

표 8-2 절개식 쌍꺼풀수술

적응	쌍꺼풀이 소실되기 쉬운 case에 적용
수술식 Schema	A B C
쌍꺼풀라인	쌍꺼풀라인은 통상 검연에서 7~10 mm의 범위에서 결정한다.
조직절제	잉여 피부 및 안륜근 등을 절제 필요에 따라서 안와지방을 절제 안륜근 등의 검판전조직을 절제하여 유착을 촉구한다.

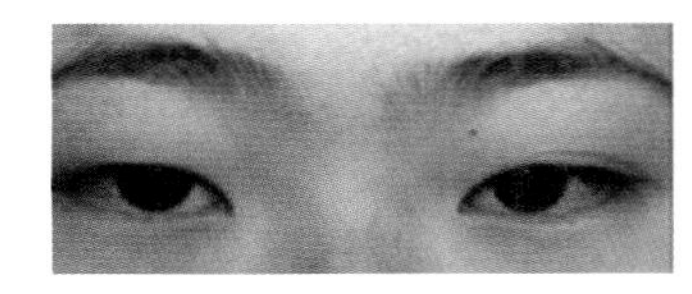
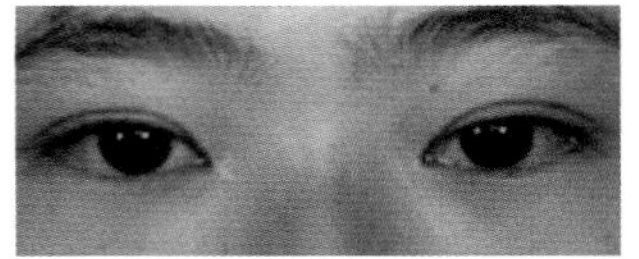

그림 8-5 절개식 쌍거풀 수술결과 수술 전·후.

- 절개식 쌍꺼풀 수술법의 고려 사항 및 안검의 상태에 따른 방법
  - 기본적으로 각 조직은 가능한 한 그대로 보존하는 것을 원칙
  - 안와지방은 특수한 경우 외에는 너무 빼지 말아야 함
  - 안와 지방 절개를 위한 격막절개 위치는 약간 높게 하는 것이 거근 건막의 손상을 줄일 수 있음
  - 검판전 지방의 제거는 보존적으로 해야 함

D Upper blepharoplasty

1) 상안검 성형수술

a. 수술 전 마킹 및 표시

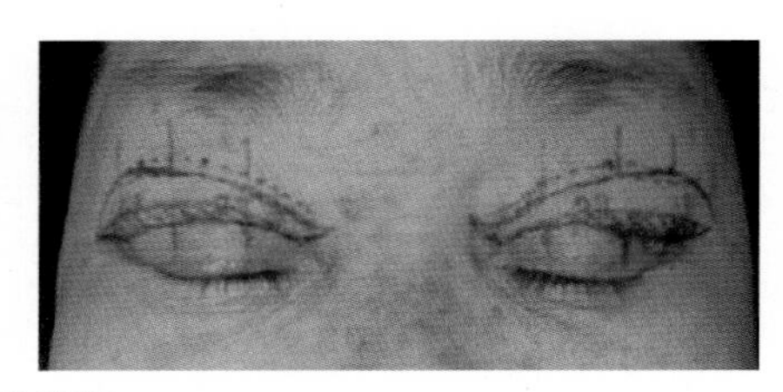

그림 8-6 수술 전 디자인.

- 앉은 상태로 Gentian violet 또는 수성 사인펜으로 도안
- 보통 속눈썹 선에서 6~8 mm 위쪽에서 그음
- 10 mm 이상을 넘지 않도록 도안
- 좌우 대칭으로 균형 잡힌 아래 표시를 하도록 주의
- Forcep으로 제거될 폭만큼 눈꺼풀피부를 잡고 눈을 뜨고 감게 하면서 절제폭을 결정
- 아래쪽 예정선은 원래 갖고 있던 쌍꺼풀선으로 하고, 절제폭을 결정
- 피부 절제 위치 표시는 여분의 양과 위치에 따라 달라짐
- 위눈꺼풀의 피부 절제폭은 적당히 함
- 눈확지방의 절제를 필요로 하지 않는 경우는 단순히 피부만 절제, 봉합해도 좋은 결과

b. 수술방법

피부 절제

눈둘레근의 처리

눈확지방의 처리 및 기타 기술

눈꺼풀판 고정

창연봉합

- 피부절제만 하는 경우 : 환자가 뚜렷한 쌍꺼풀이 있으면서 피부만 처진 경우에 사용

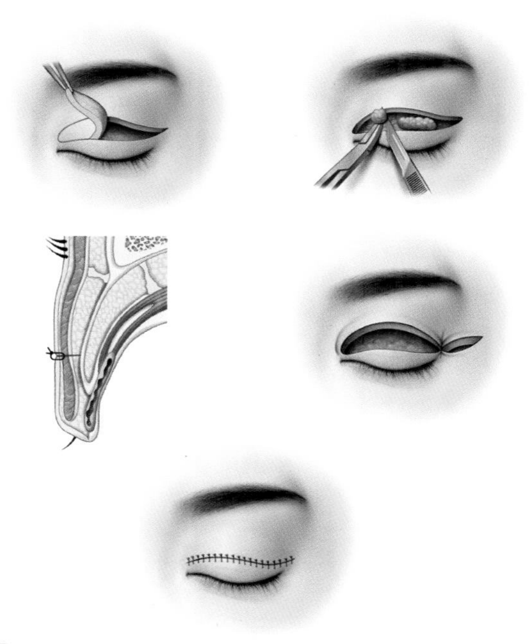

그림 8-7 피부 절제만 하는 위눈꺼풀성형술의 도해.

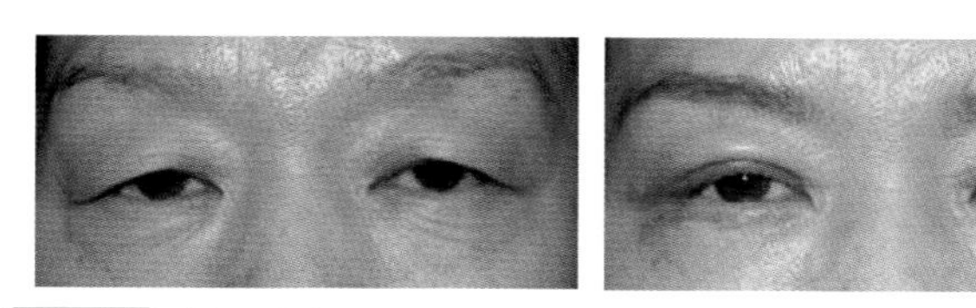

그림 8-8 상안검성형술 수술 전 · 후.

Lower blepharoplasty

1) 수술 전 디자인

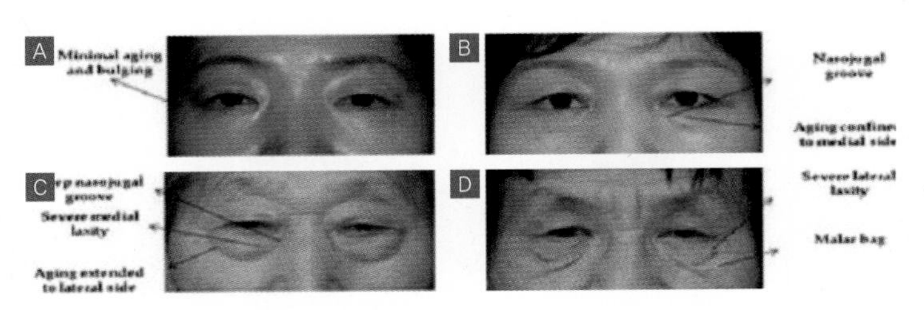

그림 8-9 하안검피부노화의 정도를 나타낸 사진.
A: Grade I, B: Grade II, C: Grade III, D: Grade IV

- 앉아서 환자를 약간 상방으로 보게 한 후 아래 눈꺼풀의 속눈썹의 2~3 mm 아래쪽에 약간 각진겸자(angulated forcep)로 절제해야 할 피부를 잡아보고 대개의 절제폭을 결정
- 아래 눈꺼풀 절개선은 눈물구멍(lacrimal punctum) 바로 밑에서 시작하여 속눈썹 하방 2~3 mm에서 속눈썹을 따라 외측 안각 지점까지 가서 자연히 생긴 주름방향(crow feet line) 에 일치 또는 30° 내려가도록 도안
- 바깥눈구석 외방의 절개선 길이는 대략 10 mm를 넘지 않는 것이 좋음
- 절제폭은 사람에 따라서 다르지만 아래 눈꺼풀중앙에서 대개 4~8 mm 정도
- 동양인은 보존적으로 절제하는 것이 좋음

2) 수술 방법

a. 피판법(Skin flap method)

- 피부가 매우 늘어나 있는 경우에는 아래 눈꺼풀 피부만으로 피판을 만들어 여분의 피부를 제거
- 속눈썹 밑 절개하여 사이막 전 orbicularis 위 피부판을 형성
- 안윤근을 건드리지 않고 가능한 과다한 피부를 제거

- 많은 양의 피부를 제거하는데 유용
- 피부 천공의 위험이 있는 주의 깊게 박리
- 근육과 피부의 흉터를 유발할 수 있음

b. 근피판법(Skin-muscle flap method)

- 눈확지방이 불거져 불룩한 경우나 눈둘레근의 비후나 늘어짐이 있는 경우
- 피부 - 근육 판과 함께 속눈썹 및 절개, 전눈꺼풀판 근육은 다치지 않게남음
- 피부와 근육을 3~5 mm 이상 함께 절제하는 것도 괜찮음
- 피부판법보다 수술 직후에 ecchymosis나 swelling이 덜 심하여 환자에게 보다 빠른 회복

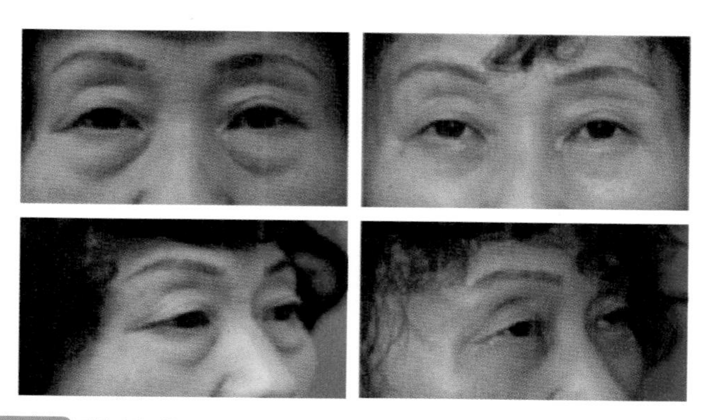

그림 8-10 피판법에 의한 수술 전·후 결과.

■ 결막경유법(Transconjunctival approach)

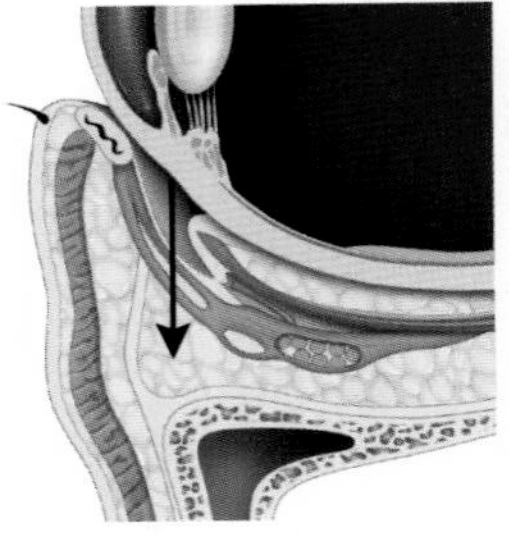

그림 8-11 결막을 통한 지방제거술의 경로. 격막 앞으로 가는 방법과 격막 후방으로 가는 방법이 있다.

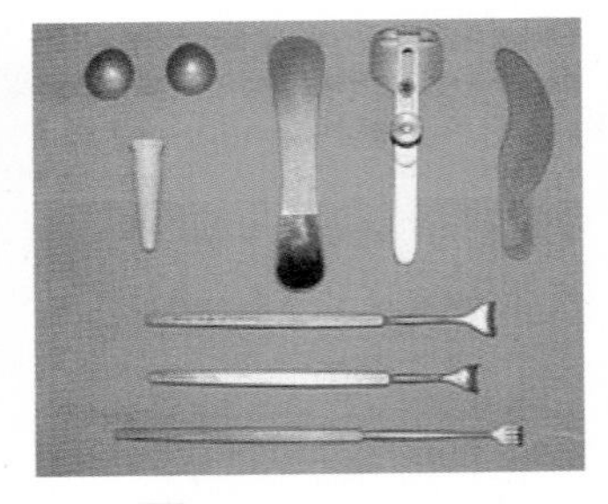

그림 8-12 결막경유법에 사용되는 기구.

절개는 눈꺼풀 결막에서, fornix 바로 위에서, capsulopalpebral fascia를 통해서 하여 눈확 안 지방에 접근하도록 함
preseptal and postseptal 접근을 통하여 지방 절제

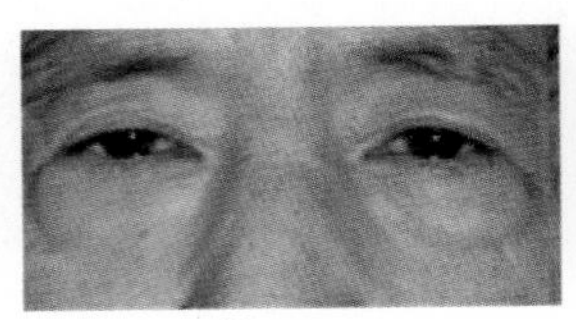

Pre - op

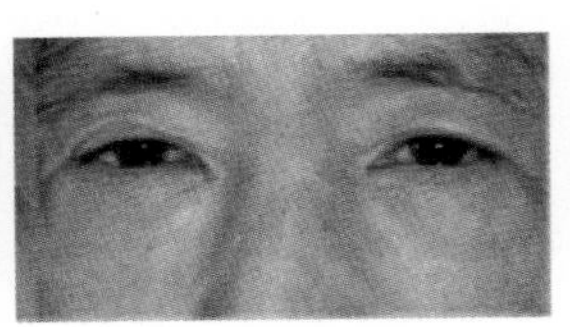

Post - op

그림 8-13 하안검피부노화의 정도를 나타낸 사진.

3) 수술 술기

a. 피판 및 근피판 박리
b. 눈확지방 제거 및 재배치
c. 피판의 고정 혹은 바깥눈구석 성형술
d. 봉합

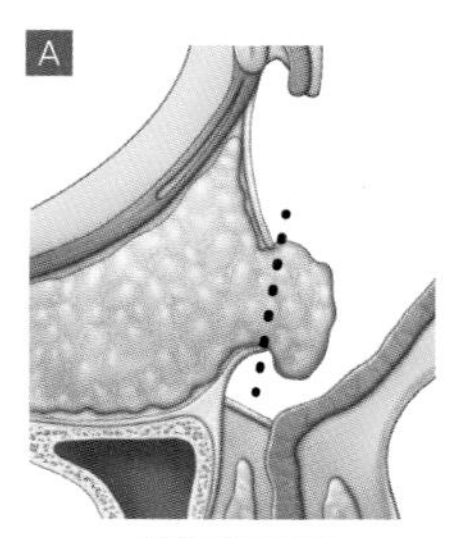

안와지방 절제

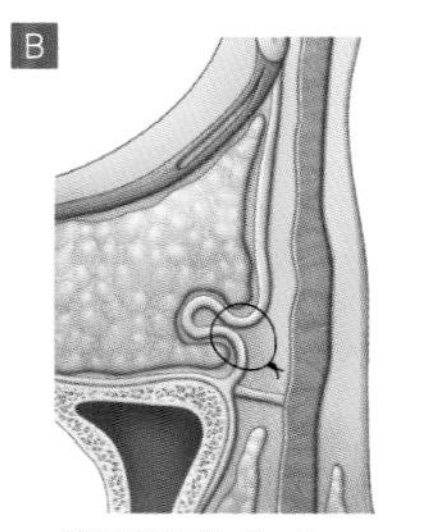

안와격막의 plication

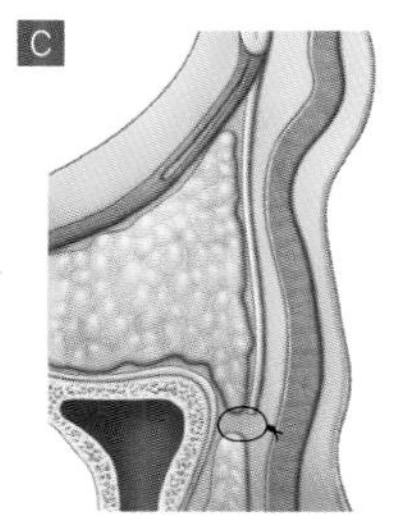

안와지방의 이동(Hamera)

그림 8-14 안와지방 처리 방법.

4) 술 후 처치

- 12~24 시간은 약간 압박하면서 편한 상태로 두는 것이 좋음
- 얼음주머니에 의한 냉찜질
- 인공누액이나 안연고로 윤활요법을 권장
- 봉합사는 3~5일째 발사
- 눈 화장은 일주 이후에 가능

5) 합병증

a. 수술직후(Early postoperative period)

- 출혈 및 혈종(hemorrhage and hematoma)
  - 눈물흘림(epiphora) 혹은 건성안증후군(dry eye syndrome)
  - 겹보임 및 바깥눈근육 장애(diplopia and extraocular muscle disoder)
  - 눈꺼풀의 불완전 감김으로 인한 노출성 각막염
    (exposure keratopathy from incomplete eyelid closure)
  - 눈꺼풀위치이상(eyelid malposition)
    술후 눈꺼풀겉말림이 되는 경향이 있음

마비된 눈둘레근과 더불어 눈꺼풀이 수평으로 길어지고, 부종이나 혈종에 의해 눈꺼풀이 아래로 당겨지고 반흔이나 구축등에 기인하는데 대부분 저절로 소실
치료는 마사지가 효과적-5분 정도로 하루에 2~3회에 걸쳐 반복

b. 지속적인 합병증(Late postoperative period)

- Malar festoons(secondary bags)재발
- 반흔성 아래눈꺼풀 위축 및 아래눈꺼풀 공막징, 눈꺼풀겉말림
  (Cicatrical lower eyelid bowing, inferior scleral show, and ectropion)

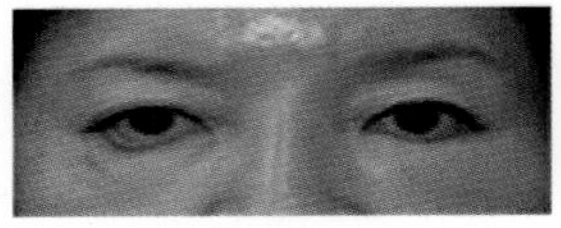
Pre - op

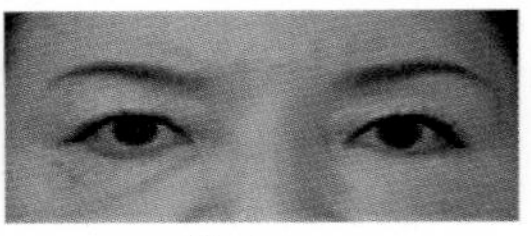
Post - op

그림 8-15 반흔성 아래눈꺼풀 외반의 수술적 교정 전·후.

- 비대칭(asymmetry) 및 부족교정(undercorrection)
- 비후성 반흔 및 감염

6) 이차눈꺼풀성형술(Secondary blepharoplasty)

- 꼭 필요한 경우가 아니면 이차수술을 피하는 것이 현명함
- 아래 눈꺼풀에 있어서는 피부의 여유가 별로 없기 때문에 재수술은 위험하고 모험적
- 일차 수술시 내측이나 외측 구획의 지방이 남아 있는 경우는 남은 지방을 이용
- 남는 피부가 없으면서 아래 눈꺼풀의 탄력이 줄어들어 늘어졌을 경우에는 쐐기형(wedge)절제로 아래 눈꺼풀을 단축하거나 눈꺼풀판 고정(tarsal suspension)

Ⓕ Blepharoptosis

1) 눈꺼풀처짐증 정의 및 분류

- 눈꺼풀처짐증이란 눈 높이로 정면을 바라보고 있을 때 위 눈꺼풀이 정상위치보다 내려가 있는 상태
- 선천성 눈꺼풀처짐증과 후천성 눈꺼풀처짐증 2가지로 크게 분류
- 이 2가지는 치료방법도 매우 다르고 수술후 나타나는 쌍꺼풀 형태도 다름

a. 선천적인 Ptosis

- 눈꺼풀처짐증은 약 80%.
- 2~5세 사이가 적당한 수술 시기
- 2세까지 기다려 수술하는 것을 원칙.

b. 후천적인 Ptosis

- 근육성
  - 퇴행성 근육병적(퇴행성 ptosis)
    - 가장 흔한 타입
  - 만성 진행 external ophthalmoplegia
    - extraocular ms.과 levator에 영향을 주는 진행성 근육퇴행위축
    - 케이스의 5%에서 facial과 oropharyngeal ms을 포함
- 외상성
  - 두 번째로 흔한 타입
  - 백내장 수술 후에 levator aponeurosis의 봉합 터짐으로부터 발생 가능
- 신경성
  - 세 번째 신경 마비 : levator ms.의 마비
  - Horner's syndrome : Muller's ms. 마비
  - Myasthenia gravis
    - 일차적으로 어린 여성과 나이 많은 남성에게 영향을 줌
    - 밤에, 피곤과 함께 ptosis가 악화됨

- 기계적
  - 위눈꺼풀 암
  - 심한 deamatochalasis, 눈썹 ptosis

c. Pseudoptosis / true ptosis와 섞여 있는 상태

2) 수술 전 평가

a. 올림근기능의 측정

- Berke법
- Marginal reflex distance(MRD)를 재보는 방법

b. Dry - eye - 증상 평가

c. 반대쪽 눈을 평가

- Hering's law
  - levator ms.은 양쪽 모두 같은 신경 지배를 받음
  - 한 쪽의 심한 ptosissms 반대쪽 눈꺼풀의 오므림 자극을 만듦. 그리고 만약 심하게 영향을 받던 쪽이 교정이 되면, 눈꺼풀 오므림의 자극이 사라지고, 반대쪽에 ptosis로 나타남

d. 안과적 문제의 평가

e. 올림근널힘줄 및 Muller근의 전진 혹은 단축량의 결정

수술 전 결정법과 술중 결정법, 2가지

3) 수술 방법

a. Fasanella-servat 시술

b. Mustarde's split-level approach

c. Levator aponeurosis 전진술

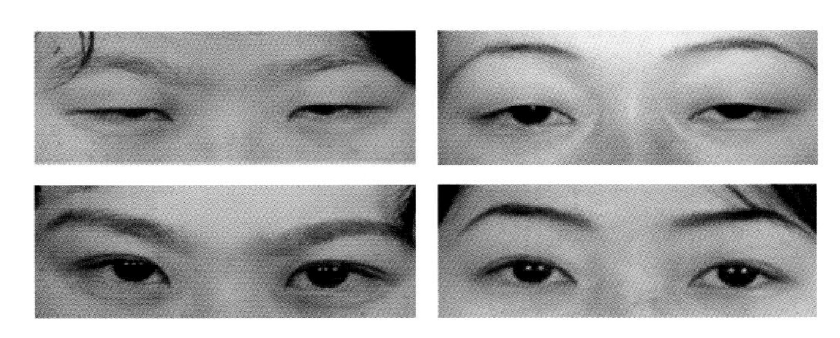

그림 8-16 안검거근근막전진술에 의한 안검하수 교정증례: 수술 전·후.

d. External levator resection

- Levator 기능을 정상화 시키는데 가장 유용
- Viable levator ms.을 희생함.
- 테크닉
  - 원하는 supratarsal 주름에서 피부와 orbicularis ms.를 절개
  - Tarsus의 superior 경계를 노출
  - Superior tarsal에 부착된 안검거근 근막과 안검거근을 결막으로부터 박리하고 일부 근막과 거근 제거
  - 안검거근을 검판에 재부착하고 피부 봉합

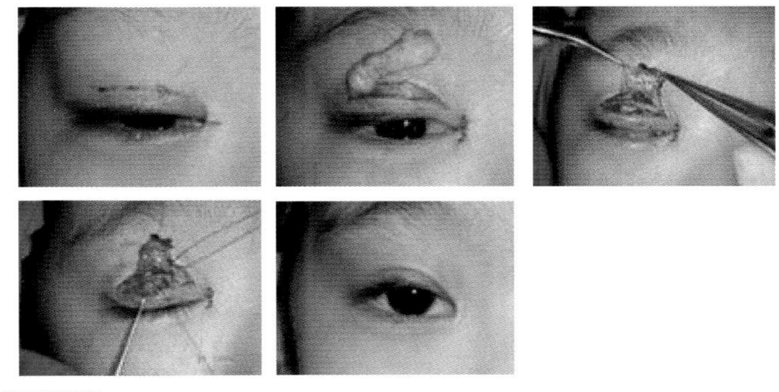

그림 8-17 External levator resuction.

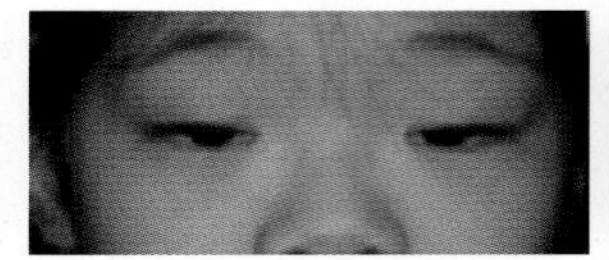

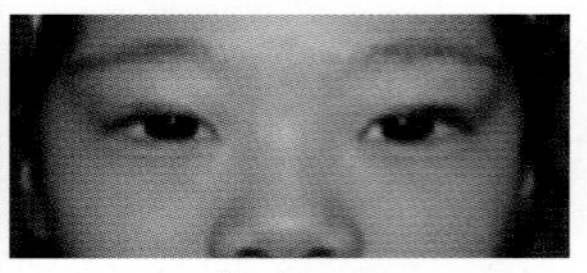

그림 8-18 External levator resection 수술 전·후.

e. Levator reinsertion

f. Frontalis suspension

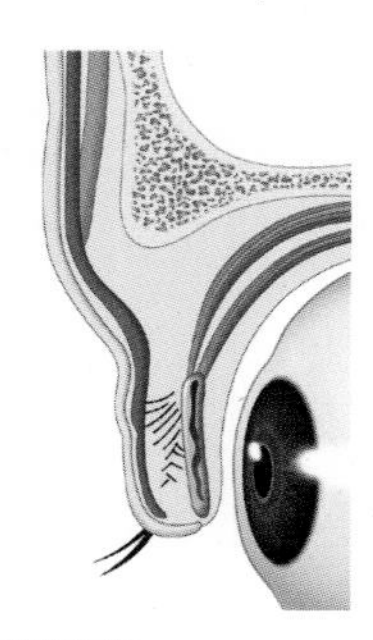

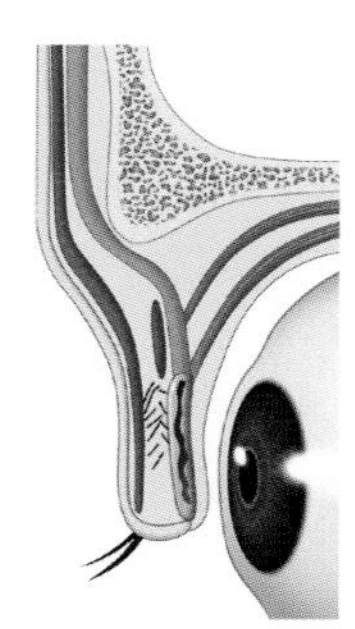

그림 8-19 전두근판 수술법 도해 및 수술 전·후 모습.

4) 합병증(Complication)

- Undercorrecton
- Overcorrection
- 과도한 lagophthalmos
- 각막의 노출 혹은 keratitis, dry - eye syndrome
- 눈꺼풀 외형 비정상, temporal overcorrection
- 눈꺼풀 주름 비대칭
- 속눈썹 ptosis 혹은 속눈썹 비정상
- 위눈꺼풀의 눈꺼풀속말림 혹은 눈꺼풀겉말림 / 뒤집힘
- Extraocular ms.의 불균형
- Conjunctival 탈출증

SECTION 02

코성형
(Rhinoplasty)

A Anatomy

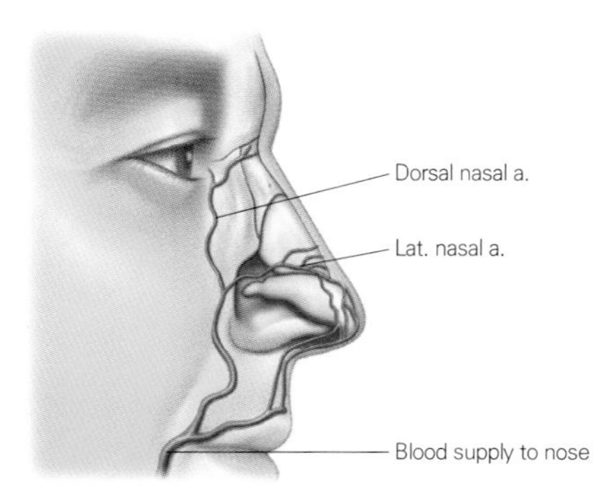

그림 8-20 Blood supply to nose.

1) Blood supply

a. Lat. nasal a. (of angular a) : lateral surface of caudal nose defatting을 너무 많이 하게 되면 nasal tip necrosis 유발 가능

b. Sup. Labial a. : nasal sill, nasal septum, base of columella

c. Dorsal nasal br. (of ophthalmic a.) : axial arterial network for dorsal and lateral nasal skin

d. infraorbital br. (of internal maxillar a.) dorsum and lateral sidewalls of nose
   Vein: vena comitans

2) Innervation

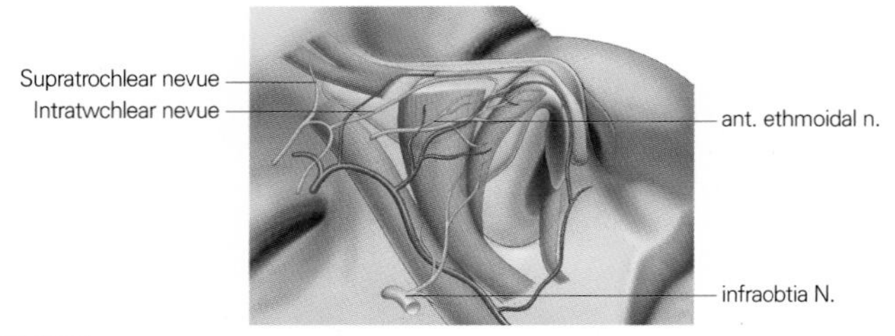

그림 8-21 Nasal innervation.

V1 (ophthalmic n.) - root, dorsum

V2 (maxillary n.) - caudal portion of nose, columella, ant. ethmoidal n.
   osteotomy 시 ant. Ethmoidal n.가 손상시 비첨 감각 소실 가능

3) Muscles

표 8-3 코주위 근육

	origin	insertion
1. Procerus	Med.-transverse aponeurosis,periosteum of nasal bone	Glabella skin
2. Levator Labii Superioris alaeque nasi (LLSAN)	Orbicularis oris, frontal process of maxilla	nasolabial fold, upper lip, ala nasi
3. Anomalous nasi (50%)	frontal process of maxilla	Nasal bone, ULC, procerus, transverse nasalis
4. Dilator naris post	maxilla (lat. incisor) piriform aperture	lat. Crus accessory cartilage

	origin	insertion
5. Depressor septi	maxilla (central& lat. incisor) ANS orbicularis oris	membranous sepoum footplate
6. Transverse nasalis	maxilla (incisor) LLSAN	Procerus, aponeurosis of opposite part, nasolabial fold, ala fold, dilator naris post.
7. Compressor narium minor (57%)	ant.part of LLC	skin of nostril margin
8. Dilator naris ant. (all)	ULC dilator naris post.	Candal margin of lat. crus

4) Cartilages and bone

a. Nasal bone

b. Upper lateral cartilage (ULC)

c. Lower lateral cartilage (LLC)

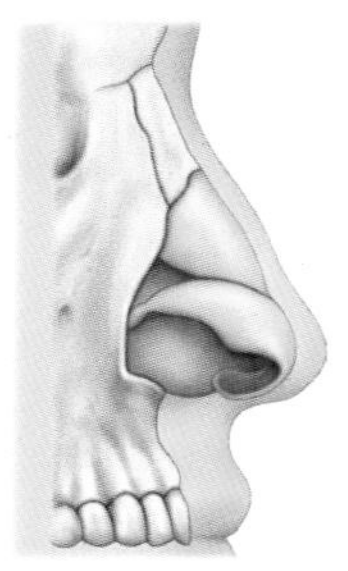

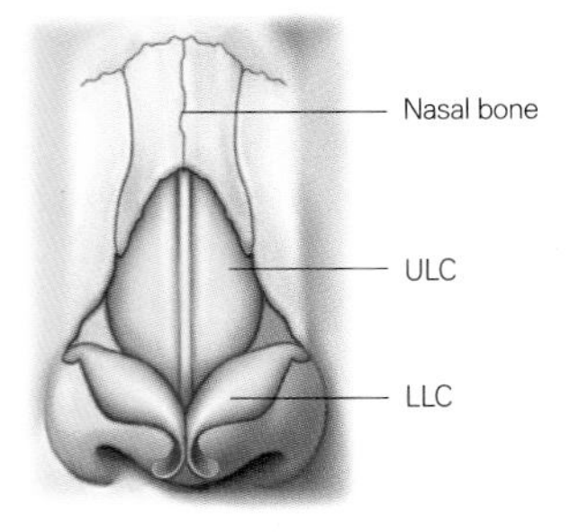

그림 8-22 Nasal skeleton and cartilage.

B Nasofacial analysis

1) Frontal view

코 수술을 할 때는 코가 전체 얼굴과 조화를 잘 이루도록 얼굴과 코 사이의 균형을 잘 분석하는 것이 종요하다. 수치적인 분석과 동시에 환자의 미용적 선호도도 고려해야 한다.

C Endonasl (Closed) Vs External (Open) approach

● Approach

표 8-4 개방적 접근법과 폐쇄성 접근법의 차이

	Closed approach	Open approach
절개	비익연골하 절개를 이용하는 경우가 많다	V type / Step type 비익연골하 절개에 연속한다
이점	• 콧대에 상처가 나지 않는다 • 연골의 onlay graft 등일 때에 봉합 고정하지 않아도 된다 • 수술시간이 짧고, 수술 후의 다운타 임이 짧다	• 시야가 좋아서, 전체를 파악할 수 있다 • 정확한 진단과 성형이 가능하다 • 연골이식의 방법 등, 수술식에 폭을 만들 수 있다
결점	• 전체적인 구조를 직시하기 어렵다 • 비익연골의 변이나 변형을 정확히 파악할 수 없다 • 수술 전에 정확한 진단력이 필요하다	• 수술시간이 길다 • 콧대에 상처가 난다 • 비첨(鼻尖, 코끝)의 부종이 심하다 • 이식연골 하나하나에 고정이 필요하다

D Nasal tip surgery

1) Anatomy

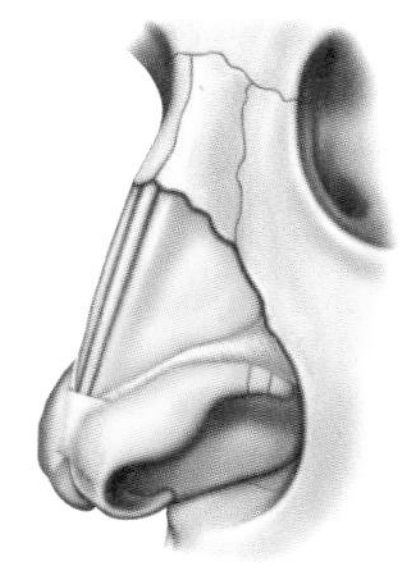

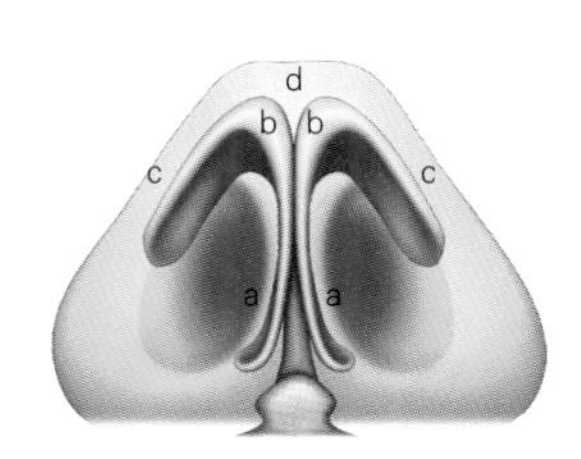

그림 8-23 Anatomy of nasal tip.

- a - medial crus
- b - middle crus
- c - lateral crus
- d - domal suspensory ligament

● 비첨(鼻尖, 코끝)성형술

표 8-5 코 끝의 축소·거상·연장의 각종법

비첨 축소 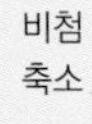	Medial crural suture 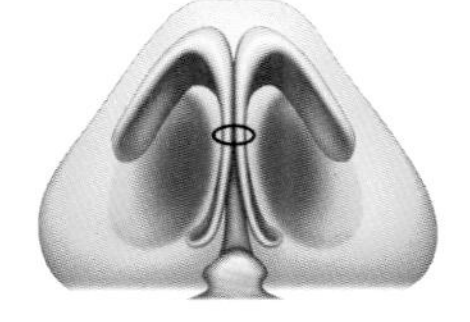 양측 내측각 고정	Interdomal suture 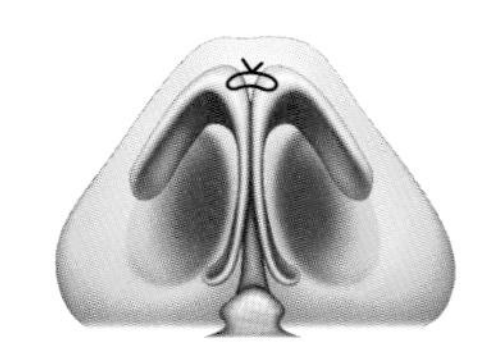 양측 중간각 고정

	Transdomal suture 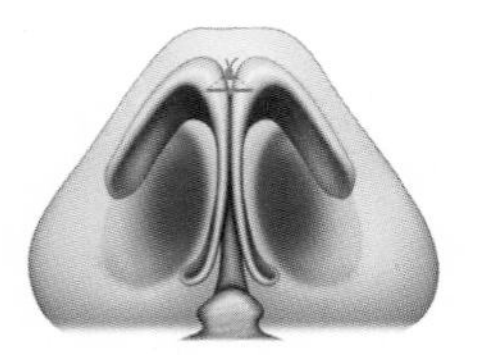 편측 중간각의 성형	Cephalic trim 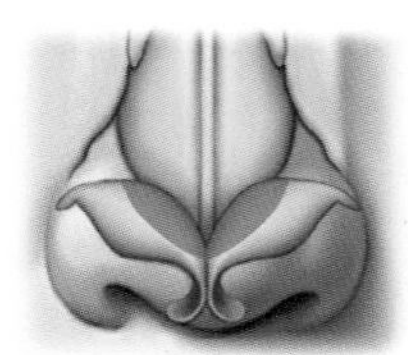 외측각의 두측부 절제
비첨 거상	Tip graft 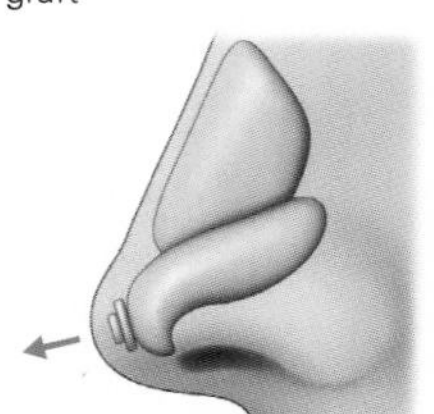 비첨의 전방거상	Tip (infralobular) graft 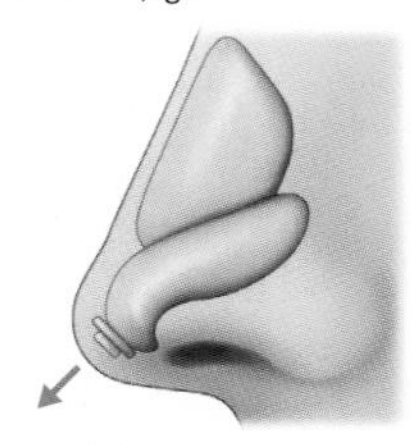 비첨의 하방연장
	Shield graft 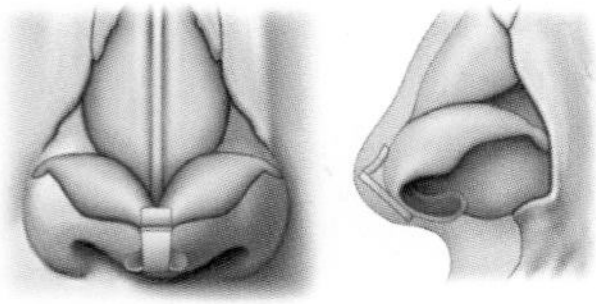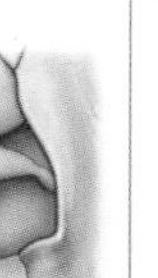 비첨거상·성형	Floating columellar strut 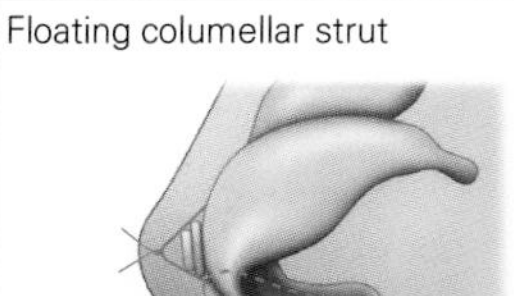 기반 보강
콧대 연장	Septal extension graft 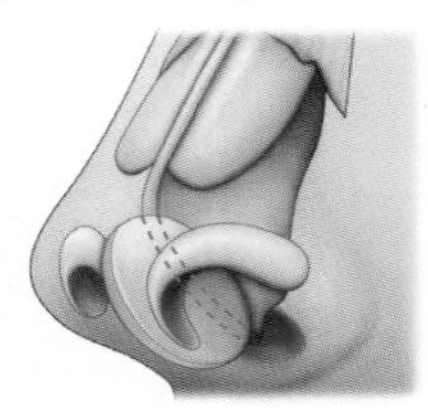 짧은 코(短鼻)의 개선 (비중격이나 늑연골을 사용)	

TIP

- 비첨(鼻尖, 코끝)축소에서는 양측 비연골을 조일수록, 비첨이 시계반대방향으로 회전하여 상향이 되므로 주의한다.
- 비첨거상으로 onlay graft를 해도 내측각이 비뚤어질 것 같으면, 망설이지 말고 columellar strut 나 비중격 확장 이식편(septal extension graft) 을 추가한다.

E Nasal dorsum

1) 임플란트에 의한 융비술

표 8-6 Implant에 의한 융비술

임플란트 삽입위치	• 임플란트는 I 형을 사용하고, 철저히 비근~비배(콧등)의 augment에 사용한다. 비첨(鼻尖, 코끝)의 성형은 별도로 자가조직으로 한다. 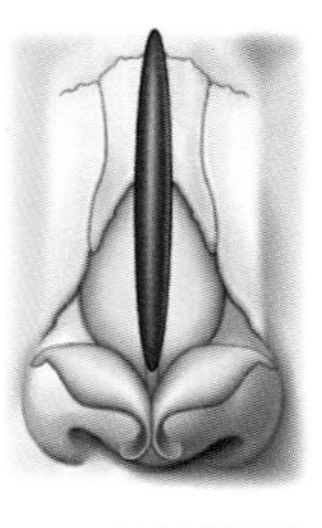 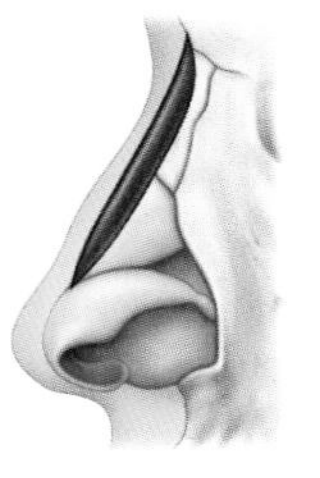 • 주로 closed approach를 사용한다. • 수술자가 오른손잡이라면 우비공(右鼻孔)에서 접근한다. • Nasion의 조금 위부터 비익연골에 걸리지 않는 위치(supratip break) 까지 한다. • 비골 위는 반드시 골막하포켓에 삽입한다.
수술 후	• 테이핑 5~7일(비배부)

2) 비골에 대한 절골술(Osteotomy)

- Methods
  - External - multiple 2 mm osteotome

- Internal - 6 mm guided osteotome

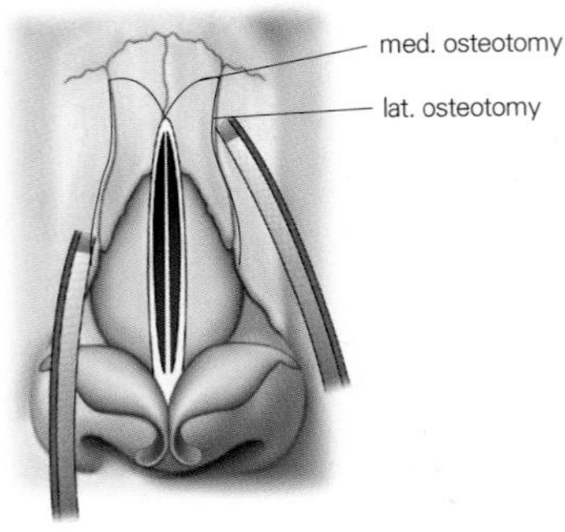

그림 8-24 코절골의 방법.

F Septum and turbinates

1) Anatomy

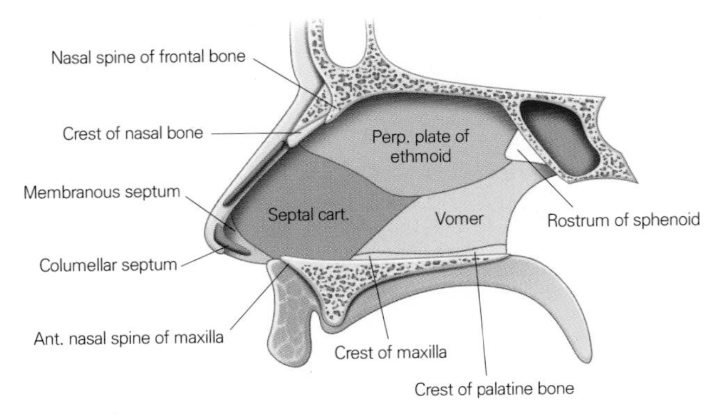

그림 8-25 비중격의 해부.

2) Submucosal resection (SMR)

주로 심한 비중격 만곡 치료와 비중격연골을 채취할 목적으로 사용

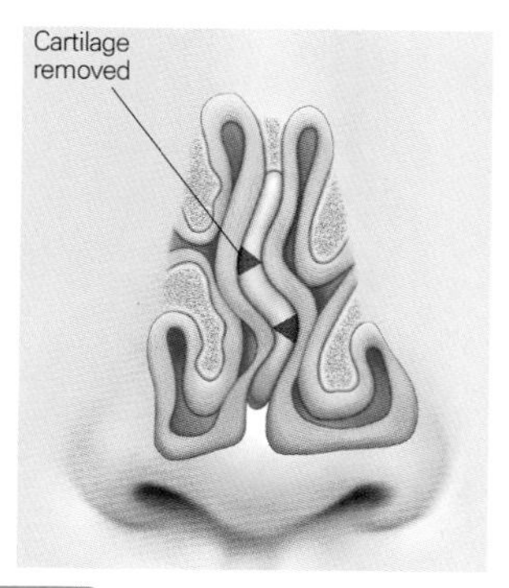

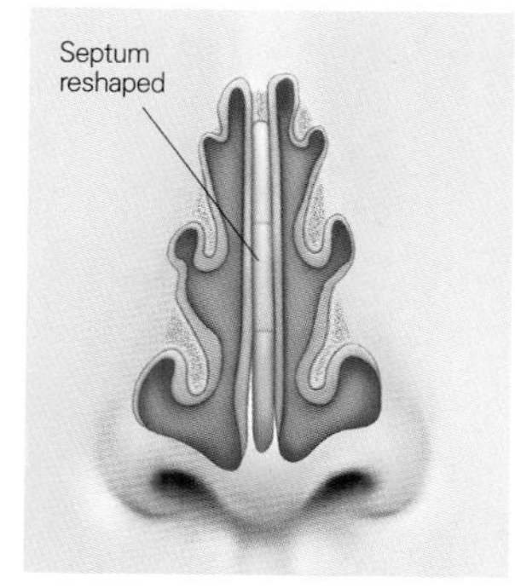

그림 8-26 심한 Nasal obstruction을 효과적으로 치료하기 위하여 SMR 방법
Inf. turbinate를 Partial resection을 같이 하는 경우도 있다.

G Nasal alae and columella

1) Rectracted ala

- 술 중 lateral crus를 과도하게 절제 후 발생 가능(3 mm 정도 연골이 남을 경우)
- Tx : alar contour graft, lateral crural strut graft

표 8-7 Retracted alae 교정방법

Alar contour graft	Lateral crural strut graft
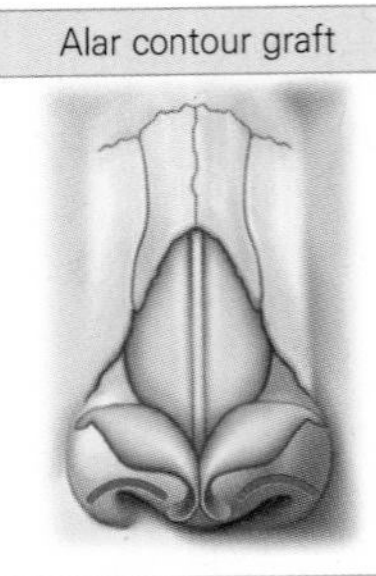	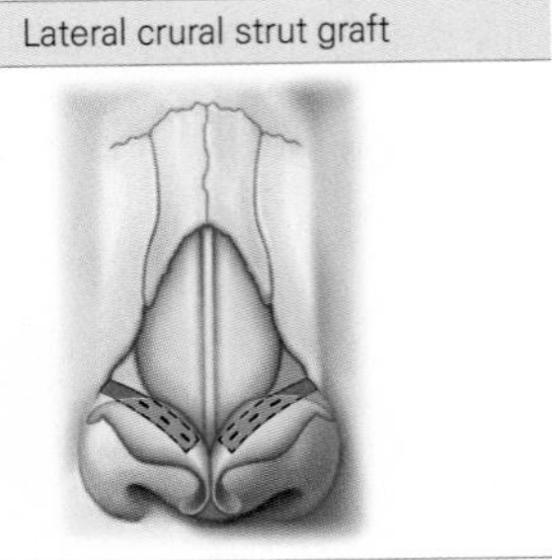
2×6 mm cartilage를 alar rim 에 pocket을 만들어 삽입	Lateral crus의 deep surface의 3×15 mm cartilage graft를 alar groove 를 따라 삽입하여 고정하며 모양을 재건

비익축소술(콧볼축소술)

표 8-8 비익축소술의 적응증과 수술법

	Type A	Type B
콧볼의 type	콧볼 외측이 기부보다 돌출해 있다	콧볼 기부 자체가 넓다
콧볼 절제	콧볼 기부 전층의 절제	콧볼 내측 비강저의 절제

TIP

- 특히 비강저 절개 후의 봉합은 창부가 내반되기 쉬우므로, 외반시켜서 볼록해지도록 dermostich를 한다.
- 비익축소술(콧볼축소술)은 콧볼 형태의 개선만 가능하고, 양측 콧볼간거리가 단축되는 효과는 없다.

Deviated nose

1) 수술적 치료

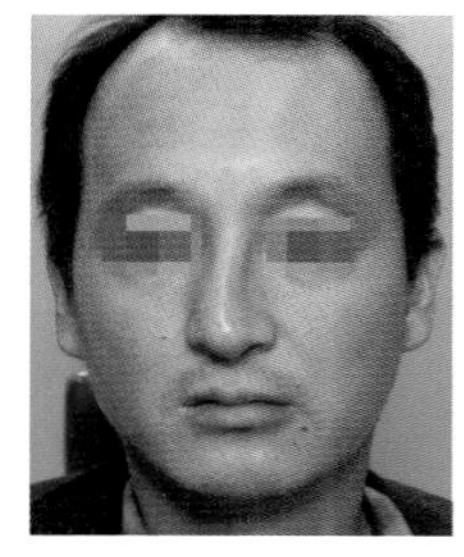

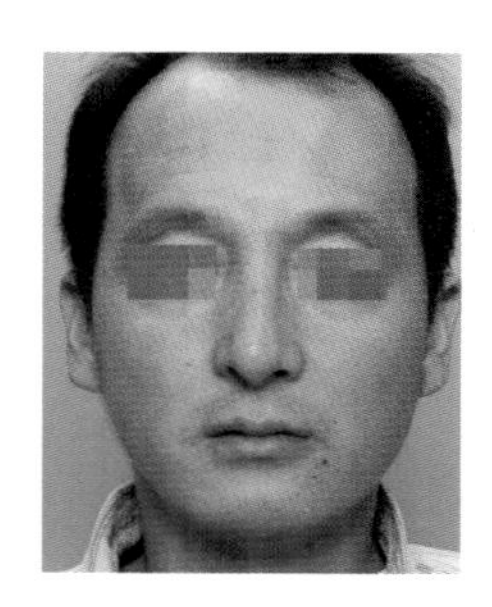

그림 8-27 비만곡증 수술 전·후.

표 8-9 비만곡증에서 절골술 방법

Medial osteotomy	Lateral osteotomy
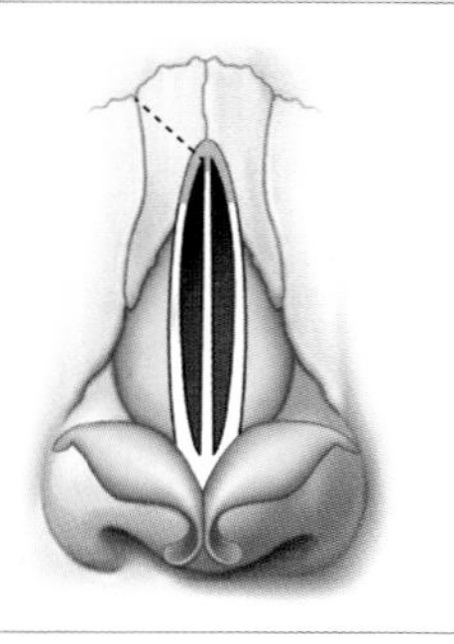	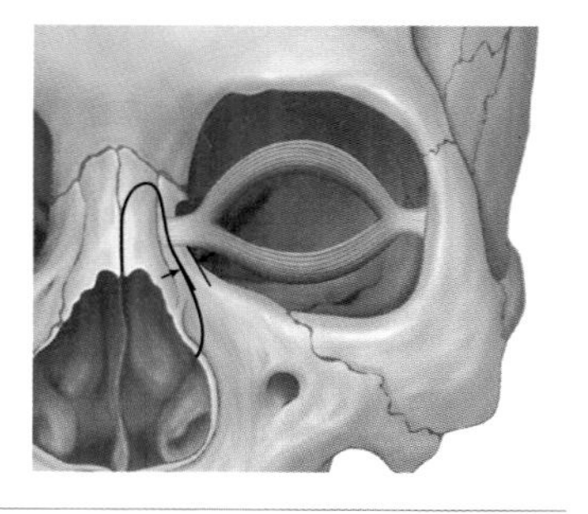
코뼈 하단에서 시작하여 코뿌리 이전에 가쪽으로 방향을 틀고 코뿌리 부위에서 가쪽 절골술가 일부 떨어지게 함 Rocker deformity 발생 주의	좌·우로 방향이 있는 절골기를 이용하여 하비갑개의 부착부위에서 시작 안와의 내하방에서 약 3 mm 정도를 띄운 뒤 코뿌리점 부위에서 안쪽 절골선과 만나게 함

Nose with lower height of dorsum

한국인에서 상당수가 지니고 있어 augmentation rhinoplasty가 필요

1) Augmentation rhinoplasty

a. 수술방법

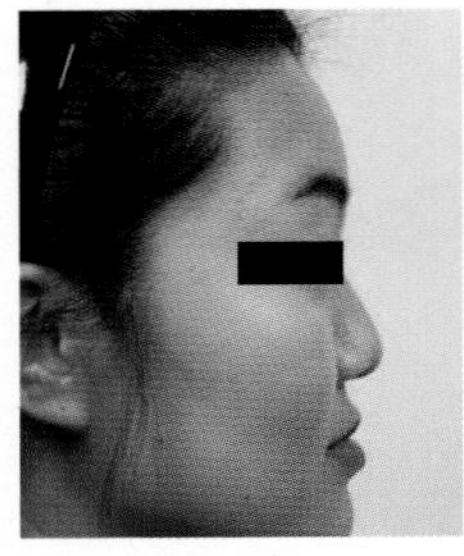

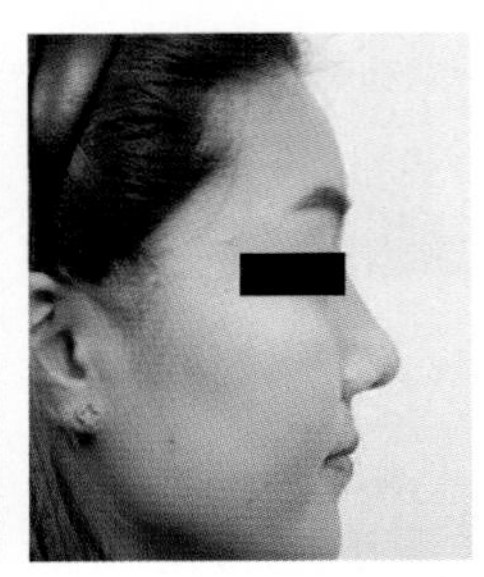

그림 8-28 융비술 수술 전·후 사진.

- Infracartilaginous incision을 이용하여 LLC와 ULC를 노출시킨다(closed / open method).
- ULC를 노출시켜 박리하여 nasal bone의 nasofrontal angle까지 박리(박리시 pocket을 정확히 만드는 것이 중요).
- 술자기호나 판단에 맞는 적당한 재료의 삽입물을 삽입한 다음 모양을 확인
- 비첨성형술이 필요한 경우 비첨 성형술을 한 후 절개한 점막을 봉합

J Short nose

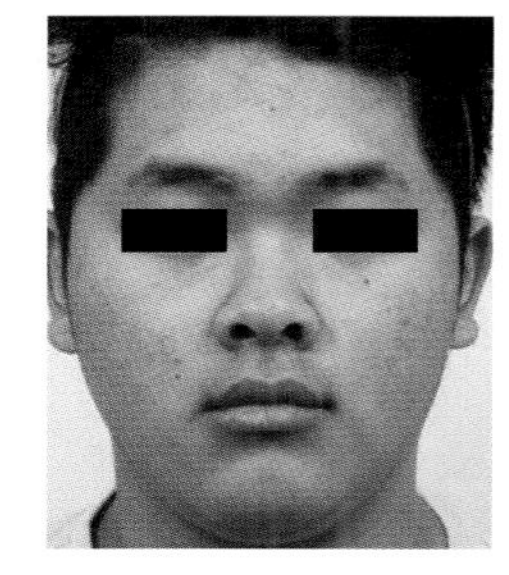
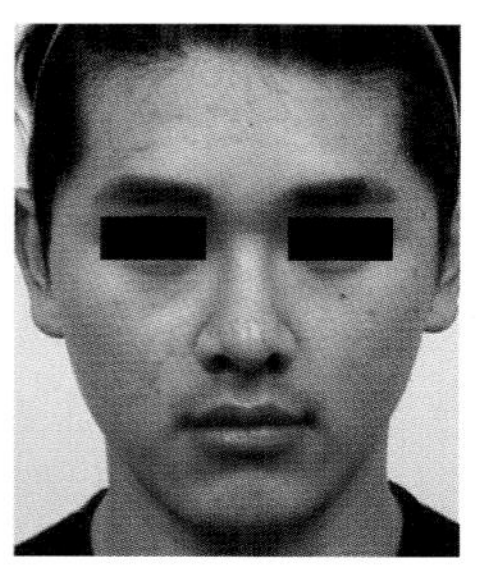

그림 8-29 짧은 코 수술 전·후 사진.

1) 원인

유전적 요인도 있으나 대부분 후천적 원인으로 외상이나 잦은 성형술 또는 코성형술 후 심한 구축으로 인해 생길 수 있음

2) 수술 전 분석

a. Nasolabial angle이 어느 정도까지 심하게 벌어져 있는 지를 확인
b. 코 성형술을 이전에 받았다면 횟수, 수술 방법, 수술 재료, 최근 수술 후기간 등을 면밀히 파악
c. 최소 6개월~1년 정도 interval을 두어 코끝 안쪽 반흔이 성숙되어 최대한부드러워질 때까지 기다림
d. 비중격 성형술을 받았는지 확인하여 어떤 재료를 사용할지 고려

3) 수술 방법

a. Septal extension graft

Septal cartilage를 이용할 수 있을 경우

b. Rib cartilage graft

Septal cartilage를 이용할 수 없을 경우 Dorsum과 nasal tip에 사용

c. Curved cartilage graft - septal extension이 불가한 경우

4) 수술 후 관리

a. Denver aluminum splint를 일주일 가량 유지
b. Merocel 등으로 비강내 충전이 필요한 경우는 삽입 후 술 후 1일 째 제거
c. 절개한 부위는 수시로 항생제 연고를 발라주도록 함
d. 술후 48시간까지는 냉찜질, 3일째 부터는 온찜질을 시작

SECTION 03

안면윤곽성형 (Facial Contouring Surgery)

안면윤곽성형은 얼굴뼈를 절골하거나 보형물을 사용하여 얼굴 윤곽을 바꾸는 수술이다.

표 8-10 안면윤곽성형의 종류

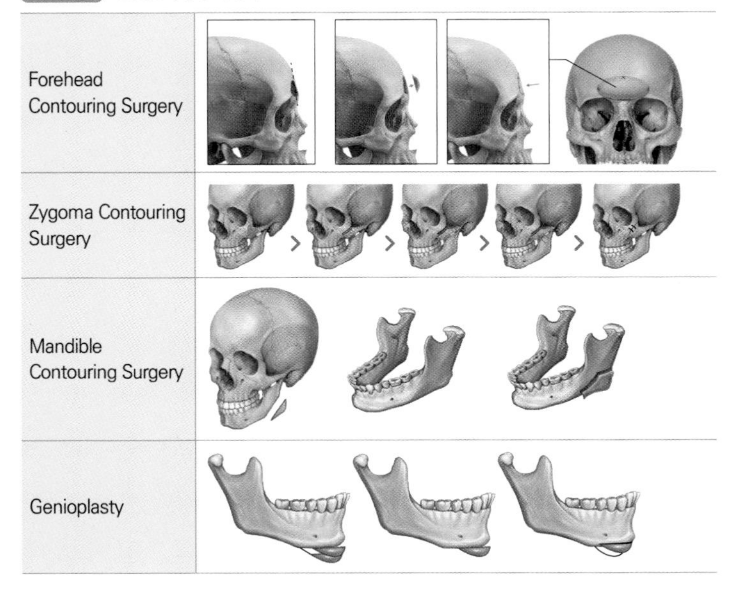

Forehead Contouring Surgery	
Zygoma Contouring Surgery	
Mandible Contouring Surgery	
Genioplasty	

SECTION 04

악교정수술 (Orthognathic Surgery)

치아가 붙어 있는 상악골과 하악골의 교정을 통해 교합과 안면형태를 개선하는 술식으로 하악과 상악이 튀어나왔는지 들어갔는지 상악뼈가 부족한지 과잉인지에 따라 여러 수술 방법이 있다.

Ⓐ Le fort I osteotomy

상악골을 상악동 아래부위에서 절골하여 뒤로 밀거나 앞으로 당기는 술식이다.

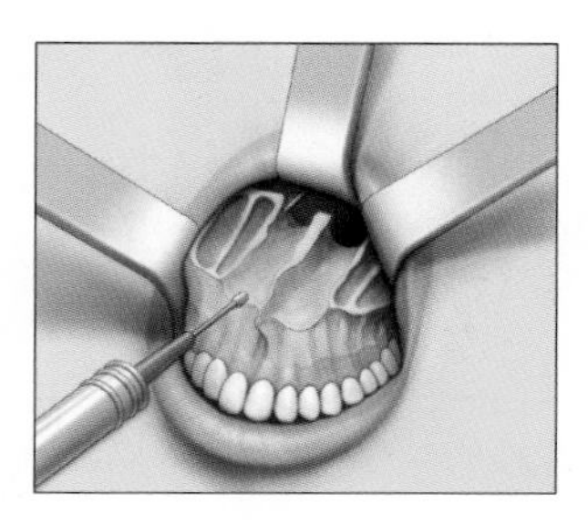

그림 8-30 Lefort I 술중모식도.

B SSRO (Sagittal Split Ramus Osteotomy)

하악골을 비스듬히 절골하여 앞으로 당기거나 뒤로 밀어 교합과 얼굴 형태를 교정하는 술식이다.

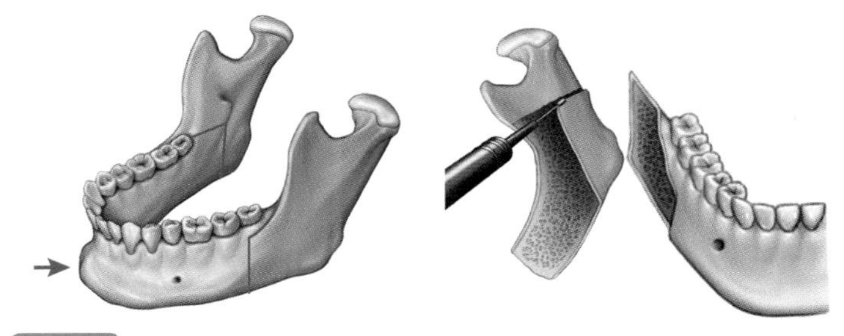

그림 8-31 SSRO 디자인 및 술 중 모식도.

C VRO (Vertical Ramus Osteotomy)

하악골을 수직으로 절골하여 뒤로 밀어 교합과 얼굴 형태를 교정하는 수술로 주로 class III 부정교합에 사용된다.

D ASO (Anterior Segmental Osteotomy)

상하악골의 앞쪽을 분절 골절하여 튀어나온 입 형태를 교정하는 술식이다. 상악과 하악의 치아 4번이나 5번 사이를 절골하여 상악과 하악을 후퇴시키는 수술이다.

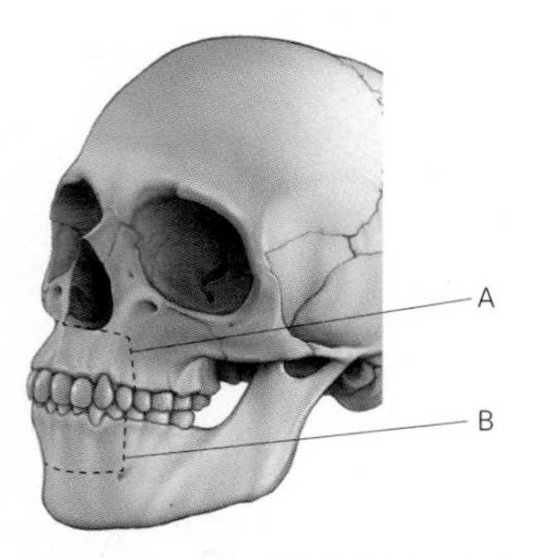

그림 8-32 (A) 상악 wassmund osteotomy, (B) 하악 köle osteotomy.

SECTION
05

얼굴거상술
(Face Lift)

A Face lift

1) 환자의 평가, 선택 및 수술 결정

a. 환자의 피부의 관찰 및 평가

- 얼굴 주름살과 피부 노화
- 광노화
- 얼굴 노화의 형태

b. 환자 선택 및 수술 전 주의 사항

- 환자의 선택
  - 전체적인 얼굴은 노화의 관점에서 평가되어져야만 함
- 수술 전 환자 면담을 잘 하여야 함
  - 모든 NSAIDs는 수술하기 최소 2주전부터 중단
  - 만약에 환자가 항응고제(Plavix 혹은 Coumadin 같은) 것을 복용하고 있을 시에 항응고제 복용을 중단하고 수술해야 함

2) 얼굴거상술(Face lift)의 종류

a. 피하 얼굴주름 성형술

- subcutaneous face lift with variable skin undermining
- face lift 효과가 오래가지 못하는 단점이 있음

b. SMAS 처치를 동반한 피하 얼굴주름 성형술

- SMAS plication(봉합 접기)는 SMAS의 직접적인 봉합으로 SMAS를 강화
- SMAS imbrication은 SMAS 절개, advancement 그리고 봉합 고정하여 시술하는 방식임

c. Deep SMAS advancement

- Deep plane 혹은 Sub-SMAS 혹은 Deep SMAS는 SMAS로 불리움
- Low SMAS 기법은 오직 얼굴 밑부분에 이용되며, midface의 조직 혹은 입 주위, 눈 밑 부분에는 아무런 영향이 없음
- High SMAS 기법은 Midface와 눈 주변 부위 및 얼굴 밑부분까지 당겨주는 효과가 있음

d. Harma의 합성(composite) 얼굴주름 성형술

- platysma와 피하지방 뿐만 아니라 안검의 눈 밑 둘레근까지 박리하여 당김
- Upper face에서 광대와 눈 주변 부분의 주름치료와 옆얼굴의 주름절제술(Rhytidectomy)이 같이 시행되어짐

e. 골막밑 얼굴주름 성형술

- 뼈막밑 얼굴주름 성형술은 독립적인 층인 SMAS나 피부를 절개하는 것이 아님
- 중간얼굴 뼈막을 올린 후, 이 층을 당긴 뒤 조직의 재위치화 시킴

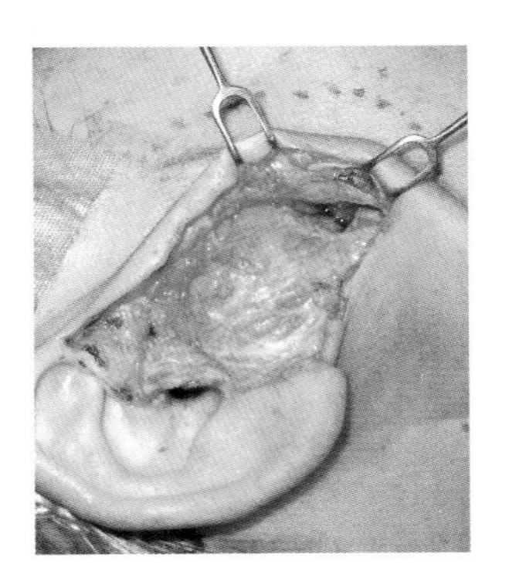

그림 8-33 SMAS dissection.

3) 수술 방법

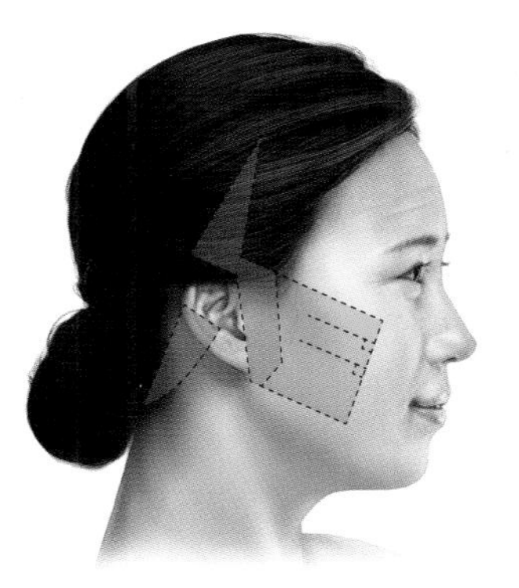

그림 8-34 얼굴거상술의 디자인 방법.
(Red-Skin excision, Yellow-Dissection&pull of soft tissue).

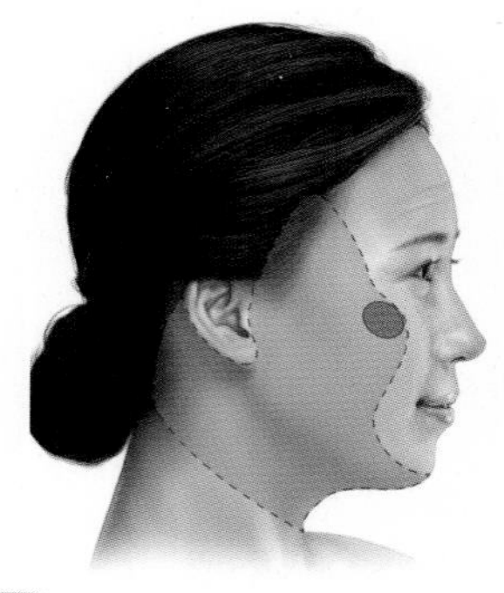
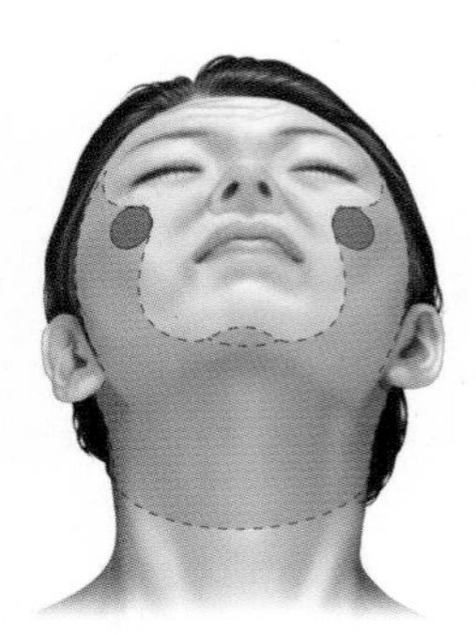

그림 8-35 얼굴거상술의 박리범위.

a. Temple incision

- Pre-hair line : 흉터가 보일 수 있으나 눈가 주름해결에 좋은 효과를 보인다.
- Post-hair line : 흉터를 감출 수 있다.

b. 귀 앞 절개

- 주로 귓바퀴 앞 border를 따라서 upper tragus까지 곡선으로 절개함
- 뒤 경계를 따라 intratragal incision이 상처를 숨기는데 제일 적합하다.

c. 귀 뒤 절개

- Retroauricular sulcus가 절개를 위한 가장 좋은 위치
  - Occipital incision : 목 피부가 많이 늘어져 있을 때 사용

4) 수술 전·중 고려사항

- 계획대로 정확하게 수행하며, 수술적으로도 정확히 과단성 있게 시행하는 것이 중요
- epinephrine과 리도카인으로 국소 마취 후 10분 정도 기다린 후 수술하는 것이 좋다.
- 수술 중 고혈압 관리나 마취 관리를 잘 하여야 함
- 수술하기 전 머리는 씻고, 땋거나 고무 밴드로 묶어야 함

5) 수술 후 관리

- 얼굴 주름 성형술 후 즉시 혈종을 막는 것이 가장 중요함
- 항상 머리 쪽의 침대 부분은 경사지게 올려두어야 함
- 엄격한 혈압 관리는 필요. 수술 중 혈압 조절 정도로 수술 후 관리를 예측할 수 있음
- 배액 : 목 배액은 큰 혈종을 모으는데 쓰이며, 수술1일 후에 보통 제거
- Dressing : 너무 조이지 않도록 해야 함.
- 혈종 그리고 지속적인 출혈이 있을 경우, 환자를 즉시 수술실로 보내 즉각적인 배출 수술을 시행해 치료해야 함
- 3일 혹은 4일 후의 작은 혈종 혹은 체액 고임은 바늘 흡인으로 치료

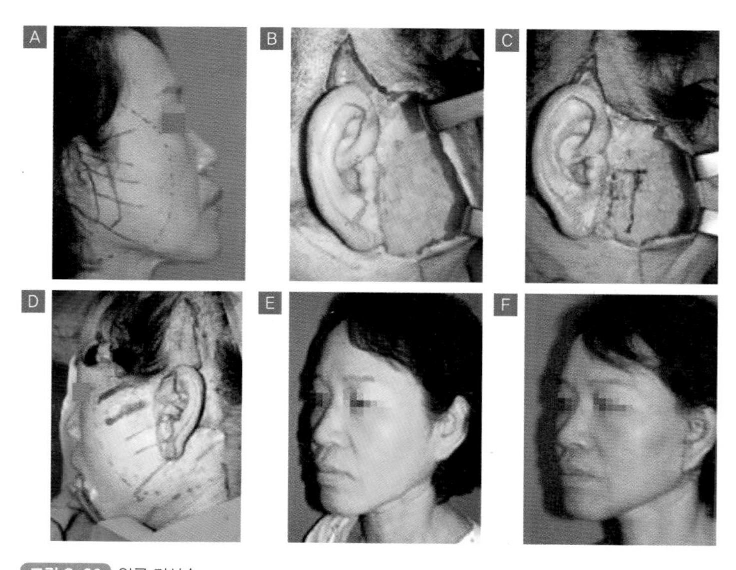

그림 8-36 얼굴 거상술.
A. 디자인, B. 피하박리, C. SMAS처리, D. 피부제거, E. 수술 전, F. 수술 후

6) 합병증

a. 혈종

- 혈종이 발생하는 것이 가장 끔찍한 합병증
- 수술 중 꼼꼼한 지혈과 수술 후 적절한 혈압 관리가 중요함

b. 신경 손상

- Buccal branch가 얼굴 주름 성형술 도중 가장 흔히 손상. 대개 회복되는 경우가 많다.

c. 피부 결손, 괴사

- 피하 절제는 sub - SMAS 절재보다 피부 괴사가 더 많이 생길 수 있다.
- 만약 피부 괴사나 혈류 이상이 수술 후에 의심이 된다면, 피부 봉합을 푸는 것이 바람직함

B Brow lift

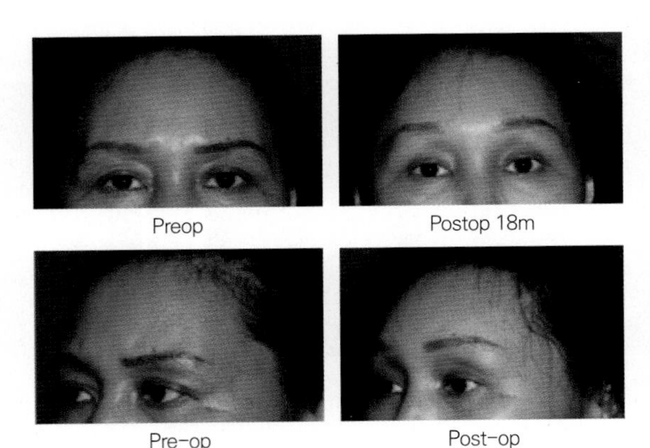

그림 8-37 내시경적 이마당김술 수술 전·후.

1) 내시경적 이마 올림술

a. 적응증과 금기증

- 적응증
  - 이마가 낮고(좁고) 평평한 이마
  - 정상피부에 머리선의 숱이 많은 경우
  - 이마 주름은 있으나 피부가 많이 늘어져 있지 않은 경우
- 금기증
  - 이마가 아주 높고 튀어나온 환자
  - 머리선이 높으면서 머리카락이 가늘고 숱이 적은 환자
  - 피부가 두꺼우면서 과도하게 늘어진 피부
  - 이마에 아주 깊은 주름이 있는 경우

b. 내시경 눈썹 올림술의 장점과 단점

- 장점
  - 짧은 수술 흉터
  - 내시경으로 확대된 시야
  - 두피의 탈모나 감각 변화의 위험성 감소
- 단점
  - 내시경 기계와 기구의 비용
  - 기술 의존적인 수술 - 교육 과정이 요구
  - 추가적인 고정이 필요

c. 수술순서

- 측두부 절개와 박리
- 중심부 접근 절개
  - 골막하 박리
  - 한쪽 외측 안와 테두리에서 다른 쪽까지 골막을 분리
  - 근육 교정(modification)
  - 배액관 삽입
  - 전두부피판의 고정 및 봉합
  - 필요하면 측두부 두피의 절제

d. 고정 방법의 선택

- 장비
  - Percutaneous or internal screw placement with attached suture
  - Endotine™ (Coapt Systems, Palo Alto, CA)
    : 분해할 수 있고, fan 모양의 기구

e. 수술 후 치료

- 머리를 올리고 눈 위에 냉찜질
- 오심이 없게 하고 혈압을 측정 조절
- 필요하면 안정제를 투여
- 배액관은 다음날 아침 제거

f. 합병증

- 감각신경 손상~결손 : 눈확위 신경이나 도르래위신경의 손상 시 추미근 절제 시 보존을 주의
- 뒷 머리덮개 감각장애 : 눈확위 신경의 깊은 가지 가로 절개 시
- 탈모 :과한 긴장이나 화상 시
- 혈종, 출혈

2) 관상 눈썹올림술(Coronal brow lift)

a. 장점

- 노출이 완벽
- 눈확주위 중격(periorbital septa)과 유착을 박리하기 용이
- 눈썹의 유동성을 얻기가 쉽다
- 두피 절제의 정도를 조절가능
- 눈썹 올림과 눈썹 모양 조절 가능

b. 적응증

- 내시경적 접근법이 적합하지 않은 사람
- 높은 이마

- 뚜렷한 전두골 돌출
- 높은 머리선
- 극도로 두꺼운 피부나 혹은 깊은 주름
- 외측 눈썹과 미간의 과도한 피부
- 현저히 눈썹이 처진 경우

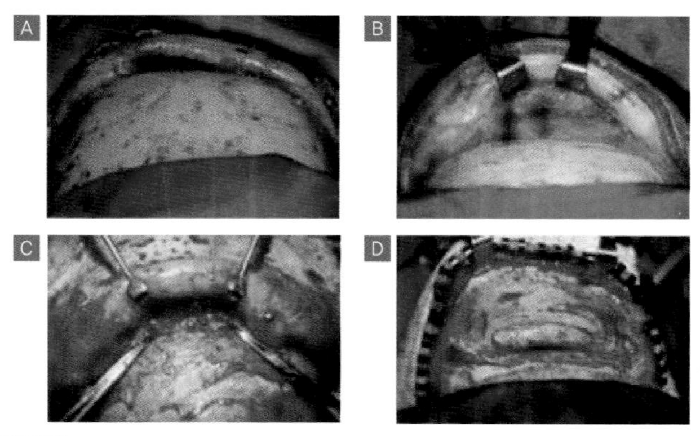

그림 8-38 관상절개에 의한 이마 당김수술법.
A. 전두피판 박리, B. 상안과 골막 박리, C. 미간근육 처치,
D. 필요하면 전두근 절개 혹은 전두근 부분 제거

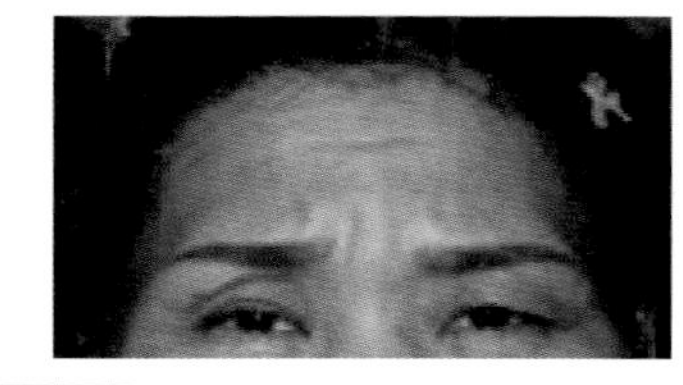

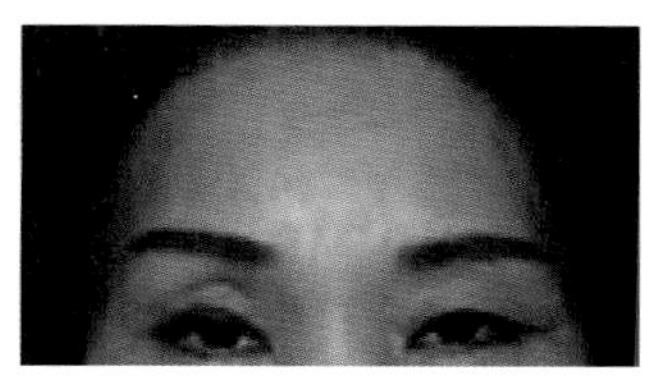

그림 8-39 관상절개에 의한 이마당김 수술 전·후.

C Neck lift

1) 젊은 목에 대한 시각적 기준

- 확연한 아래턱 아래 경계
- 갑상샘 연골이 부풀어 있음이 보임
- 빗근의 앞쪽 경계가 보임
- 목턱끝각의 각도가 105~120도

2) 수술 방법

a. 목당김술의 구성요소(Components of a neck lift)

- 지방 윤곽술(Fat contouring)
- 근육과 근막 중첩술(Muscle and fascia plication)
- 넓은목근 아래 시술(심부)(Subplatysmal procedures)(deep plane)
- 피부 재배치 및 재분배(Skin redraping and redistribution)
- 피부 절제수술(Skin excision)

b. 수술 방법(Surgical options)

- 지방흡인(Liposuction only)
  - 음압지방흡인술(Suction-assisted lipoplasty, SAL)
  - 초음파지방흡인술(Uultrasound-assisted lipoplasty, UAL)
  - 동력지방흡인술(Power-assisted lipoplasty, PAL)
- 턱끝당김술(Submental lift)
- 내시경적 턱당김술(Endoscopic neck lift)
- 짧은 흉터 얼굴 및 목당김술(Short - scar face and neck lift)
- 긴 흉터 얼굴 및 목 당김술(Full - scar face and neck lift)

SECTION
06

보톡스, 필러, 자가 지방이식, 레이저, 필링
(Botox, Filler, Fat Grafting, Laser, Chemical Peel)

Ⓐ Botox

a. 보툴리눔 독소(Botulinum toxin)

분자량 15만정도의 단백질에서, 보툴리누스균이 생산하는 독소.

표 8-11 Botox 작용기전 및 사용방법

제 품	• Botox® (100U), Botox vista® (50U) • 분자량 약 5만의 활성 subunit (A subunit, 경사슬) 의 A형 보툴리눔 독소
작 용	• 신경근 접합부에서 아세틸콜린의 방출을 막음으로써 근이완작용 및 에크린한선에 대한 제한(制汗)작용을 나타낸다
효 과	• 효과는 2~3일째부터 나타나서, 3~4개월정도 지속된다. 반복하여 맞음으로써 효과기간이 길어지는 경향이 있다
사용방법	• 통상은 생리식염수로 용해하여 4U/0.1 ml (100U/2.5 ml) 로 사용한다 • 제한(制汗)목적으로 겨드랑이에 사용하는 경우나 교근비대의 치료에서는 확산을 기대하며 2U/0.1 ml (100U/5 ml) 로 사용하면 된다 • 용해 후는 4℃ 보존하에서 6주간 사용이 가능하다

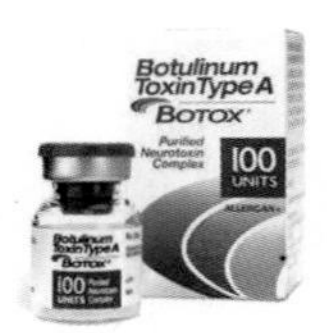

Botox (Allergan, USA)

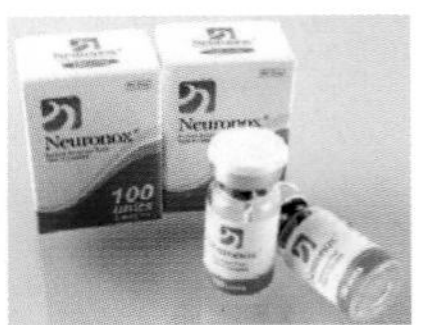

Neuronox (Medy-kox, korea)

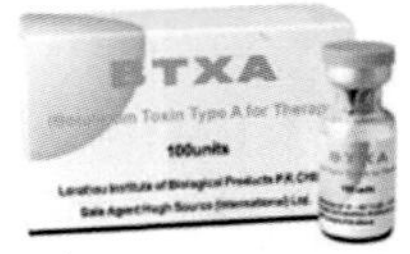

BTXA (Lanzhou institute, china)

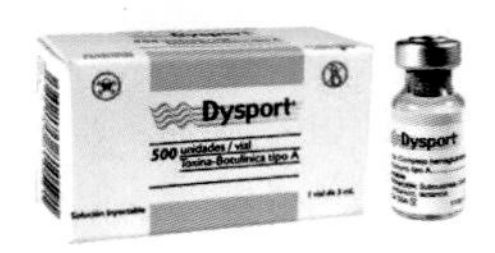

Dysport (Ipsen, UK)

그림 8-40 현재 사용되고 있는 여러 종류의 botox.

b. 적응이 되는 주름의 치료

표 8-12 얼굴 주름에서 Botulium toxin의 사용

부위	작용근육	첫 회 주입 단위	주입위치
미간	미모하제근, 비근근, 안륜근, 추비근	여성 : 10~20U 남성 : 10~25U	5~7군데
앞이마	전두근	여성 : 10~20U 남성 : 10~25U	6~20군데
눈꼬리 (Crow's feet)	안륜근	10~20U 성별차가 거의 없다	한쪽 2~5군데

입술의 세로 주름	구륜근	4~10U 성별차가 거의 없다	4~6군데
아래턱의 홈	아래턱근	여성 : 2~6U 남성 : 2~8U	2군데 (또는 정중 1군데)
목의 세로주름	광경근	여성 : 10~30U 남성 : 10~40U	2~12군데/1줄

c. 시술 후 관리

- 환자에 대한 재평가는 14일 후에 이루어지고 수정여부도 이 때 정해짐
- 가장 흔한 부작용인 홍반과 피하출혈을 줄이기 위해 주입 직후에 냉찜질을 하거나 또는 하지 않은 상태에서 부드럽게 압박을 가함
- 치료의 효과는 몇 시간 이내에 관찰할 수 있고, 최대효과는 치료 14일 후에 나타남. 그러므로 14일을 기다려보도록 하고, 치료 반응이 부적절하다고 믿는 환자들은 4~6주 이내에 Botox를 다시 놓을 수도 있음

B Filler

a. 이상적인 연조직 충전물

- 안전하고 무독성
- 알레르기를 일으키지 않음
- 사용하기 쉬움
- 최소한의 휴양시간
- 잠재적으로 되돌릴 수 있음
- 환자의 나이에 적합하게 변화
- 만져지지 않음
- 쉽게 이용가능

b. 연조직 충전재의 분류

- 자가조직
  - 안정성은 자가조직의 가장 큰 이점
  - 독성, 알레르기 반응, 면역 유발, 암 유발, 기형유발 등은 고려되지 않음
- 생물학적 물질
  - 생물학적 물질은 유기체로부터 나옴
  - 이점 : 원래 있는 것을 이용한다는 것과 사용의 편리함
  - 결점 : 외부 동물이나 사람은 단백질에 대한 민감성, 질병의 전파, 면역성
  - 현재는 주로 히알론산을 쓴다.

C Fat grafting(자가 지방이식)

a. 자가 지방은 연부 조직 증가물로 주로 사용함

b. 지방이식은 피하의 부피를 늘려줌

c. 얼굴뿐 아니라 몸의 외형을 교정하는 데도 사용한다.

d. 일반 사용 위치: 눈밑, 광대, 턱 각, 앞뒤 턱선, 뺨, 코입술 접힌부분, 눈위나 관자 부위

e. 지방흡입술 후 deformities를 채우는 데도 사용 가능

f. Fat survival이 매우 중요하다.

g. Coleman의 '구조적 지방이식술'이 현재는 많이 쓰인다.

- 지방 조직은 사람의 다른 부위보다 깨지기 쉬움
- Cannula와 syringe와 harvesting, transport, implantation과정이 중요하다. 지방은 손상되지 않은 상태로 harvest되어야 하고, 작은 cannula를 통해 조금만 넣어야 함.
- 지방은 살아있는 조직이어서 살기 위해서 영양분과 호흡하는 곳과 가까워야 생존하기가 쉽다.

h. Technique

- Coleman 14 - gauge 채취 캐뉼라나 Lambros 3 mm 캐뉼라로 채취
- 채취는 지방의 trauma를 최소화 하기 위해 10~20 cc 주사기로 1~2 cc의 음압을 걸어서 채취함
- 얼굴부위에 1 cc 주사기를 이용하여 세밀하게 0.1 cc의 지방을 주사여야 함.

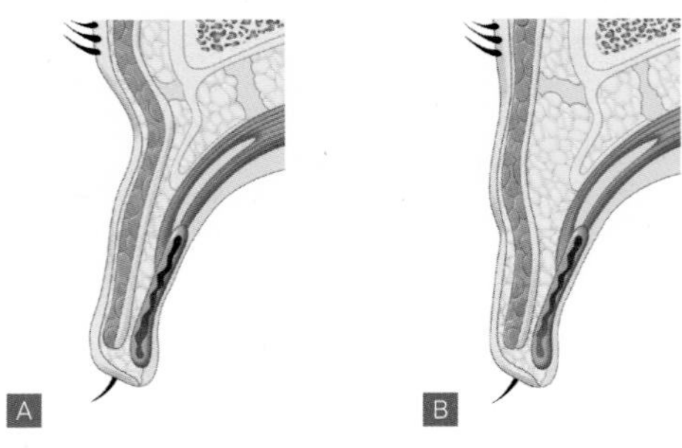

그림 8-41 지방이식기구 및 안검지방이식 수술 전·후 도해.
A. 수술 전, B. 수술 후

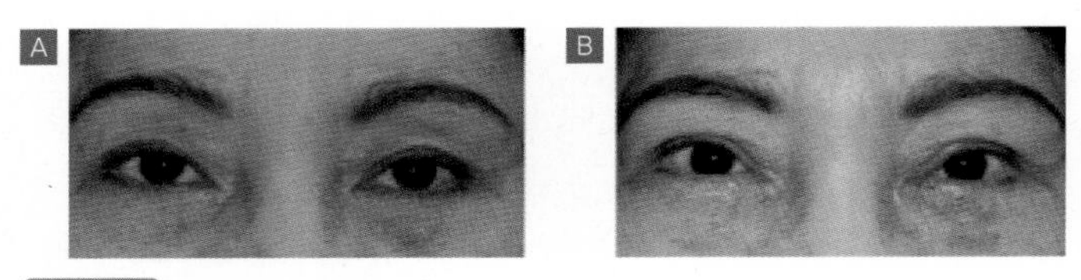

그림 8-42 안검지방이식 시술 전·후.

D Laser

a. Method of action

- 레이저는 목표조직에 열을 발생시킨 후 전도를 통해 빠르게 흩어져 없어짐
- 파장과 노출시간에 따라 발생되는 열과 주변조직의 피해가 결정
- 발색단에 specific 한 에너지 파장을 선택적함으로서 선택적으로 조직에 injury 줄 수 있음
- 피부의 rejuvenation을 위해 ablative laser와 nonablative laser가 사용됨

b. Ablative laser

- 목표는 흉터를 만들지 않고 얕은 표피층에 증기를 발생시키고 깊은 조직을 응고시키는 것임
- thermal damage는 콜라겐 섬유의 재구성을 일으킴
- 염증반응과 치유반응이 일어남
- 가장 흔한 두가지 종류의 ablative laser
  - CO_2 laser
  - Erbium : YAG laser
- CO_2 laser

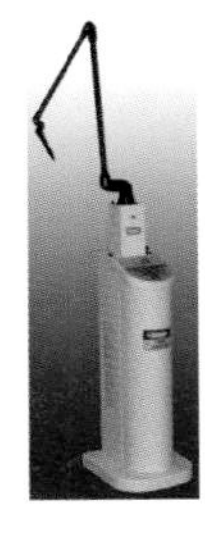
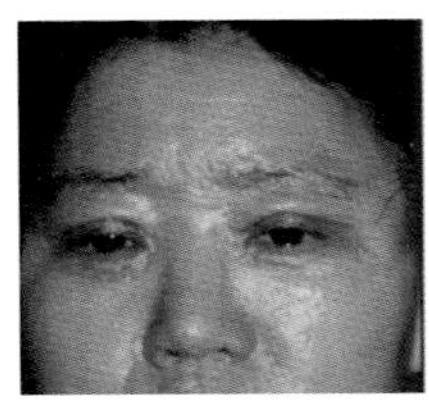
Before
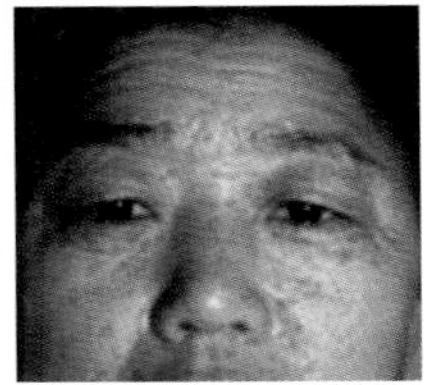
3 weeks later

그림 8-43 Co_2 laser 및 Co_2 laser 시술 전·후.

- Erbium : YAG laser
  - 파장은 2,940 nm
  - Chromatophore는 물임
  - 물에 의한 에너지 흡수가 이산화탄소 레이저에 비해 12~18배 많음
  - 이산화탄소 레이저에 비해 열의 분산이 적음

c. Nonablative laser

- 표피층의 증발은 일어나지 않음. 회복이 매우 빠르다.
- Nonablative laser는 진피층에 열을 발생시켜 염증반응을 일으키고, 콜라겐의 재배열을 일으키며 새로운 콜라겐의 생성 유발함으로서 피부를 탄력있게 하고 회춘시킴

- Fractional Resurfacing
  - Fractional photothermolysis는 1.5 um의 파장을 이용
  - 빛은 300 um의 피부를 관통
  - Fractional resurfacing은 타협을 의미
  - Downtime이 최소화
  - 다른 치료에 비해 효과가 덜 침습적임
  - 만족할 만한 결과 얻기 위해 여러 번의 시술 필요
- Nd : YAG Laser
  - 파장은 1,064 nm
  - 에너지는 목표조직에 비특이적으로 흡수
    - 여러 가지 단백질이 주 타겟
    - 혈관, 적혈구, 콜라겐, 멜라닌이 가장 민감
    - 물이 이차 목표
    - 타겟이 비특이적이라 조직이 비특이적으로 가열

d. Intense Pulsed Light (IPL)

- IPL은 레이저 기술이 아님
- IPL은 500~1,300 nm range의 광자를 방사
- Chromophore는 550~580 nm에서 물과 헤모글로빈이고, 표층부 침착에서는 550~570 nm, 심층부 침착에서는 590~775 nm
- IPL은 flushing, telangiectasias, rosacea 등의 과혈관성 질환을 치료하는데 쓰임
- IPL은 피부의 짜임새를 좋게 하고 pore size 를 줄이는데도 이용
- 가능한 부작용들로는 지속적인 붉어짐, 피부에 일시적인 반점, 부종, 탈모, 자반, 색소 과다침착, 색소 과소 침착, herpes eruption, 감염, 흉터 등이 있음

E Chemical peels

1) Indications

a. Superficial peels

- Upper epidermal defects
- Mild dyschromia
- Melasma

b. Medium depth peels

- Superficial dermal defects
- Mild dermatoheliosis
- Superficial rhytids

c. Deep peels

- Deeper dermal defects
- Severe dyschromia
- Deep rhytids

d. Superficial peeling agents

- Alpha hydroxy acid peels
- Jessener's solution
- Salicylic acids
- Dry ice

e. Medium depth peels

- TCA peels
- Peels

f. Deep peels

- Phenol - Baker - Gordon formula, Hetter's formula

2) Patient evaluation

- 환자의 피부 타입을 평가하는 것은 시술의 효과를 극대화 하고 부작용을 줄이는 데 필수적
- 다른 비수술적인 피부 회춘법과 마찬가지로, 성공의 열쇠는 수술 전 평가와 환자 선택

3) Laser resurfacing과의 비교

- 피부가 덜 얇아짐
- 비용이 저렴
- 깊은 주름에 더 효과적
- 홍조가 더 오래 지속
- 처음 5일간의 부종이 더 심함
- Light peel 시행가능 - 흉터없이, 최소한의 홍반으로 반복할 수 있음
- Deep peels : 오래된 홍반과 색소침착 저하증의 위험이 있을 때, 피부 흉터가 있을 때 치료를 위해 오래 시행

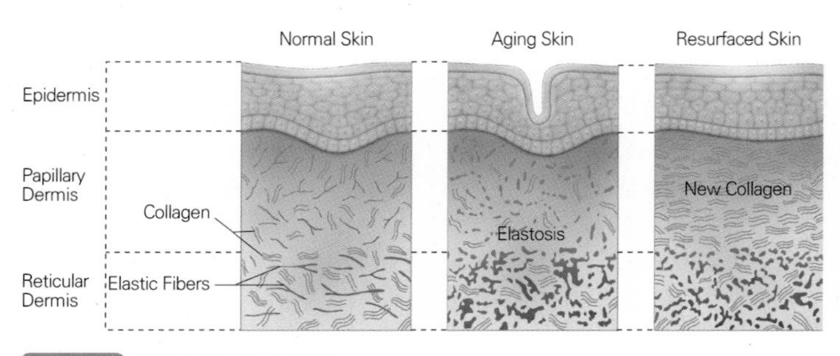

그림 8-44 화학적 박피술의 효과기전.

4) 박피(Resurfacing)의 합병증

- 감염 : 박테리아, 바이러스, 진균
  - 헤르페스를 앓은 경력이 있는 사람에게는 항바이러스제 예방요법을 시행하는 경우도 있음
- 지속되는 홍반
  - 국소 hydrocortisone이 홍반을 좋아지게 할 수 있음
- 여드름 : 시술 후 3~9일에 생길 수 있음
- 흉터
  - Keloid 흉터가 있었던 환자에게는 resurfacing을 피함
  - 색소성 변화
  - 색소과침착증은 보통 사라짐
  - 색소침착저하증은 영구적일 수 있음

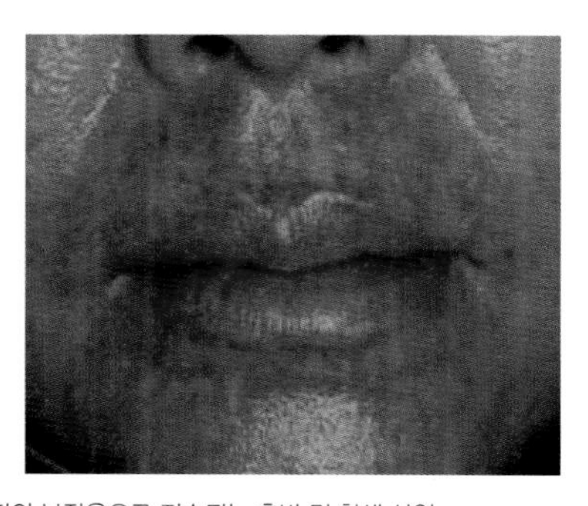

그림 8-45 화학박피의 부작용으로 지속되는 홍반 및 착색 삽입.

SECTION

07

지방흡입술
(Liposuction)

A Anatomy

1) Subcutaneous layer

a. Superficial

- Fat이 dense하고 skin에 유착되어 있음
- Suction 시 surface irregularity를 만들 수 있으므로 주의

b. Intermediate

- Safest layer
- Most commonly suctioned layer

c. Deep

- Loose and less compact
- 비교적 안전하게 제거(buttock 제외)

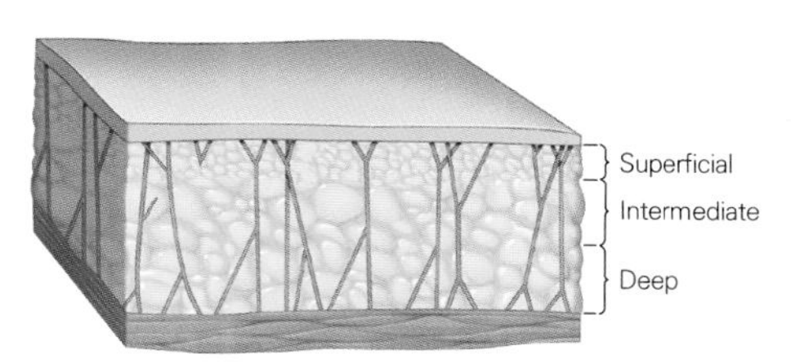

그림 8-46 피하지방층.

2) Zone of adherence

a. Distal iliotibial tract

b. Gluteal crease

c. Lateral gluteal depression

d. Middle medial thigh

e. Distal posterior thigh

suction 시 손상되지 않도록 주의, contour deformity를 유발 가능

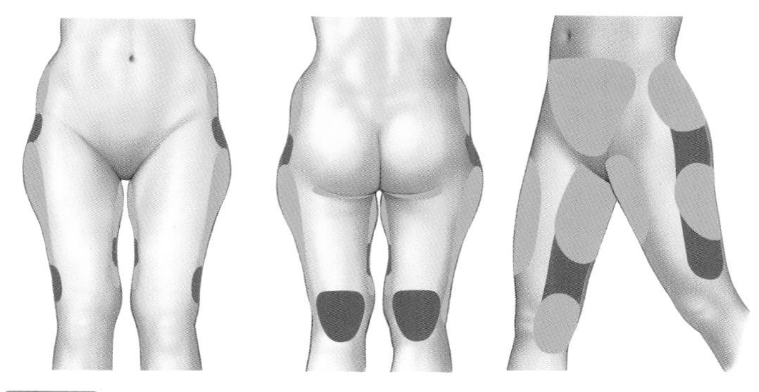

그림 8-47 Zone of adherence.

B Preoperative evaluation

1) Physical examination

- Ideal contour와의 차이를 잘 살펴볼 것
- Asymmenty, dimpling / cellulitis, location of fat deposits, area of adherence를 check하고 기록
- Scoliosis등의 조사(asymmetry를 야기시킬 가능성)
- laxity of skin 정도를 check 해야 함
- Hernia / diastasis를 check

2) Photographs

- 수술 전에 사진을 찍어두는 것이 좋다.

C Perioperative considerations

1) Preoperative

- Large volume procedure를 할 경우 CBC check
- IV antibiotics
- Deep vein thrombosis 예방

2) Hypothermia 방지

- Forced warm air를 수술하지 않는 부위에 사용
- Warm IV fluid
- Warm wetting solution
- Warm room

3) Positioning

- Prone position 시 얼굴과 breast가 눌리지 않도록 주의
- Pad 사용

D Marking

- 치료할 outline area를 펜으로 표시
- Maximal prominence point를 따로 표시
- Suction을 피해야 하는 adherence area를 표시

E Incisions

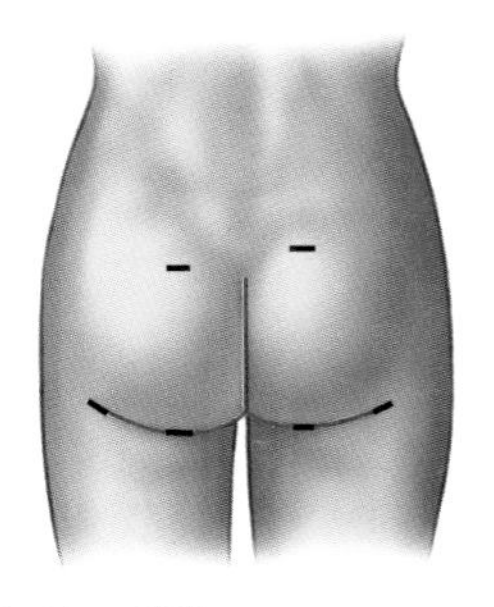
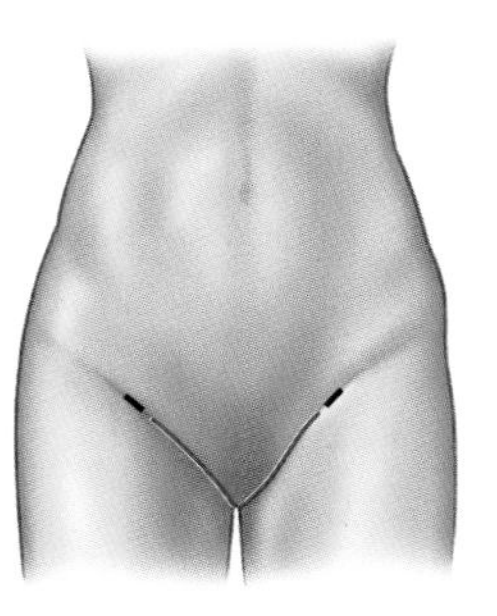

그림 8-48 Incisions의 예.

- Ultrasound-assisted liposuction (UAL) : 6~8 mm의 절개가 필요하고 suction-assisted lipoplasty (SAL)는 2~3 mm의 절개가 필요함

Ultrasound-assisted liposuction

- Ultrasonic energy가 subcutaneous fat을 emulsify
- SAL을 evacuation 위해 사용
- Wet environment를 유지
- Keep the UAL cannula in motion at all time

Wetting solutions

Purposes

a. Volume replacement

b. Provide hemostasis

c. Provide pain control

d. Enhance cavitation (UAL)

e. Dissiate heat (UAL)

f. University of texas southwestern medical center

- 1,000 mL lactated Ringer's at 21℃
- 30 mL 1% lidocaine
- 1 mL 1:1,000 epinephrine

g. Klein

- 1,000 mL normal saline solution
- 50 mL 1% lidocaine
- 1 mL 1:1,000 epinephrine
- 12.5 mL 8.4% sodium bicarbonate

h. Llarge volume liposuction (〉5,000 mL)의 경우 술 후 vital sign 및 urine output의 mornitorig이 필요하며, perioperative care에 주의를 요함. 이를 control 할 수 있는 기술과 시설이 있는 곳에서 시행

H Fluid resuscitation

1) 25~30%의 infiltrate이 suction으로 제거

- 나머지는 술후 6~12시간 후 흡수됨

2) Intravenous fluid (IVF) (using superwet infiltration)

- Maintenance는 crystalloid로

3) Oral intake까지 IVF를 유지

I Liposuction stages

1) Stage I : Infiltration

a. Intermediate plane에 superwet techinique로 시행
b. 각 부위에 주입한 양 기록
c. Uniform balanching과 skin tugor로 end point 결정
d. Epinephrine에 의한 maximal vasoconstriction은 7~10분 소요

2) Stage II : Liposuction

a. Port protector 사용
b. Posterior area를 먼저 시행 : 이 위치에서 전체의 70~80 %까지 treat 가능
c. Cannula는 계속 움직이도록 함
d. Incision의 3 cm 범위 내에서
e. Superficial 에서 deep layer로 움직임(SAL은 deep에서 superficial로)
f. End point
  - Primary : loss of resistance, blood in aspirate
  - Secondary : final contour, treatment time, treatment volume

3) Stage Ⅲ : Evacuation and final contouring

Deep layer에서 시작하여 superficial layer로 이동

J Drain

- Not routinely used
- Resection과 동반한 liposuction시 사용 고려

K Postoperative care

- 3~4일 간 Dressing change
- 1주일간은 목욕 금지
- 첫 2주간 compression garment 종일 착용, 다음 2주간은 밤에만 착용
- 첫 1주간은 garment 아래에 foam padding을 사용
- Small volume procedure시 3~5일 후면 return to work
- Large volume procedure시 7~10일 후 return to work
- 3~4주 후부터 full activity

L Healing course

- 1~3일 : drainage from access incisions
- 3~5일 : maximal edema, drainage slows
- 7~10일 : resolving ecchymosis
- 4~6주 : resolving edema

- 8~10주 : induration in large volume areas
- 3~4개월 : final contour

M Complication

1) Plasma lidocaine level에 따른 toxicity

2) Liposuction 자체의 complication

- Skin slough
- UAL skin burns
- Deep venous thrombophlebitis
- Pulmonary embolus
- Excessive blood loss
- Fluid overload
- Fat emboli
- Cannular penetration of abdominal cavity
- "Shock"

Ⓐ Anatomy

1) 7개의 Layer로 구성

- Skin
- Subcutaneous fat
- Scarpa's fascia
- Subscarpal fat
- Ant. rectus sheath
- Muscle
- Post. rectus sheath

2) Skin

Striae : attenuated 또는 absent dermis로 인해 생김

3) Fat

Scarpa's fascia에 의해 superficial 과 deep layer로 나뉨

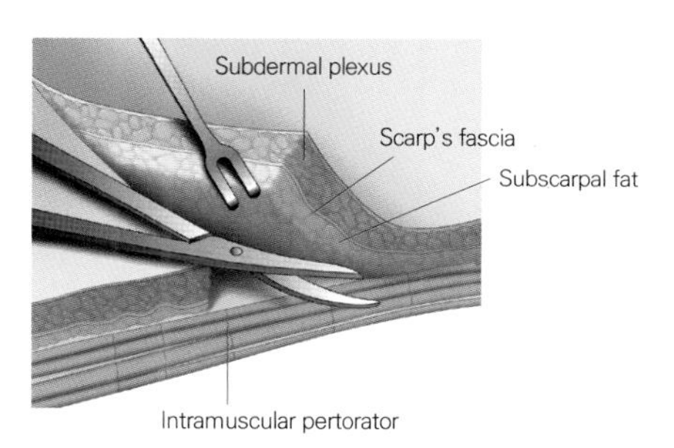

그림 8-49 복부의 피부 및 피하구조.

B Preoperative evaluation

1) History

- 임신에 대한 과거력, 자녀 수
- 제왕절개 및 기 타 복부수술
- 탈장
- 운동
- 복부질환(irritable bowel syndrome, constipation 등)
- 호흡기계질환(asthma, smoking, sleep apnea)

2) Physical examination

- Striae
- Excess skin
- Rashes or excoriations
- Adherence
- Presence of scar
- Musculofascial laxity : diver's test, Pinch test

- Diastasis recti abdominis
- Hernia

3) Imformed consent

- Scar나 dog ear발생 등에 대한 risk 설명
- Wound healing complication이 발생할 수 있음
- Umbilicus의 malposition이 발생할 수 있음
- Postoperative seroma risk : drain의 필요성 설명
- Revisional surgery가 필요할 수 있음
- Return to work를 위해 최소 2주 필요
- 6주 후부터 strenuous exercise 또는 lifting
- Pulmonary embolism의 risk에 대하여 설명

C Procedure selection

1) Liposuction only

Mild fat excess, no excess skin, good skin tone

2) Liposuction combined with endoscopic diastasis repair

Mild fat excess, no excess skin, good skin tone, rectus diastasis

3) Infraumbilical miniabdominoplasty

Skin과 fat excess가 infraumbilical region에 국한

4) Traditional abdominoplasty

Significant amount of skin & fat excess, liposuction을 같이 시행하기도 함

5) Circumferential abdominoplasty

Skin excess가 laterally, back까지 extend 된 경우

D Traditional abdominoplasty

a. Selection of incision
- Modeified W-plasty
- Skin line incision
- Gull-wing incision
- Inverted T incision

b. SAL의 indication이 된다면 elevation 전 또는 후에 liposuction할 것인지를 결정

c. Plication of diastasis recti

d. Closure

e. Tailoring of umbilicus

f. Suctioning of upper abdomen, if indicated

g. Suctioning of adjacent deformities : hip, flanks, trochateric area, if indicated

h. Trimming of flap & suctioning of dog-ears if present

i. Drains & dressing

2) Postoperative management

a. 24시간 내에 ambulation 시작

b. Normal activity : 3~4주

c. Strenuous activity : 4~6주

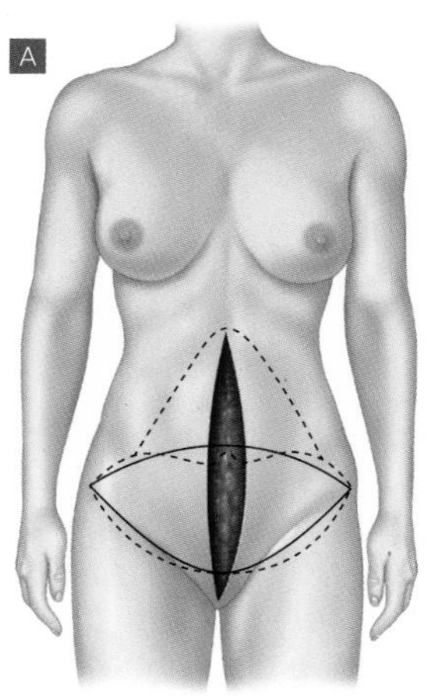

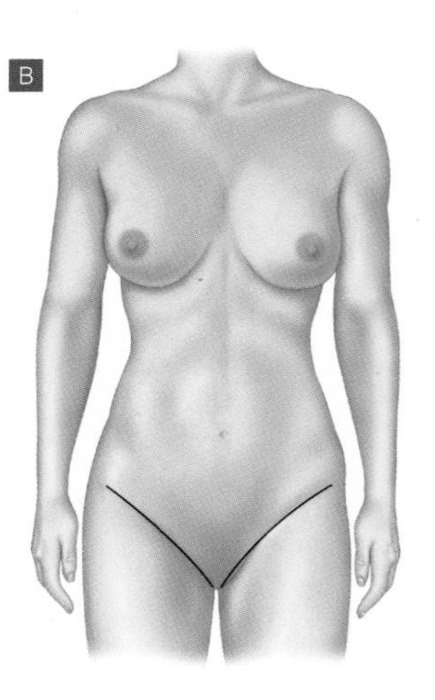

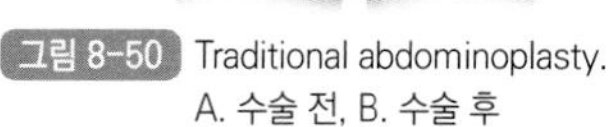
그림 8-50 Traditional abdominoplasty.
A. 수술 전, B. 수술 후

E Miniabdominoplasty

1) Indication

Deformity is limited primarily below umbilicus

2) Incision choice

Tranditional abdoplasty와 비슷하나 lateral extend가 길지 않게 함

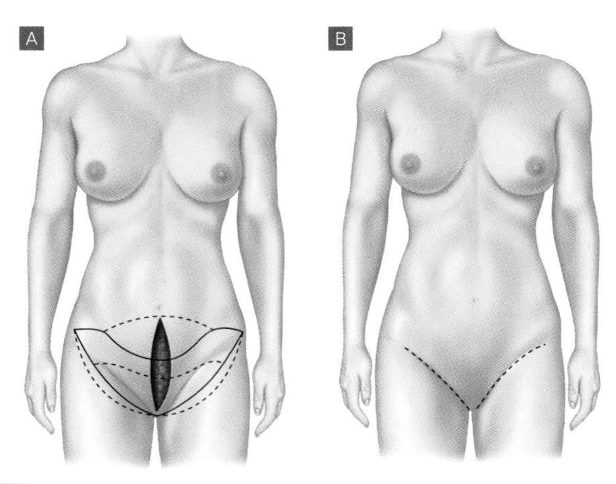

그림 8-51 Mini abdominoplasty.

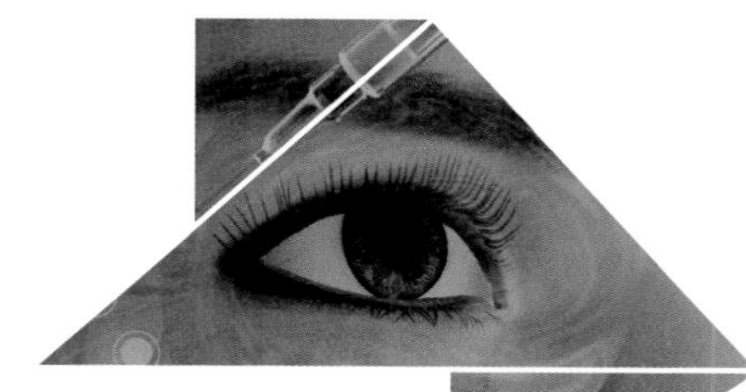

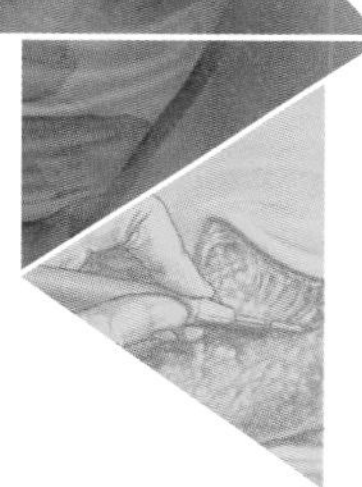

POCKETBOOK Clinical Manual of Plastic Surgery

찾아보기

한글

| ㄱ |

| ㄴ |

| ㅊ |

| ㅋ |

영문

| C |

| D |

| E |

| W |

| X |

| Z |

집필진 약력

박대환(朴大煥, Dae-Hwan Park MD, FACS)

〈現 대구가톨릭대학교의료원 성형외과학교실 안성형 담당 전문의 및 주임교수〉

1993 Boston Harvard 의과대학 성형외과 연구원일본 동경 소화의대 성형외과 연수

2001 대구광역시 의사회 학술상 수상

2004 대구가톨릭대학교 모범교수상 수상/대한 미용성형외과학회 학술상 수상
대한 눈 성형연구회 회장

2010 영호남 성형외과학회 이사장Aesthetic Plastic Surgery 저널 심사위원

한동길(韓東佶, Dong-Gil Han MD, PhD)

학력

1) 경북대학교 의과대학 졸업
2) 대구가톨릭대학교병원 성형외과 전문의 수료
3) 서울대학교병원 AHP 수료

경력

1) 대구가톨릭대학교병원 성형외과 주임교수
2) 한스성형외과 원장
3) 제주한국병원 성형외과 과장
4) 칠곡나환자센터 외래 교수 역임
5) 대한의사협회 한센병진료단 역임
6) 미스코리아 대구.경북 심사위원 역임
7) 남.북의료협력위원회 역임
8) 제주국제자유도시개발센터 의료사업처 자문위원 역임

학회활동

1) 대한성형외과학회 정회원
2) 대한미용성형외과학회 정회원
3) 대한두개악안면외과학회 정회원
4) 대한두경부종양학회 정회원
5) 대한성형외과학회지 객원심사위원
6) 대한두개악안면외과학회지 객원심사위원
7) 대한성형외과학회 대구경북지회 이사장 역임

집필진 약력

심정수(沈廷修, Jeong-Su Shim MD, PhD)

〈現 대구가톨릭대학교의료원 성형외과학교실 유방성형 및 하지성형 담당 전문의〉

2001 영남대학교 의과대학 졸업

2006 영남대학교 의과대학 부속병원 성형외과 수료
성형외과 전문의 취득

2007 대구가톨릭대학교병원 성형외과 임상강사

2008 대구가톨릭대학교병원 성형외과 전임강사

이용직(李勇直, Stephen Yong-Jig Lee MD, PhD)

〈現 대구가톨릭대학교의료원 성형외과학교실 상지 및 수부 성형 담당 전문의〉

2007.02. 경북대학교병원 성형외과 수료

2007.03.~2008.02. Fellowship of Hand and Upper Extremity(Woo' s Institute)

2007.03.~2008.08. 대구강남병원 수부외과 과장

2007.~現 대한성형외과학회, 대한수부외과학회 및 대한미세수술학회 정회원

2008.09.~2010.02. 대구CMC 성형외과 전임의

2010. membership of world society of reconstructive microsurgery (WSRM)

집필진 약력

POCKETBOOK CLINICAL MANUAL OF PLASTIC SURGERY

김찬우(金粲祐, Peter Chan-Woo Kim MD, PhD, MBA)

〈現 대구가톨릭대학교의료원 성형외과학교실 악안면성형 담당 전문의 및 과장〉

2004 서울 아산병원 성형외과 전임의 수료

2005 마산삼성병원 성형외과 과장 역임대구가톨릭대학교 대학원 성형외과 의학박사 수료 및 학위 취득

2007 대만장궁병원 성형외과 전임의 수료(1 year craniofacial fellowship, Taiwan)

2008 미국 ASMS scholarship and fellowship 수료(38개 medical centers에서 연수), ASMS (American Society of Maxillofacial Surgery) awards 수상

2010 AO CMF (craniomaxillofacial) scholarship 전임의 수료, Sponsored by Switzerland AOCMF 독일 하노버 AO fellowship 수료

김성은(金成垠, Sung-Eun Kim MD, PhD)

2004.03~2010.02. 영남대학교 의과대학 졸업

2011.03~2015.02. 영남대학교병원 성형외과 수료, 영남대학교 대학원 의학과 박사

2015.03~2017.11. 영남대병원 성형외과 전임의

2017.12~2018.01. 울산 제니스 성형외과 원장

2018.3~現 대구가톨릭대학교병원 성형외과 조교수

대한성형외과학회 정회원

대한미용성형외과학회 정회원

대한두개안면외과학회 정회원